GUIDE DES AUBERGES ET HÔTELS DE CHARME EN MONTAGNE

France - Italie - Suisse - Autriche

ISBN : 2 - 86930 - 499 - 4
ISSN : 0991 - 4781

27, rue de Fleurus - 75006 Paris
10, rue Fortia - 13001 Marseille

GUIDE DES AUBERGES ET HÔTELS DE CHARME EN MONTAGNE

France - Italie - Suisse - Autriche

Guide établi par Michelle Gastaut,
Julien Baer et Bénédicte Darblay

Collection dirigée
par Michelle Gastaut

Rivages

Dans ce guide, 181 hôtels de montagne, ont été sélectionnés, pour la plupart situés dans les Alpes, non seulement en France, mais aussi en Italie, en Suisse et en Autriche. (Pour la France néanmoins vous trouverez des hôtels dans les Vosges, le Jura et les Pyrénées.) Tous ces hôtels répondent à nos critères de sélection : charme, qualité de l'accueil et de la restauration, goût de la tradition.
Conformément à ces critères, les auberges sélectionnées sont de catégories diverses allant d'un confort simple à un confort luxueux ; les étoiles et la lecture du texte vous permettront de situer facilement la catégorie de l'hôtel. Nous vous demandons d'y être attentifs avant de réserver ; on ne peut en effet avoir le même niveau d'exigence pour une chambre à 200 F que pour une chambre à 600 F et plus. Il convient aussi de vous renseigner sur les forfaits-séjours organisés par certains hôtels. D'autre part, nous vous signalons que les prix communiqués étaient encore ceux en vigueur à la fin de 1991 et sont susceptibles d'être modifiés par les hôteliers en cours d'année. Ces hôtels ont été choisis dans des stations bien équipées pour "pratiquer" la montagne en toute saison. A cet effet, pour mieux vous aider à choisir et à organiser votre séjour, vous trouverez avant notre sélection d'hôtels un guide des stations concernées vous donnant les informations pratiques essentielles (téléphone de l'office du tourisme, école de ski, garderies, équipements et activités proposés).

Mode d'emploi de ce guide

Dans le sommaire les hôtels sont classés par pays, par régions, et à l'intérieur de chaque région, nous avons procédé à un classement alphabétique des départements (ou cantons).

Les cartes :
Dans le sommaire, le numéro de la page correspond au numéro de l'hôtel tel qu'il figure sur la carte.
Pour chaque hôtel, un itinéraire d'accès routier vous est proposé avec renvoi au numéro de la carte correspondante.

Pour obtenir votre correspondant :
En Italie : 19 - 39 + indicatif de la ville* + numéro demandé
En Suisse : 19 - 41 + indicatif de la ville* + numéro demandé
En Autriche : 19 - 43 + indicatif de la ville* + numéro demandé
* en enlevant le 0 qui ne sert que pour les communications intérieures

Le change :
En Suisse : 10 F = 2,50 FS
En Autriche : 10 F = 20 SA
En Italie : 10 F = 2 000 L

Si vous êtes séduit par une auberge ou un petit hôtel qui ne figure pas dans notre guide 1992 et dont vous pensez qu'il mériterait d'être sélectionné, veuillez nous le signaler afin que l'auteur de ce guide puisse s'y rendre. Si vous étiez déçu par un des hôtels de ce guide, n'hésitez pas non plus à nous en informer.

SOMMAIRE GENERAL

S O M M A I R E

FRANCE

ALPES DU SUD

ALPES DU NORD

Savoie

Haute-Savoie

ITALIE

DOLOMITES

SUISSE

APPENZELL

GRISONS - ENGADINE

OBERLAND BERNOIS

VAUD

VALAIS

ZURICH

AUTRICHE

HAUTE-AUTRICHE

VORALBERG

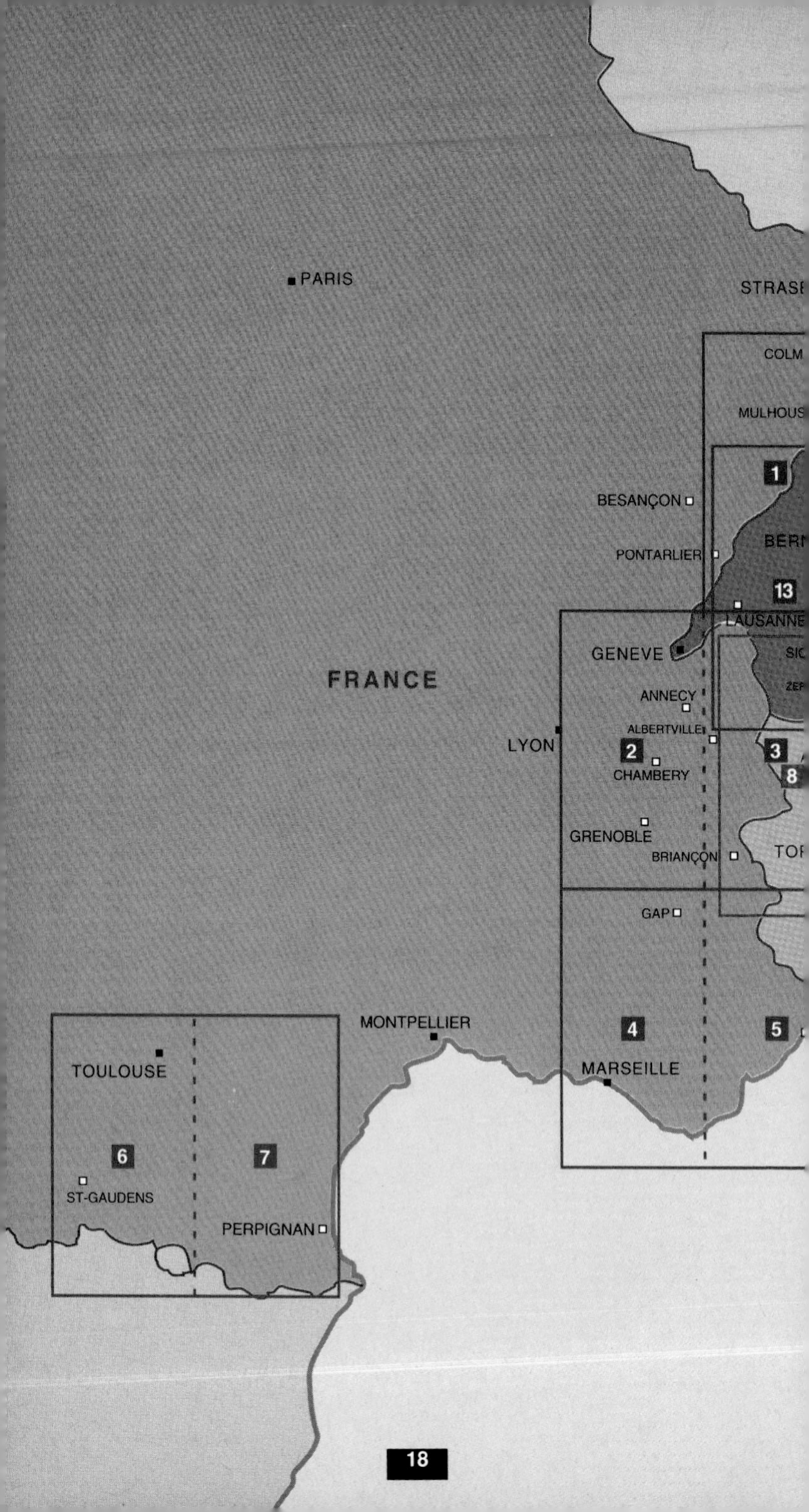
PARIS
FRANCE
BESANÇON
PONTARLIER
GENEVE
ANNECY
ALBERTVILLE
LYON
CHAMBERY
GRENOBLE
BRIANÇON
GAP
MONTPELLIER
MARSEILLE
TOULOUSE
ST-GAUDENS
PERPIGNAN
1
2
3
4
5
6
7
8
13

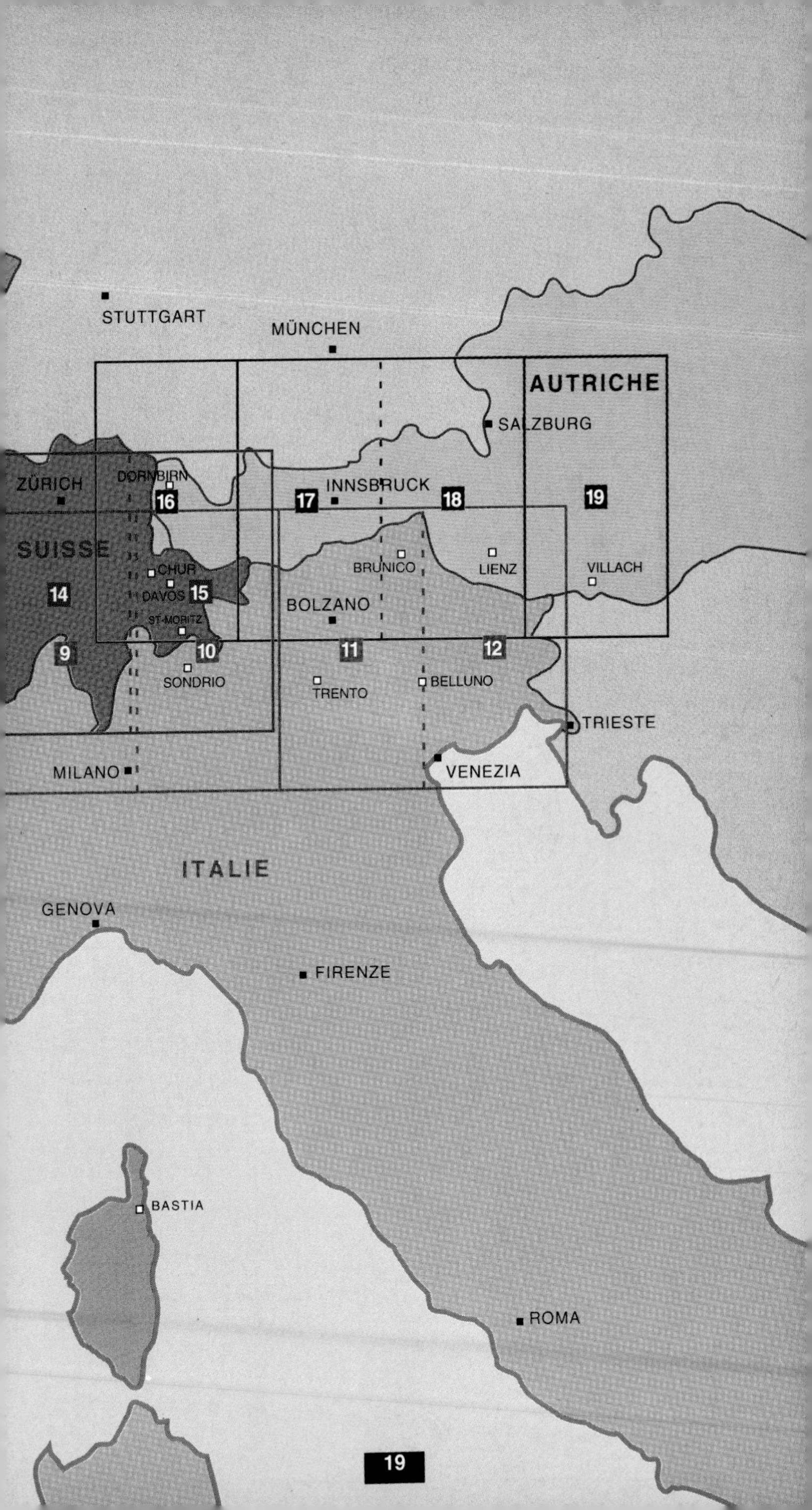
STUTTGART
MÜNCHEN
AUTRICHE
SALZBURG
ZÜRICH
DORNBIRN
16
17
INNSBRUCK
18
19
SUISSE
CHUR
DAVOS
15
14
ST-MORITZ
BRUNICO
LIENZ
VILLACH
BOLZANO
9
10
11
12
SONDRIO
TRENTO
BELLUNO
TRIESTE
MILANO
VENEZIA
ITALIE
GENOVA
FIRENZE
BASTIA
ROMA

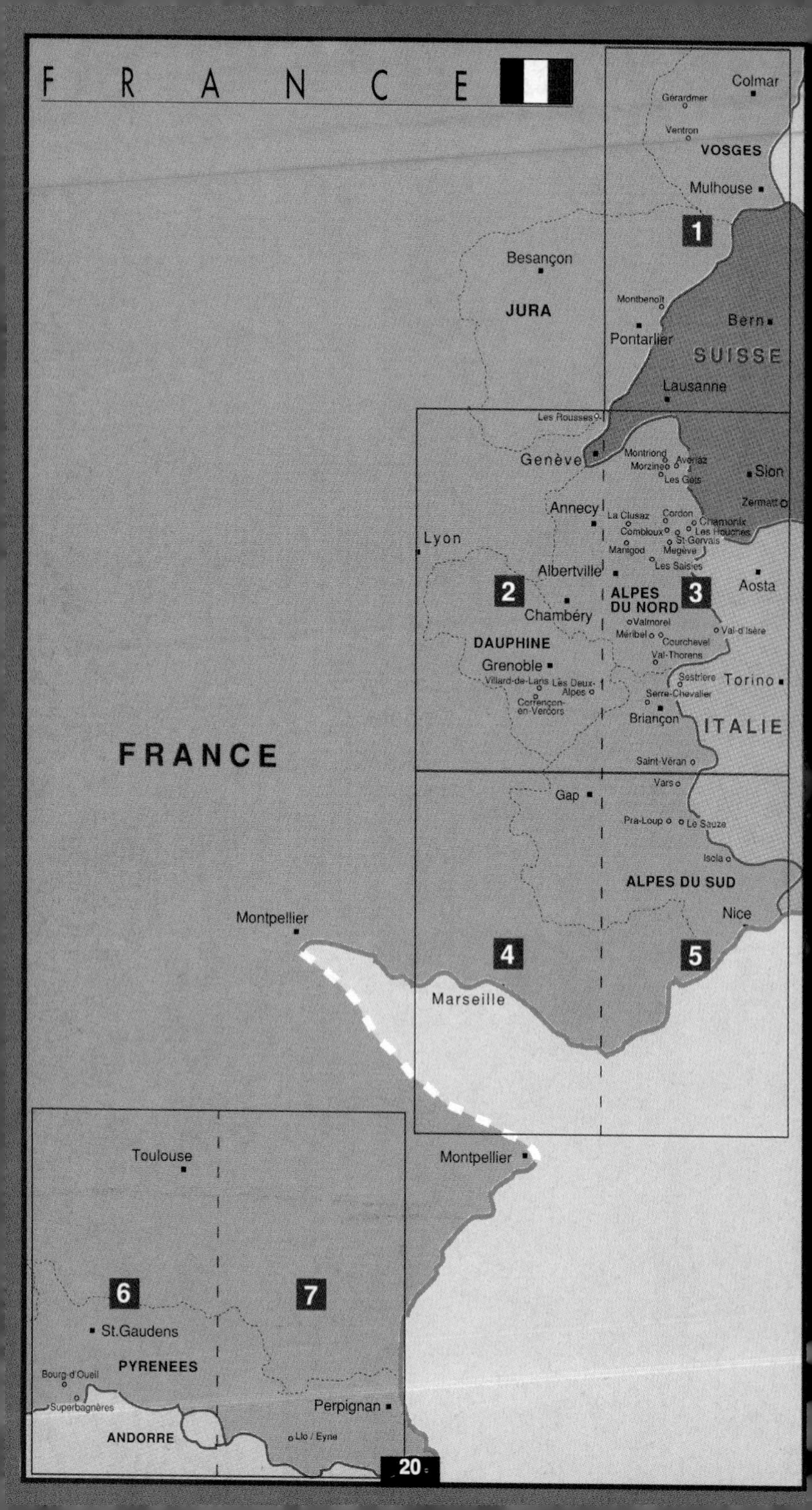
F R A N C E
Colmar
Gérardmer
Ventron
VOSGES
Mulhouse
1
Besançon
JURA
Montbenoît
Pontarlier
Bern
SUISSE
Lausanne
Les Rousses
Genève
Montriond
Morzine
Avoriaz
Les Gets
Sion
Zermatt
Annecy
La Clusaz
Cordon
Chamonix
Les Houches
Combloux
St-Gervais
Manigod
Megève
Les Saisies
Lyon
Albertville
2
ALPES DU NORD
3
Aosta
Chambéry
Valmorel
Méribel
Courchevel
Val-d'Isère
DAUPHINE
Val-Thorens
Grenoble
Villard-de-Lans
Les Deux-Alpes
Corrençon-en-Vercors
Sestriere
Torino
Serre-Chevalier
Briançon
ITALIE
FRANCE
Saint-Véran
Vars
Gap
Pra-Loup
Le Sauze
Isola
ALPES DU SUD
Nice
Montpellier
4
5
Marseille
Montpellier
Toulouse
6
7
St.Gaudens
PYRENEES
Bourg-d'Oueil
Superbagnères
Perpignan
ANDORRE
Llo / Eyne

Mirecourt
Nomexy
St-Dié
Thaon-les-Vosges
Bruyères
Epinal
St-Laurent
Granges-s.-V.
Gérardmer
La Bresse
Remiremont
Xertigny
Arches
Pouxeux
Plombières-les-Bains
Saulxures-s.-M.
Rupt-sur-Moselle
Cornimont
Val-d'Ajol
Fougerolles
Le Thillot
St-Loup
Luxeuil-les-Bains
Faucogney
Ballon d'Als.
Giromagny
Masevaux
Ronchamp
Champagney
Lure
Vesoul
Noroy-le-Bourg
Villersexel
Héricourt
Couthenans
Montbéliard
Sochaux
Audincourt
Hérimoncourt
BELFORT
Grandvillars
Delle
MULHOUSE
Thann
Cernay
Soultz
Guebwiller
Rouffach
Munster
COLMAR
Ingersheim
Wintzenheim
Kaysersberg
Ribeauvillé
Ste-Marie-aux-Mines
Fraize
Col de la Schlucht
C. du Plafond
Gr. Ballon
Altkirch
St-Louis
BASEL
Allschwil
Ferrette
Laufen
Delémont
Porrentruy
St-Ursanne
Moutier
Solothurn
Grenchen
Tavannes
Tramelan
St-Imier
BIEL
Chasseral
La Chaux-de-Fonds
Le Locle
Neuchâtel
La Neuveville
Lac de Neuchâtel
Murten
Laupen
BERN
Belp
Fribourg/Freiburg
Payerne
Estavayer-le-Lac
Avenches
Romont
Bulle
Gruyères
Yverdon-les-Bains
Ste-Croix
Pontarlier
Vallorbe
Orbe
Moudon
Lucens
Morteau
Maîche
St-Hippolyte
Pont-de-Roide
Baume-les-Dames
Ornans
Mt. Chaumont
Mt. Tendre
Doubs
Jaun-P.
Zweisimmen
Frutigen
Gantrisch
Schwarzsee
1
128
129
126
21

2
Varennes-St-Sauveur
Romenay
St-Trivier-de-Courtes
Cuiseaux
Orgelet
Moirans-en-Montagne
La Rixouse
Morez
Bois-d'Amont
Les Rousses
La Cure
St-Cergue
Pont-de-Vaux
St-Amour
St-Julien
Arinthod
St-Claude
Mijoux
Crassier
Coligny
St-Jean-le-Priche
Bâgé-le-Châtel
Montrevel-en-B.
Marboz
Courmangoux
Montfleur
Col de la Faucille
Gex
Mâcon
Thoirette
Les Bouchoux
Crêt de la Neige 1723
St-Genis-Pouilly
Versoix
Ferney-Voltaire
Meyrin
Oyonnax
Chézery-Forens
St-Cyr-s-Menthon
Vonnas
Bourg-en-Bresse
Ceyzériat
St-Germain-de-Joux
GENÈVE
St-Symphorien-d'Ancelles
St-Didier-s.-Chal.
Thoissey
St-André-le-Bouchoux
Châtillon-s.-Ch.
Neuville-s.-Ain
Nantua
Châtillon-de-Michaille
Collonges
Chancy
St-Julien-en-Genevois
St-Paul-de-Varax
Poncin
Maillat
Bellegarde-sur-Valserine
Valleiry
St-Trivier-s.-Moignans
Dompierre-sur-Veyle
Brénod
Billiat
Marlieux
AIN
Pont-d'Ain
Corlier
Ambérieux-en-Dombes
Villars-les-D.
Chalamont
Ambronay
Ambérieu-en-Bugey
Ruffieu
Frangy
Cruseilles
Trévoux
Lapeyrouse
Châtillon-la-Palud
St-André-de-Corcy
St-Rambert-en-B.
Tenay
Hauteville-Lompnès
Grd Colombier 1534
Seyssel
Gorges du Fier
Montrottier
Mionnay
Pérouges
Meximieux
Lagnieu
Sault-Brénaz
Virieu-le-Grd
Artemare
Culoz
Rumilly
ANNECY
Montluel
La Balme-les-Grottes
Rossillon
Ruffieux
Chaudieu
Albens
Alby-s.-Chéran
Crémieux-la-Pape
Jons
St-Romain-de-Jalionas
Belley
Meyzieux
Lancin
Hautecombe
Cusy
Favei
St-Laurent-de-Mûre
Satolas
Crémieu
Sablonnières
Yenne
Aix-les-Bains
Le Châtelard
LYON
Morestel
Glandieu
Le Bourget-du-Lac
Heyrieux
St-Symphorien-d'Ozon
L'Isle-d'Abeau
Bourgoin-Jallieu
La Tour-du-Pin
Aoste
St-Genix-s-Guiers
CHAMBÉRY
Cognin
Challes-les-Eaux
Vienne
St-Jean-de-Bournay
Les Abrets
Le Pont-de-Beauvoisin
Chamoux-s-Gelon
Montmélian
Reventin-Vaugris
Biol
Paladru
St-Geoire-en-Valdaine
Col du Granier
Chapareillan
Le Pontet
La Rochette
Auberives-s.-V.
Champier
Virieu
Lac de Paladru
Le Grand-Lemps
Charavines
Les Échelles
St-Laurent-du-Pont
St-Pierre-d'Entremont
Pontcharra
Allevard
Le Péage-d.-R.
La Côte-St-André
La Frette
Voiron
Col du Cucheron
Le Touvet
Beaurepaire
Rives
St-Pierre-de-Chartreuse
Goncelin
Marcilloles
St-Etienne-de-St-Geoirs
Moirans
Voreppe
Col de Porte
Crolles
Le Fond-de-France
St-Rambert-d'Albon
Anneyron
Tullins
Hauterives
Roybon
L'Albenc
Sassenage
Villard-Bonnot
C. du Glandon
Domène
St-Vallier
Vinay
Rovon
GRENOBLE
Gières
Crx. de Chamrousse
Chamrousse
St-Marcellin
Margès
Le Pont-de-Claix
Uriage-l.-B.
Allemont
Pic du Lac Blanc
Tain-l'Hermitage
Romans-s.-Isère
St-Romans
Gorges de la Bourne
Pont-en-R.
Villard-de-Lans
Vizille
Le Bourg-d'Oisans
L'Alpe
Choranche
St-Nazaire-en-Royans
Grds. Goulets
Moucherolle
Vif
Laffrey
La Morte
Taillefer
C. d'Ornon
Les Deux Alpes
Bourg-de-Péage
St-Jean-en-R.
La Chapelle-en-Vercors
Chantelouve
Alixan
St-Agnan-en-Vercors
Monestier-de-Clermont
VALENCE
Chabeuil
Léoncel
Col de Lachau
La Mure
Entraigues
Parc Nat.
Valbonnais
Montmeyran
St-Julien-en-Quint
Col de Rousset
Mt Aiguille
Clelles
Le Désert
N. D. de la Salette
Corps
Mens
La Chapelle-en-Valg.
Plan-de-Baix
Livron-sur-Drôme
Ste-Croix
Die
Beaufort-s.-G.
St-Firmin-en-Valg.
St-Disdier
Col de la Croix-Haute
22

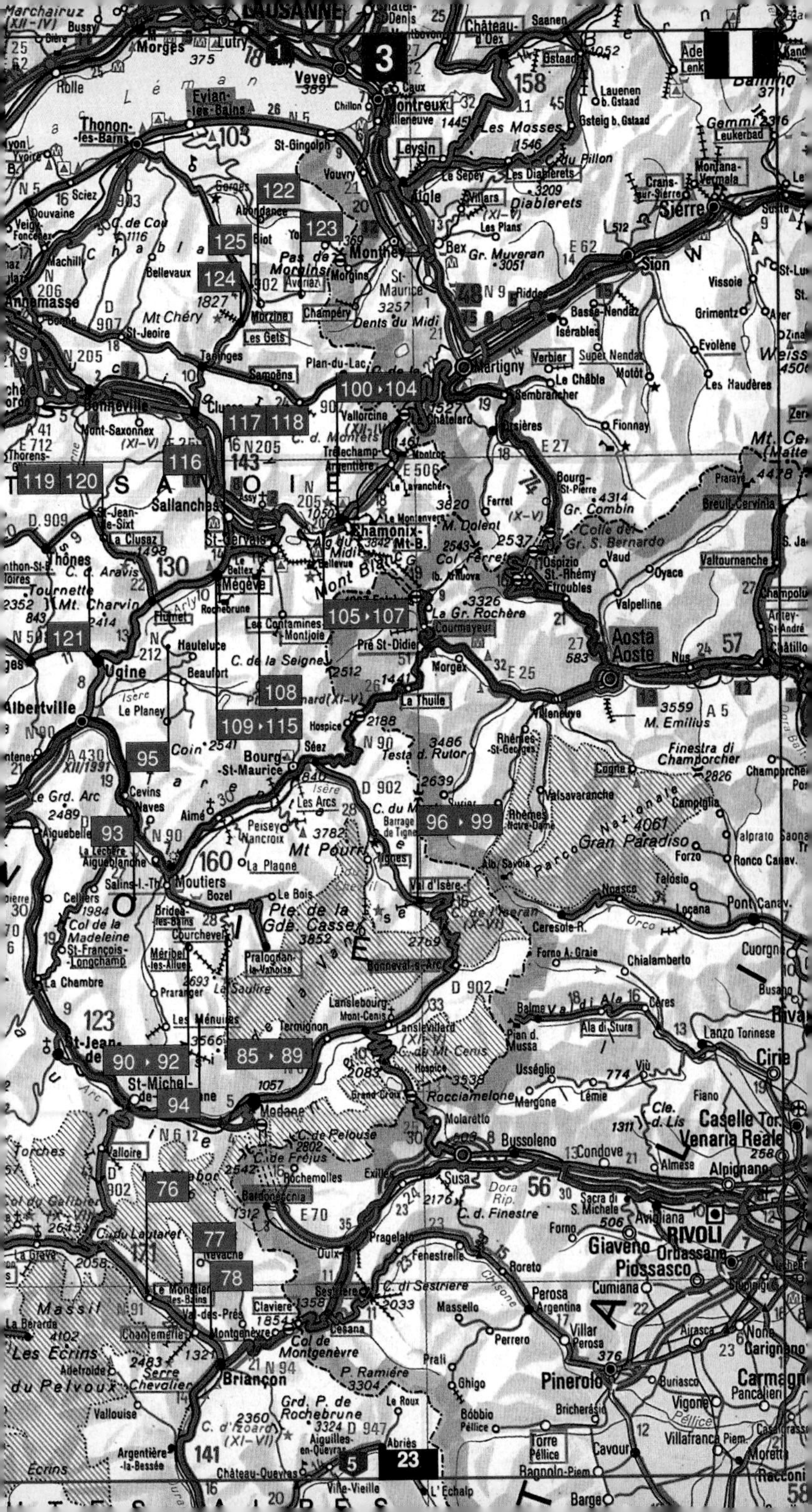

Lausanne
Morges
Rolle
Vevey
Montreux
Château-d'Oex
Gstaad
Lauenen
Evian-les-Bains
Thonon-les-Bains
St-Gingolph
Les Mosses
Leysin
Col du Pillon
Les Diablerets
Diablerets
Crans-sur-Sierre
Montana-Vermala
Sierre
Leukerbad
Gemmi
Douvaine
Sciez
Abondance
Aigle
Bex
Gr. Muveran
Monthey
Pas de Morgins
Morgins
Avoriaz
St-Maurice
Dents du Midi
Champéry
Sion
Vissoie
Grimentz
Evolène
Les Haudères
Bellevaux
Mt Chéry
Morzine
Les Gets
Annemasse
St-Jeoire
Taninges
Samoëns
Plan-du-Lac
Martigny
Verbier
Le Châble
Super Nendaz
Basse-Nendaz
Isérables
Bonneville
Mont-Saxonnex
Cluses
Vallorcine
Le Châtelard
Trélechamp
Argentière
Sembrancher
Orsières
Fionnay
Bourg-St-Pierre
Gr. Combin
Breuil-Cervinia
Sallanches
St-Gervais
Chamonix-Mt-B.
Aig. du Midi
Mont Blanc
M. Dolent
Col Ferret
Ferret
Colle del Gr. S. Bernardo
Ospizio
St.-Rhémy
Etroubles
Vaud
Oyace
Valpelline
Valtournanche
Thônes
La Clusaz
St-Jean-de-Sixt
C. d. Aravis
Tournette
Mt. Charvin
Flumet
Mégève
Le Bettex
Les Contamines-Montjoie
La Gr. Rochère
Courmayeur
Pré St-Didier
Morgex
Aosta
Aoste
Nus
Ugine
Hauteluce
Beaufort
C. de la Seigne
La Thuile
Albertville
Le Planey
Hospice
Séez
Bourg-St-Maurice
Testa d. Rutor
Rhêmes-St-Georges
M. Emilius
Finestra di Champorcher
Cogne
Valsavaranche
Campiglia
Champorcher
Cevins
Naves
Aimé
Les Arcs
Peisey-Nancroix
Le Grd. Arc
Aiguebelle
Aigueblanche
La Léchère
Moutiers
Salins-l.-Th.
La Plagne
Mt Pourri
Tignes
Barrage de Tignes
Rhêmes-Notre-Dame
Parco Nazionale Gran Paradiso
Valprato Soana
Forzo
Ronco Canav.
Val d'Isère
Bozel
Le Bois
Pte. de la Gde Casse
Brides-les-Bains
Courchevel
Col de la Madeleine
St-François-Longchamp
Méribel-les-Allues
Pralognan-la-Vanoise
Bonneval-s-Arc
C. de l'Iseran
Noasca
Locana
Pont Canav.
Ceresole R.
Forno A. Graie
Chialamberto
Cuorgnè
La Chambre
Praranger
La Saulire
Lanslebourg-Mont-Cenis
Lanslevillard
Balme
Val di Ala
Ala di Stura
Ceres
Lanzo Torinese
Les Ménuires
Termignon
Pian d. Mussa
St-Jean-de-Maurienne
St-Michel-de-Maurienne
C. d. Mt Cenis
Rocciamelone
Usséglio
Margone
Lémie
Viù
Ciriè
Modane
Grand Croix
Molaretto
Fiano
C. de Pelouse
C. de Fréjus
Rochemolles
Bussoleno
Condove
Caselle Tor.
Venaria Reale
Valloire
Exilles
Susa
Almese
Alpignano
Bardonecchia
Dora Rip.
C. d. Finestre
Sacra di S. Michele
Avigliana
RIVOLI
Col du Galibier
C. du Lautaret
La Grave
Pragelato
Fenestrelle
Forno
Giaveno
Orbassano
Piossasco
Névache
Oulx
Roreto
Le Monêtier-les-Bains
Sestriere
C. di Sestriere
Massello
Perosa Argentina
Cumiana
Massif des Ecrins
La Bérarde
Val-des-Prés
Claviere
Montgenèvre
Cesana
Col de Montgenèvre
Chantemerle
Perrero
Villar Perosa
Airasca
None
Carignano
Les Ecrins
Ailefroide
Serre Chevalier
du Pelvoux
Briançon
P. Ramière
Prali
Ghigo
Pinerolo
Buriasco
Carmagnola
Pancalieri
Vigone
Vallouise
Grd. P. de Rochebrune
Le Roux
Bobbio Pellice
Bricherasio
C. d'Izoard
Aiguilles-en-Queyras
Abriès
Torre Pellice
Cavour
Villafranca Piem.
Moretta
Argentière-la-Bessée
Château-Queyras
Ville-Vieille
L'Échalp
Bagnolo Piem.
Barge
Racconigi
Ecrins
SAVOIE

4
Die
Ste-Croix
Beaufort-s.-G.
Aouste-sur-Sye
Saillans
Châtillon-en-Diois
D 539
Drôme
Saou
St-Benoît-en-D.
D 93
Luc-en-D.
Cléon-d'Andran
Roubion
Bourdeaux
St-Nazaire-le-Désert
La Bégude-de-Mazenc
Dieulefit
D 538
Bouvières
La Motte-Chalancon
La Charce
Mgne. d'Angèle
Taulignan
D 94
Rémuzat
Rosans
D 994
Serres
Les Pilles
Valréas
Nyons
Ste-Jalle
Montjay
E 712
N 75
Orpierre
Visan
D 538
St Auban-s.-l'Ouvèze
Châteauneuf-de-Chabre
Propiac-l.-B.
Buis-les-Baronnies
Aygues
Tulette
Vaison-la-Romaine
Mollans-sur-Ouvèze
Entrechaux
Mt. Ventoux
D 938
Malaucène
Montbrun-les-Bains
Séderon
Vacqueyras
Bédoin
D 974
Sault
D 942
Beaumes-de-V.
Villes-s.-Auzon
Revest-du-Bion
D 950
Monteux
Carpentras
Nesque
Banon
D 943
Sorgues
Pernes-les-Fontaines
Venasque
St-Saturnin-d'Apt
Simiane-la-Rotonde
Forcalquier
Le Thor
Fontaine-de-Vaucluse
Abb. de Sénanque
Gordes
Rustrel
Mane
N 100
L'Isle-s.-la-Sorgue
Coustellet
Apt
Céreste
Cavaillon
Coulon
Bonnieux
Le Lubéron
Manosque
N 96
Orgon
Lauris-sur-Durance
La Bastide-des-Jourdans
Sénas
Mallemort
La Tour-d'Aigues
Cadenet
Durance
Mirabeau
D 973
Pertuis
Lamanon
Eyguières
Pont-Royal
Lambesc
N 7
St-Cannat
Meyrargues
Peyrolles-en-Prov.
Salon-de-P.
A 7
Miramas
St-Chamas
N 113
E 712
AIX-EN-PROV.
Istres
E 714
Berre-l'Étang
Étang de Berre
Gardanne
Marignane
Martigues
Septèmes-l.-V.
N 8
Pilon du Roi
Trets
St-Zacharie
Fos
La Couronne
C. Couronne
Carry-le-Rouet
Roquevaire
Aubagne
Gémenos
Cuges-les-Pins
Ratonneau
Pomègues
MARSEILLE
Cassis
C. Croisette
I. Riou
La Ciotat
Col de l'Ange
A 50
Le Beausset
St-Cyr-s.-M.
Bandol
Sanary-s.-M.
La Seyne-s.-M.
TOULON
I. des Embiez
C. Sicié
Carqueiranne
C. Bénat
Hyères
Bastia Ajaccio
Propriano (Saison)
Calvi
L'Ile Rousse
I O N
24
Ile de Porquerolles
Porquerolles
Gap
Veynes
Aspremont
Col Bayard
N 94
Grd. Ferrand
St-Étienne-en-Dévoluy
St-Julien-en-Beauchêne
La Croix-Haute
Lus-la-C.-H.
P. de Bure
La Roche-des-Arnauds
Aspres-s.-Buëch
Beaurières
Remollon
Tallard
Barcillonnette
La Saulce
Le Monêtier-Allemont
Laragne-Montéglin
Eyguians
Turriers
La Motte-du-Caire
St-Bonnet-en-Champsaur
St-Firmin
Durance
Les Monges
Authon
Sisteron
E 712
N 85
Noyers-s.-J.
St-Vincent-s.-J.
D 946
Mgne. de Lure
Château-Arnoux
Malefougasse
St-Étienne-les-Orgues
Malijai
Ganagobie
Les Mées
Sigonce
La Brillanne
ALPES-DE-HAUTE-PROVENCE
Oraison
D 907
La Bégude-Blanche
Volx
A 51
Valensole
Riez
Moustiers-Ste-Marie
L. de Ste-Croix
Gréoux-les-Bains
D 952
Allemagne-en-Provence
Vinon-s.-Verdon
D 554
Ginasservis
St-Paul-l.-D.
Quinson
Montmeyan
D 13
Aups
Rians
D 561
Varages
Tavernes
Esparron
Barjols
Sillans-la-Cascade
D 560
Vauvenargues
Châteauvert
La Provençale
St-Maximin-la-Ste-Baume
Pourcieux
Tourves
Brignoles
Abb. du Thoronet
Nans-les-Pins
La Ste-Baume
St-Pilon
Forcalqueiret
Signes
Carnoules
Méounes-les-Montrieux
Gapeau
Cuers
Puget-Ville
Pierrefeu-du-Var
Solliès-Pont
N 97
N 98
A 57

Château-Queyras
Bagnolo-Piem.
Barge
La Colleta
Paesana
Crissolo
M. Viso
3841
Revello
Sanfronte
Saluzzo
Guillestre
Ceillac
La Riaille
Pte de la Font Sancte
3373
Aig. de Chambeyron
3400
Chianale
Maddalena
Casteldelfino
Sampéyre
Venasca
Varaita
Melle
Costigliole di Saluzzo
Busca
Centallo
Orcières
Mourre Froid
2995
Châteauroux -les-Alpes
Embrun
Chorges
Col de Vars
(XII-III)
Ste-Marie de-Vars
D 902
N 94
St-Paul-s.-U.
Chiappera
Acceglio
Stroppo
Prazzo Sup.
S. Damiano M.
Maira
Dronero
Caráglio
Morozzo
Larche
C. de Larche
1998
Argentera
Campomolino
Valgrana
CUNEO
Borgo S. Dalmazzo
Chiusa di Pesio
Ubaye
Grd. Bérard
Jausiers
Barcelonnette
D 900
Seyne-les-Alpes
Pra Loup
Le Sauze
Fours
Col de la Bonette
2802
Vinadio
Stura di Demonte
Demonte
Roccavione
Trois-Evêchés
2961
1347
Le Vernet
Verdaches
Mt. Pelat
3053
St-Dalmas-le-Selvage
Ténibres
3031
St-Etienne-de-Tinée
Bagni di Vinadio
Auron
Isola
Isola 2000
Entracque
Limone Piemonte
Pco. Naz. di Valdieri
Terme di Valdieri
2350
Allos
D 908
Colmars
La Javie
Bléone
Entraunes
D 2202
D 2205
Parc National
Mt. Mounier
2818
Parc Nat. du Mercantour
Col de Tende
1279
Tende
Cheval Blanc
2323
Thorame-Hte
Thorame-Bse
St-Martin-d'Entr.
Guillaumes
Valberg
1669
Beuil
Le Boréon
St-Sauveur-sur-Tinée
du Mercantour
St-Martin-Vésubie
La Colle-St-Michel
Gorges de Daluis
Daluis
Gorges sup. du Cians
D 2205
D 2565
Roquebillière
Annot
St-André-les-Alpes
Puget-Théniers
ALPES-MARITIMES
Touët-sur-Var
Utelle
Peïra-Cava
C. de Brouis
Breil-sur-Roya
Barrême
C. des Robines
1124
N 202
Entrevaux
Notre Dame
Piène Basse
S. Michele
Airole
N 85
Col de Leque
Castellane
St-Auban
Clue d'Aiglun
Le Mas
Mtgne du Chairon
1778
Roquesteron
Pian-du-Var
N 202
C. de Braus
1002
Levens
Sospel
L'Escarène
Mourre de Chanier
Verdon
Col de Luens
1056
St-Martin-du-Var
Coursegoules
D 2204
Point sublime
Le Logis du Pin
D 955
La Palud-s.-V.
Balcons de la Mescla
C. de Valferrière
Gattières
Menton
Ventimiglia
A 8
Pont du Loup
Vence
Monte Carlo
MONACO
Comps-s.-Artuby
Mons
St-Vallier-de-Thiey
Grasse
Cagnes
Beaulieu-s.-M.
NICE
St-Cézaire-sur-Siagne
Fayence
Seillans
Bargemon
Montferrat
1175
D 955
Auribeau-sur-Siagne
Antibes
Juan-les-Pins
C. Ferrat
L'Ile Rousse (Saison)
D 562
D 557
la Provencale
Golfe Juan
C. d'Antibes
CANNES
Is. de Lérins
St-Honorat
Draguignan
Bagnols-en-F.
Le Muy
Les Arcs -s.-A.
L'Argens
Théoule-sur-Mer
Le Trayas
Anthéor-Cap-Roux
Agay
Fréjus
St-Raphaël
Boulouris-sur-Mer
St-Aygulf
Vidauban
Le Luc
Maures
N 98
La Garde-Freinet
La Garonnette
Ste-Maxime-sur-Mer
St-Tropez
Beauvallon
Grimaud
Cogolin
Port-Grimaud
Ramatuelle
C. Camarat
Croix-Valmer
Cavalaire-sur-Mer
Bormes-les-Mimosas
D 559
Le Canadel-s.-Mer
Cavalière
Lavandou
C. Bénat
I. du Levant
Port-Cros
CÔTE D'AZUR
Roquebrune
Laghet
Cabbé
La Turbie
Beausoleil
Cap Martin
MONTE CARLO
La Condamine
MONACO
Col d'Eze
508
Mt. Gros
Observ.
330
Eze
N 7
Cap d'Ail
Eze-s.-M.
Pointe de Cabuel
C. Roux
Col des Chemins
Villefranche
25
D 2564 Grande Corniche

6
Moissac
Valence
Lamagistère
Layrac
Auvillar
St-Nicolas
Castelsarrasin
Montauban
TARN-ET-
GARONNE
Caussade
Montricoux
Albias
Nègrepelisse
Bruniquel
Lafrançaise
Monclar-de-Quercy
Astaffort
AR des Deux-Mers
Miradoux
St-Aignan
Lavit
Bourret
Larrazet
Beaumont-de-Lomagne
Gimat
Labastide-St-Pierre
Bonrepos
Labejau
Salvagnac
Lisle-sur-Tarn
Villemur-sur-Tarn
Fronton
Rabastens
Verdun-s-G.
Grisolles
Castelnau-d'Estr.
La Romieu
Lectoure
St-Puy
Fleurance
St-Clar
Castéra-Verduzan
Montfort
Mauvezin
Cox
Cadours
Grenade
Cépet
St-Sulpice
Montastruc-la-Conseillère
St-Lary
Cologne
Montaigut-sur-Save
Lévignac
Blagnac
TOULOUSE
Nougaroulet
Auch
Aubiet
Gimont
Monbrun
L'Isle-Jourdain
Pibrac
Léguevin
Verfeil
Montauriol
Lanta
L'Isle-de-Noé
Castelnau-Barbarens
Hérechou
Saramon
Cazaux-Savès
Samatan
St-Lys
Seysses
Pinsaguel
Muret
Bazièges
Mirande
Seissan
Simorre
Lombez
St-Clar-de-Rivière
Vernet
St-Élix
Theux
Masseube
Villefranche
Rieumes
St-Léon
Gardouch
St-Michel
Panassac
L'Isle-en-Dodon
Montpézat
Bérat
Capens
Auterive
Nailloux
Pouy-de-T.
Gratens
Carbonne
St-Sulpice-sur-Lèze
Cintegabelle
Trie-s.-B.
Castelnau-Magnoac
Boulogne-s.-Gesse
Blajan
Robirechioulet
Le Fousseret
Rieux
Lézat-sur-Lèze
Cadoux
Aurignac
St-Ybars
Saverdun
Galan
Boudrac
St-Marcet
Cazères-s.-Garonne
Montesquieu-Volvestre
St-Martin-d'Oydes
St-Plancard
Martres-Tolosane
Le Fossat
Lannemezan
St-Martory
St-Gaudens
Montsaunès
Ste-Croix-Volvestre
Escosse
Pamiers
Montréjeau
Salies-du-Salat
Fabas
Mérigon
Sabarat
Pailhès
Mane
Le Mas-d'Azil
Le Saret
Varilhes
St-Laurent-de-N.
Barbazan
Encausse-les-Thermes
Grotte de Labouiche
St-Jean-de-Verges
St-Bertrand-de-Comminges
Loures-Barousse
Aspet
Prat-et-Bonrepaux
St-Lizier
Rimont
La Bastide-de-Sérou
Arbas
St-Girons
Serres-sur-Arget
Foix
Gerle
Portet-d'Aspet
Lacourt
Castillon-en-Couserans
ARIÈGE
Tour Laffon
Granges de Crouhens
Cierp
St-Béat
Fos
Soueix
Massat
C. de Port
Saurat
Mercus
Bethmale
Bordères-Louron
Bourg-d'Oueil
Pont du Roi
Eylie
Ercé
Tarascon
Ussat-les-Bains
Grotte de Niaux
Niaux
P. Maubermé
Pic de Montvalier
Couflens
Aulus-les-Bains
Grotte de Lombrives
Les Cabannes
St-Lary
C. de Peyresourde
Bagnères-de-Luchon
Bosost
Salau
Auzat
Vicdessos
Superbagnères
Lac d'Oô
Pic du Port d'Oô
Hosp. de France
Viella
Salardú
Artiés
Moredo
Alós de Isil
Mont Rouch
Marc
P. de Montcalm
Pic de Malcaras
Lladorre
Pico Posets
Baños de Benasque
Túnel de Viella
P. de Aneto
Hospital de Viella
Parque Nac. de Aigües Tortes
Sant Maurici
Esterri de Aneu
Emb. de la Torras
El Serrat
Coma Pedrosa
Ordino
Soldeu
S. Juan de Plan
Benasque
Sahún
P. de Castanesa
Emb. de Linsoles
Bono
Baños de Caldas
Bohi
Espot
Sra. de los Encantats
Ribera de Cardós
Areu
Alins
Escaló
Tirvia
ANDORRA
Andorra la Vella
Encamp
Les Escaldes
Castejón de Sos
Castanesa
Montseny
Capdella
Llavorsí
S. Julián
Laspaúles
Vilaller
Corrunco
Llessui
Rialb
N 1
Campo
Turbón
Pont de Suert
Malpás
Torre de
Sort
Llorri
La Farga de Moles
La Seu d'Urgell
Castellciutat
St. Vicenç
Viu de Llevata
Emb. de Escales
26

7
Laguépie
Cordes
Vaour
Monestiès
Pampelonne
Tanus
Les Farguettes
Carmaux
Blaye-les-Mines
Valderiès
Réquista
Villefranche-de-Panat
Le Truel
St-Rome-de-Tarn
St-Georges-de-Luzençon
St-Rome-de-Cernon
Broquiès
Valence-d'Albigeois
Cahuzac-sur-Vère
Castelnau-de-Montmiral
L'Hermet
Ambialet
St-Affrique
Roquefort-sur-Soulzon
Marssac-s-T.
St-Juéry
Villeneuve-sur-Tarn
Plaisance
Vabres-l'Abbaye
Gaillac
Albi
Villefranche-d'Albigeois
Alban
St-Sernin-s.-R.
St-Félix-de-S.
St-Pierre
Sylvanès
Ceilhes-et-Rocozels
Lasgraisses
Teillet
Montfranc
Belmont-s-R.
Camarès
Fayet
Laboutarié
Réalmont
Le Masnau-Massuguiès
T A R N
Graulhet
Dadou
Montredon-Labessonnié
Viane
Avène
Lavaur
Vénès
Lautrec
Roquecourbe
Vabre
Lacaune
Moulin-Mage
Murat-sur-Vebre
St-Gervais-sur-Mare
Monts de Lacaune
Agout
Lacrouzette
St-Paul-Cap-de-Joux
Salvagès
Brassac
Lamalou-les-Bains
Vielmur-s.-Agout
Puylaurens
Castres
La Salvetat-sur-Agout
Anglès
Soual
Viviers-les-Montagnes
Labruguière
Olargues
Auriac-s.-V.
Mazamet
St-Amans-Soult
Monts de l'Espinouse
Roquebrun
Dourgne
Labastide-Rouairoux
Courniou
St-Pons
St-Félix-Lauragais
Revel
Sorèze
Arfons
Laprade
Montagne Noire
Cessenon
Villefranche-de-Lauragais
Les Cammazès
St. Chinian
Avignonet-Lauragais
Mas-Cabardès
Puisserguier
Saissac
St-Denis
Caunes-Minervois
Minerve
Cruzy
St-Papoul
Lastours
Minervois
Aigues-Vives
Bize-Minervois
Castelnaudary
Villepinte
Montolieu
Rieux-Minervois
Olonzac
Capestang
Salles-sur-l'Hers
Conques-sur-Orbiel
Villegly
Homps
Cuxac-d'Aude
Fendeille
Alzonne
Pezens
Laredorte
Lézignan-Corbières
Montréal
Trèbes
Puichéric
Villedaigne
Belpech
Fanjeaux
Carcassonne
Narbonne
Monze
Ferrals-les-Corbières
AR des Deux-Mers
Fabrezan
Fontfroide
Mirepoix
Lagrasse
Thézan
St-Hilaire
St. Laurent-de-la-Cabrerisse
La Bastide-de-Bousignac
Moulin-Neuf
Ajac
Limoux
A U D E
Portel-des-Corbières
Sigean
Camon
Col de l'Espinas
Villardebelle
Villerouge-Termenès
Termes
Laroque-d'Olmes
Chalabre
Alet-l.-Bains
Félines-Termenès
Durban-Corbières
Les Cabanes-de-Lapalme
Rappy
Espéraza
Couiza
Arques
Mouthoumet
St-Jean-de-Barrou
Lavelanet
Puivert
Rennes-les-Bains
la Languedocienne
Treilles
Nalzen
Bélesta
Soulatge
Tuchan
Opoul-Périllos
Montségur
Coudons
Quillan
Bugarach
Cubières
Padern
Paziols
Port-Leucate
P. de St. Barthelemy
Caudiès-de-Fenouillèdes
Gorges de Galamus
Maury
Vingrau
Salses
Joucou
Belcaire
Axat
Lapradelle
St-Paul-de-Fenouillet
Le Barcarès
Axiat
La Fajolle
Latour-de-France
Estagel
Rivesaltes
St. Laurent-de-la-Salanque
Usson-l.-B.
Bains d'Escouloubre
Ansignan
Baixas
P. de Tarbesou
Orlu
Montfort-s.-Boulzane
Sournia
Montalba-le-Château
Canet
Querigut
Millas
Canet-Plage
Mérens-les-Vals
Pic Madres
Molitg
Ille-sur-Têt
PERPIGNAN
Formiguères
Bouleternère
Thuir
C. de Puymorens
Sansa
Prades
Vinça
Serrabonne
St-Cyprien
Elne
Villefranche-de-Conflent
R O U S S I L L O N
Bages
Argelès-s.
Les Corallets
Fourques
Porté
Bielte
Vernet-l.-Bains
Mont Canigou
Valmanya
la Catalane
Le Boulou
St. Génis-des-Fontaines
Font-Romeu
Mont-Louis
Thuès-l.-B.
Py
Amélie-les-Bains-Palalda
Céret
Port-Vendres
PYR.-ORIENT
Puigcerda
Llivia
Saillagouse
Bourg-Madame
Corsavy
Arles
Las Illas
Le Perthus
Pic Moneliet
Vallter
Setcases
Nuria
Puigmal
La Preste
Prats-de-Mollo
Montalba-d'Amélie
St-Laurent-de-Cerdans
Maçanet
La Jonquera
Cantallops
Lamanère
Coustouges
Urtx
27

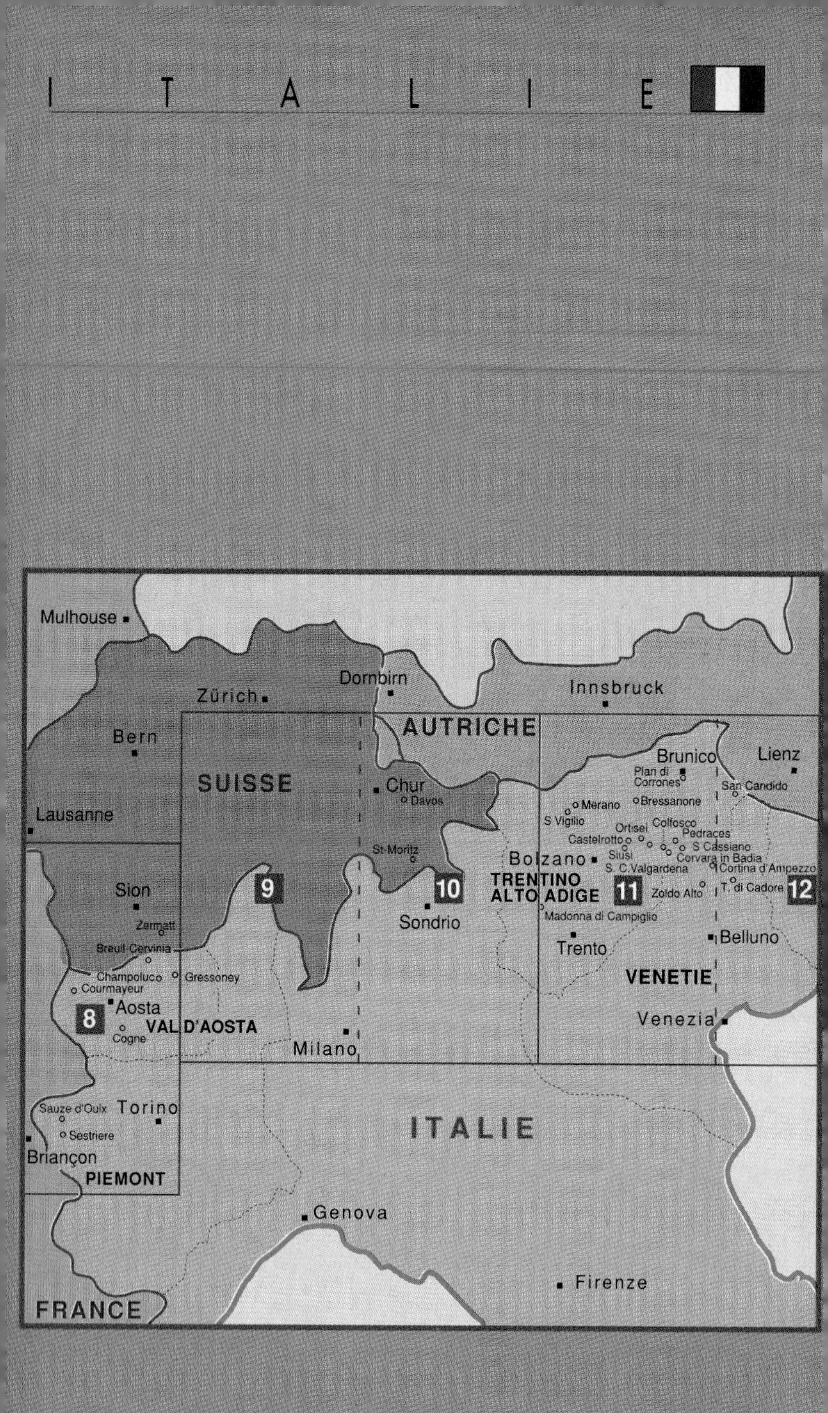
Mulhouse
Zürich
Dornbirn
Innsbruck
Bern
AUTRICHE
SUISSE
Chur
Davos
Brunico
Lienz
Plan di Corrones
San Candido
Lausanne
Merano
Bressanone
S Vigilio
Ortisei
Colfosco
Pedraces
Castelrotto
S Cassiano
Siusi
Corvara in Badia
S. C.Valgardena
Cortina d'Ampezzo
St-Moritz
Bolzano
Sion
9
10
TRENTINO ALTO ADIGE
11
Zoldo Alto
T. di Cadore
12
Sondrio
Madonna di Campiglio
Zermatt
Trento
Belluno
Breuil-Cervinia
Champoluc
Gressoney
VENETIE
Courmayeur
Aosta
8
VAL D'AOSTA
Venezia
Cogne
Milano
Sauze d'Oulx
Torino
Sestriere
ITALIE
Briançon
PIEMONT
Genova
Firenze
FRANCE

8
Vevey
Montreux
Château-d'Oex
Gstaad
Adelboden
Kandersteg
Blümlisalp
Jungfrau
Breithorn
Aletsch
Rochers de Naye
Les Pléiades
Saanen
L'Etivaz
Gsteig
C. du Pillon
Wildhorn
Wildstrubel
Leukerbad
Bietschhorn
Goppenstein
Blatten
Bettmeralp
Fiesch
Aletschwald
Leysin
Les Diablerets
Villars s. O.
Montana
Crans
Leuk
Brig
Morel
Monthey
Bex
St-Maurice
Gd. Muveran
Derborence
Sion
Sierre
Susten
Visp
Stalden
Simplon P.
M. Leone
Simplon
Gondo
Iselle
Champéry
Dents du Midi
Martigny
Riddes
Nendaz
Hérémence
Grimentz
Ayer
Zinal
Gruben
Bella Tola
St. Niklaus
Saas Grund
Saas Fee
Weisshorn
Dom
Zermatt
Domodóssola
Verbier
Le Châble
Rosablanche
Aigs Rouges
Arolla
Les Haudères
Dent Blanche
Täsch
Mattertal
Saaser V.
Alpe Chéggio
Antronapiana
Piedimulera
Vallorcine
C. de la Forclaz
Sembrancher
Orsières
Fionnay
Mauvoisin
Argentière
Chamonix Mt-Blanc
Bourg-St-Pierre
Gd. Combin
Dolent
Ferret
Mt. Vélan
Valpelline
Prarayé
Cervino (Matterhorn)
Breuil Cervinia
Valtournanche
Gornergrat
Breithorn
Dufourspitze
Cima di Jazzi
Macugnaga
Pontegrande
Carcóforo
Rima
C. Colmetta
Rimasco
Alagna V.
Grandes Jorasses
Mont Blanc
La Visaille
Entrèves
Courmayeur
C. du Gr. St-Bernard
Etroubles
Oyace
Bionaz
La Lèchère
St-Jacques
Champoluc
Gressoney la Trinité
Gressoney-St-Jean
Mollia
Balmúccia
Scopello
Torgnon
Antey-St-André
St-Vincent
Châtillon
Brusson
Aosta/Aoste
Nus
Morgex
Pré-St-Didier
La Thuile
Villeneuve
Col du Petit St-Bernard
Dora Baltea
Pila
M. Emilius
Mt Avic
Verrès
Issogne
Gaby
Piedicavallo
Trivero
Biella
Cossato
Champorcher
Finestra di Champorcher
Bard
Pont-St-Martin
Cogne
Grivola
Valgrisanche
Ste-Foy
Les Arcs
Rhêmes
Valsavaranche
Parco Nazionale Gran Paradiso
Piamprato
Valprato Soana
Ronco Canavese
Traversella
Borgofranco
Ivrea
Settimo V.
Gráglia
Salussola
Aig. de la Grande Sassière
C. du Nivolet
Alpe d. Trucco
Noasco
Locana
Valle di Locana
Pont Canav.
Cuorgnè
Castellamonte
Strambino
Val d'Isère
Ceresole R.
Levanna
Bonneval s. Arc
Forno A. Graie
Groscavallo
Chialamberto
Valperga
Busano
Aglié
Barone Ca.
Cigliano
Cavaglià
Bessans
Pian d. Mussa
Val di Ala
Balme
Ala di Stura
Céres
Lanzo Tor.
Rivarolo Can.
Caluso
Livorno Ferraris
Lanslebourg M. C.
Lanslevillard
Col du Mt-Cenis
Usséglio
Viù
Ciriè
S. Maurizio Canavese
Volpiano
Montanaro
Verolengo
Rocciamelone
Margone
Lémie
Fiano
Cle. d. Lis
Caselle Tor.
Brandizzo
Chivasso
Crescentino
Molaretto
Susa
Bussoleno
Condove
Dora Riparia
Venaria
Borgaro T.
Gassino T.
Casalborgone
Brusasco
Chiomonte
Valle di Susa
Sacra di S. Michele
Alpignano
Druento
Pianezza
Collegno
Settimo Tor.
S. Mauro Tor.
Cocconato
C. d. Finestre
Forno
Avigliana
Rivoli
TORINO
Gallareto
Montiglio
Oulx
Sauze d'Oulx
Fenestrelle
Villaretto
Giaveno
Orbassano
MONCALIERI
Chieri
Castelnuovo D. Bosco
Montechiaro d'Asti
Pragelato
Roreto Ch.
Chisone
Cumiana
Nichelino
Sestriere
Massello
Perosa Argentina
Piossasco
Trofarello
Santena
Villanova d'Asti
Cortazzone
Asti
Villar Perosa
Perrero
Airasca
None
Vinovo
Candiolo
Villastellone
Poirino
Baldichieri d'Asti
Monginevro
P. Ramière
Ghigo
Carignano
Pinerolo
Buriasco
Carmagnola
Pancalieri
S. Damiano d'Asti
Isola d'Asti
Le Roux
Bóbbio Péllice
Luserna S. G.
Torre Péllice
Vigone
Péllice
Ceresole Alba
Motta
Abriès
Villanova
Cavour
Villafranca Piem.
Casalgrasso
Canale
Ville-Vieille
Château-Queyras
L'Echalp
Bagnolo Piem.
Moretta
Racconigi
Sommariva d. B.
Corneliano d'Alba
C. d. Bes du Agnello
Piano d. Re
Crissolo
Barge
Paesana
Scarnafigi
Cavaller-maggiore
Bra
Alba
S. Véran

9
LUZERN
Kriens
Horw
Weggis
Schwyz
Brunnen
Glarus
Schwanden
Linthal
Näfels
Pilatus
Schüpfheim
Stans
Buochs
Wolfenschiessen
Flüelen
Klausen-Pass
Altdorf
Sarnen
Escholzmatt
Fürstein
Sörenberg
Giswil
Lungern
Engelberg
Erstfeld
Tödi
Flims
Ilanz
Brienz
Brünigp.
Meiringen
Titlis
Amsteg
Trun
Interlaken
Innertkirchen
Susten-P.
Sustenhorn
Wassen
Oberalp-P.
Disentis/Muster
Sedrun
Grindelwald
Göschenen
Andermatt
Dammastock
Schreckhorn
Eiger
Mönch
Finsteraarhorn
Jungfrau
Grimsel-P.
Furka-P.
Oberwald
Airolo
P. Medel
Pso. d. Lucomagno
Olivone
Rheinwaldhorn
Hinterrhein
Splugen
Pso. del S. Bernardino
Aletschhorn
Nufenen-P.
Blinnenhorn
Pso. di S. Giácomo
Fiesch
Brig
Visp
Faido
Biasca
Mesocco
Simplon P.
Varzo
Crodo
Baceno
Cevio
Maggia
Locarno
Bellinzona
Domodóssola
Villadóssola
Ascona
Brissago
Lugano
Piedimulera
Macugnaga
Verbania
Intra
Pallanza
Luino
Cannobio
Omegna
Varallo
Laveno
Stresa
Mendrisio
Chiasso
Como
Erba
VARESE
Malnate
Borgosesia
Arona
Angera
Sesto Cal.
Tradate
Cantù
Borgomanero
Somma Lomb.
Gallarate
Cassano Magn.
Seveso
BIELLA
Cossato
Gattinara
Oléggio
BUSTO ARS.
Legnano
Saronno
RHO
Galliate
Magenta
Corsico
NOVARA
Trecate
Abbiategrasso
VERCELLI
Santhià
Vespolate
Mortara
Ivrea

10
Triesen
Malbun
Dalaas
Arlberg-Pass
See
33
Schruns
Kuchensp.
3170
Kappl
Furgler
Serfaus
Ried
Sargans
Maienfeld
Sulzfluh
St. Gallenkirch
3007
Hexen-K.
3038
Bad Ragaz
Grüsch
St. Antönien
Schiers
Partenen
Paznaun
Ischgl
Tösens
Wazespitze
3533
Landquart
Zizers
Gargellen
Galtür
Samnaun
Stuben-Pfunds
3148
Calanda
Klosters
Prättigau
2036
Bieler Höhe (XI-IV)
Vesilspitze
Martina
Nauders
Pso. di Résia/Reschenpass
Gepatschhaus
Wildspitze
3774
Chur
Langwies
Silvretta
Piz Buin
3244
3312
Ramosch
1504
Résia/Reschen
Melago/Melag
ÖTZTALER
Dorf
Davos-Platz
1558
Arosa
1775
Vereina-Bergh.
Unter Engadin
Scuol/Schuls
Ardez
Tarasp
Curon Ven./Graun i. V.
Palla Bianca/Weisskugel
3736
Lenzerheide/Lai
1549
2383
Flüela-Pass
Wiesen
Bärentritt
Susch
S-charl
1813
47
S. Valentino a. M./St. Valentin a. d. H.
Abb. di Monte Maria/Kl. Marienberg
Málles V./Mals i. V.
Tanai/Thanai
Tiefencastel
Filisur
3229
P. Vadret
Zernez
Il Fuorn
Pass dal Fuorn
Tubre/Taufers
Sluderno/Schluderns
Silandro/Schlanders
76
Bergün/Bravuogn
Piz Kesch
3418
Albula-P.
2312
Savognin
86
Brail
45
2149
Müstair
Sta Maria
Spondigna/Spondinig
Venosta
Preda
(XI-VI)
Zuoz
La Punt Chamues-ch
Livigno
Passo d'Eira
(XII-V)
Fuldera
(XI-V)
Umbrail-P.
Gomagoi
Trafoi
Parc Naz.
Samedan
Celerina
St. Moritz
Bever
Muottas Muragl
2453
2208
2501
Bagni di Bormio
Pso. d. Stelvio/Stilfser J.
Solda/Sulden
Mulegns
Julier-Pass
2284
Pontresina
Pso. di Foscagno
2291
Isolàccia
Bormio
d Stelvio
Ortles/Ortler
M. Cevedale
3757
S. Gertrude/St. Gertraud
Bivio
Jul
2126
Silvaplana
70
2973
Diavolezza
Forc. di Livigno (XI-IV)
2315
Arnoga
S. Caterina Valf.
1780
Bagni di Rabbi
Maloja-P.
1815
Casaccia
Bernina-P.
Pzo. Bernina 3905
4049 Piz Palü
La Rösa
2450
Pso. Val Viola
S. António-Morig.
M3296
Sobretta
Peio
Cógolo
Malè
Bregaglia
43
Vicosoprano
Chiaréggio
Fránscia
Castasegna
3308
Chiavenna
Poschiavo
98
1019
Sóndalo
2621
Pso. di Gavia
Cusiano
Vermiglio
Dimaro
Mezzana
Pzo. Badile
3678
M. Disgrázia
Chiesa in Valm.
Caspóggio
Grósio
Vezza d'Óg.
1883
Pso. di Tonale
1682
Novate Mezzola
1172
Campocologno
Lóvero
Ponte di Legno
3556
C. Presanella
Mad. di Tirano
Téglio
Tirano
Córteno Golgi
Campo
Cataéggio
Sóndrio
54
Édolo
Bédole
Carisolo
3173
Adda
Caiolo
Albosaggia
Tresenda
Aprica
29
Pso. dell'Aprica 1176
3554
Adamello
Pinzolo
C. Tosa
Delébio
Morbegno
Talamona
Tártano
Pzo. di Coca
3052
Paisco
Forno Allione
Saviore d'Adam
239
Strembo
Vigo Rendena
S. Lorenzo
Fóppolo
1508
Cno. Stella
2620
Pso. di Vivione
Valbondione
1828
Cedegolo
Incis. rupestri (Parco Nazionale)
2891
Villa Rendena
Tione di Trento
Premana
Gerola Alta
Pzo. d. Tre Signori
Mezzoldo
Lizzola
Capo di Ponte
Schilpário
M. Re di Castello
237
2554
Piazzatorre
Carona
2512
Branzi
Pzo. Arera
Dezzo
Breguzzo
Stumiaga
Valtorta
Olmo al B.
Gromo
Limes
Lardaro
Introbio
Bárzio
Piazza Bremb.
Roncobello
Pso. di Presolana
Borno
Breno
Bienno
Pieve di Bono
Ballino
C. di Zambla
Clusone
1297
Cividate C.
Vedeseta
1257
Castione d. P.
Bóario Terme
1895
Bezzecca
Riva d. G.
S. Giovanni Bianco
Serina
Ponte Nossa
Lóvere
G. d. Bala
Darfo-
Val Dorizzo
Condino
Molina
1894
LECCO
S. Pellegrino Terme
Gandino
Storo
S. Omobono
Imagna
Zogno
Éndine
Pisogne
2060
2162
Cóllio
Bagolino
Pte. Caffaro
Calolziocorte
Selvino
1662
1977
Vésio
Bóvegno
Limone
Malcésine
Sedrina
Caprino B.
Casazza
Magasa
Capovalle
Albino
Tavérnole s. Mella
Anfo
Pieve Vecc.
Campione
Ponte S. P.
Alzano Lomb.
Marone
Brozzo
Idro
117
Merate
BERGAMO
Tavérnola Berg.
Gardone V. Tr.
Vestone
Gargnano
Sárnico
Casto
237
Treviso Br.
Tosc.
Dálmine
Seriate
Trescore Bal.
Sulzano
S. Sebastiano
Barghe
Vobarno-Maderno
Trezzo s. A.
E 64
701
Iseo
Sarezzo
Salò
Gardone Riv.
Caprino Ver.
Verdello
Cologno a. S.
Gussago
Nave
514
Tórmini
Palazzolo sull' O.
Rovato
Ospitaletto
Gavardo
Portese
Garda
Cassano d'A.
Treviglio
Chiari
BRÉSCIA
Rezzato
Padenghe
Manerba d. G.
Moniga d. G.
Bardolino
Lazise
Melzo
Caravaggio
Travagliato
Sirmione
Rivolta d'Adda
Antegnate
S. Zeno Nav.
Lonato
69
Desenzano d. G.
Mozzánica
93
Lograto
Roccafranca
Bagnolo Mella
Castenédolo
Peschiera d. G.
Bussolengo
Pandino
Oglio
Dello
Montichiari
Ghedi
E 70
Soncino
Orzinuovi
235
Castiglione d. S.
Pozzolengo
Solferino
Sommacampagna
Crema
83
Leno
Manerbio
Carpenédolo
Valéggio s. M.
Villafranca di V.
Lodi
Castelleone
Quinzano d'O.
Isorella
Médole
Volta Mant.
Soresina
Casalmorano
Pralboino
Acquafredda
Guidizzolo
Roverbella

11
180
181
182
169
167
168
165
162
163
164
170
171
175
166
176
174
173
172
160
161
179
178
177
188
189
185 › 187
Neustift
Steinach
Alpen
Hintertux
Dornauberg
St. Leonhard
Oberlängenfeld
Schrankogel
3496
Gschnitz
Olperer
Pso. di Brénnero/
Brennerpass
Zillertal
Wazespitze
Zuckerhütl
3507
Brennero/
Brenner
S. Giacomo/
St. Jakob
Sölden
Zwieselstein
Mittelberg
Gran Pilastro
Colle Isarco/
Gossensass
Pso. d. Rombo/
Timmelsjoch
Wildspitze
3774
Vipiteno/
Sterzing
Fundres/
Pfunders
Obergurgl
Vent
Pso. di M. Giovo/
Jaufenpass
Vandoies/
Vintl
Terento/
Terenten
Brunico/
Bruneck
ÖTZTALER ALPEN
Palla Bianca/
Weisskugel
Moso in P.
Leonardo in P./
St. Leonhard i. P.
Pso. di
Pennes/
Penserjoch
Rio di Pusteria
Mühlb.
Monguelfo/
Welsberg
Riobianco/
Weissenbach
Sciaves/
Schabs
Luson/
Lüsen
Merano/
Meran
Valdurna/
Durnholz
A 22
Bressanone/
Brixen
Senales/
Schnals
Naturno/
Naturns
Silandro/
Schlanders
Sarentino/
Sarnthm.
Chiusa
Avelengo/
Hafling
S. Vigilio/
St. Vigil
Lana
Vintschgau
SÜDTIROL
Ortisei/
St. Ulrich
Pso. di
Gardena/
Grödner Joch
Castelrotto/
Kastelruth
La Villa/
Stern
S. Cassiano/
St. Kassian
Vilpiano/
Vilpian
BOLZANO
BOZEN
S. Valburga/
St. Walburg
Val d'Ultimo/Ultental
Selva di Val G./
Wolkenstein
Pso. di Sella/
Sellajoch
Corvara
Kurfar
Pso. di
Falzárego
Appiano/
Eppan
Fondo
Nova Levante/
Welschnofen
Arabba
Pso. Pordoi
Canazei
Cernadoi
Marcena
Vigo
Pozza
Marmolada
Caldaro/
Kaltern
Laives/
Laifers
Nova Ponente/
Deutschnofen
Pso. di S. Pellegrino
Alleghe
Civetta
Pso. d.
Méndola/
Mendelp.
Malè
Cles
Ora/Auer
Moena
Falcade
Termeno/
Tramin
Panevèggio
Cencenighe
Egna/
Neumarkt
Cavalese
Predazzo
Denno
Campo
Carlo Magno
S. Martino
di Castrozza
Pala di
S. Martino
Gosaldo
Salorno/
Salurn
Sover
Cat. d. Lagorai
Mezzolombardo
S. Michele a. A.
Brusago
Cima d'Asta
2847
Caoria
Fiera di P.
Pso. di Cereda
Pinzolo
Andalo
Cembra
Canal
S. Bovo
Mezzano
Molveno
Lavis
Palù di Férsina
Le Vette
Sédico
TRENTO
Pergine
Val.
Roncegno
Telve
Strigno
Pso. di
Brocon
Castello
Tesino
Pieve T.
Busche
Lévico T.
Borgo
Grigno
Fonzaso
Feltre
Mel
Vigolo V.
Sella
Arsiè
Arten
Pso. di
S. Boldo
Mattarello
Caldonazzo
Primolano
Follina
Riva
Arco
Nago
Carbonare
Pso. di Vézzena
Piazza
Valdobbiadene
Calliano
Altopiano d'Asiago
Cismon d. Gr.
Folgaria
Gallio
Asiago
M. Grappa
Fener
Pederobba
Rovereto
Roana
Mori
Pso. di Bórcola
Canove
Valstagna
Possagno
Cornuda
Malcésine
Pasubio
Pedescala
Arsiero
Lusia
Solagna
Romano Alto
Ásolo
Brentonico
Vallarsa
Pósina
Piovene
Rocchette
S. Zenone
Volpago
Avio
Schio
Maróstica
Bassano
d. Gr.
Caerano
di S. Marco
Montebelluna
Alad. Fugazze
Thiene
Rosà
Riese
Castelfranco
Vedelago
Pso. Xon
Recoaro Terme
Breganze
Cittadella
Valdagno
Malo
Sandrigo
Paese
Bosco
Chiesanuova
Fontaniva
Resana
Mti Lessini
Dueville
Selva
di Progno
Crespadoro
Motta
S. Giorgio
in Bosco
Trebaséleghe
Campo-
sampiero
Piazzola
s. Br.
Chiampo
VICENZA
Montecchio
Magg.
Badia
Calavena
S. Giovanni
Ilar.
Grezzana
Arzignano
Torri di Q.
Camisano
Vic.
Marsango
Curtarolo
Borgo-
ricco
Mogliano
V. MESTRE
Parona di Valpol.
Tregnano
VERONA
Montebello
Vic.
Montecchia
Montorte
Soave
Longare
Montegalda
Vigonza
Mira
Bussolengo
S. Martino B. A.
Mti. Bérici
Mestrino
PADOVA
Dolo
Sommacampagna
S. Giovanni
Lup.
Caldiero
S. Bonifácio
Lonigo
Barbarano
Vic.
Abano
Terme
Villafranca
di V.
Buttapietra
Oppeano
Montegrotto
Terme
Isola
Albaredo
d'Ad.
Noventa
Battaglia Terme
S. Nicolò
Zevio
Raldon

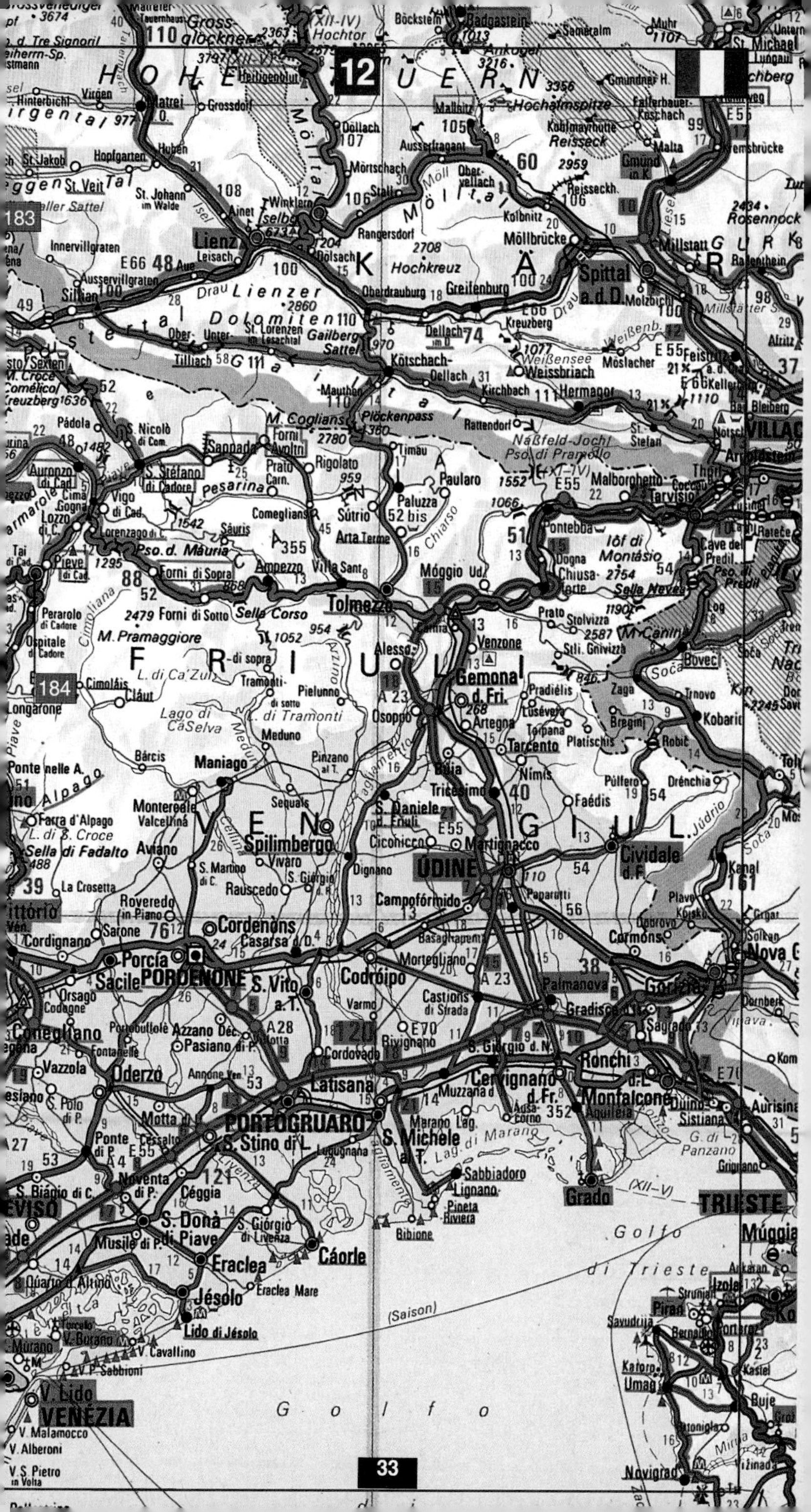

12
183
184
33
HOHE TAUERN
KÄRNTEN
FRIULI
VENEZIA GIULIA
Grossglockner
Hochtor
Heiligenblut
Böckstein
Badgastein
Ankogel
Samer Alm
Muhr
St. Michael
Lungau
Hochalmspitze
Fallerbauer
Koschach
Kohlmayrhütte
Reisseck
Malta
Gmünd in K.
Matrei
Hinterbichl
Virgen
Virgental
Grossdorf
Döllach
Mallnitz
Ausserfragant
Mörtschach
Stall
Obervellach
Mölltal
Reisseckh.
Hopfgarten
Huben
St. Jakob
St. Veit
St. Johann im Walde
Ainet
Winklern
Iselberg
Lienz
Leisach
Innervillgraten
Ausservillgraten
Sillian
Rangersdorf
Dölsach
Hochkreuz
Kolbnitz
Möllbrücke
Spittal a.d.D.
Millstatt
Millstätter See
Molzbichl
Radenthein
Rosennock
Lienzer Dolomiten
Oberdrauburg
Greifenburg
Kreuzberg
Dellach im D.
Drau
Pustertal
Gailberg Sattel
Ober-Tilliach
Unter-Tilliach
St. Lorenzen im Lesachtal
Kötschach-Mauthen
Kötschach-Dellach
Kirchbach
Weißensee
Weissbriach
Hermagor
Möslacher
Feistritz
Kellerberg
Bad Bleiberg
Villach
Arnoldstein
Gailtal
Plöckenpass
M. Coglians
Rattendorf
Naßfeld-Jochl
Pso. di Pramollo
St. Stefan
Sexten
M. Croce Comélico
Kreuzberg
Pádola
S. Nicolò di Com.
Sappada
Forni Avoltri
Rigolato
Prato Carn.
Timau
Paularo
Malborghetto
Coccau
Tarvisio
Thörl
Auronzo di Cad.
S. Stéfano di Cadore
Pesarina
Vigo di Cad.
Lozzo di C.
Comeglians
Sútrio
Paluzza
Arta Terme
Chiarso
Pontebba
Iôf di Montásio
Dogna
Chiusaforte
Sella Nevea
Cave del Predil
Pso. di Predil
Pieve di Cad.
Lorenzago di C.
Pso. d. Mauria
Sáuris
Forni di Sopra
Ampezzo
Villa Sant.
Móggio Ud.
Tolmezzo
Forni di Sotto
Sella Corso
Prato
Stolvizza
M. Canin
Bovec
Soča
Perarolo di Cadore
Ospitale di Cadore
M. Pramaggiore
Cimoliana
Venzone
Alesso
Stli. Gnivizza
Cimolàis
Cláut
L. di Ca'Zul
Tramonti di sopra
Tramonti di sotto
L. di Tramonti
Pielunno
Gemona d. Fri.
Artegna
Osoppo
Pradiélis
Lusévera
Torpana
Platischis
Zaga
Breginj
Trnovo
Kobarid
Robič
Longarone
Piave
Lago di CaSelva
Meduno
Bárcis
Maniago
Pinzano al T.
Buja
Tarcento
Nimis
Pùlfero
Drénchia
Ponte nelle A.
Alpago
Farra d'Alpago
L. di S. Croce
Montereale Valcellina
Sequals
S. Daniele d. Friuli
Tricésimo
Faédis
Sella di Fadalto
Aviano
Spilimbergo
Ciconicco
Martignacco
Cividale d.F.
Júdrio
Kanal
Vivaro
S. Martino di C.
Rauscedo
S. Giorgio d.R.
Dignano
Udine
Paparotti
Plave
Kojsko
Grgar
La Crosetta
Vittório Ven.
Roveredo in Piano
Campofórmido
Cordenons
Sarone
Cordignano
Porcía
Pordenone
Casarsa d.D.
Basagliapenta
Mortegliano
Cormòns
Solkan
Nova Gorica
Sacile
S. Vito a.T.
Codróipo
Castions di Strada
Palmanova
Gorizia
Orsago
Codogne
Varmo
Gradisca
Dornberk
Vipava
Conegliano
Portobuffolè
Azzano Dec.
Pasiano di P.
Bivignano
S. Giorgio d. N.
Sagrado
Fontanelle
Cordovado
Ronchi d.L.
Vazzola
Oderzo
Annone Ven.
Latisana
Cervignano d.Fr.
Muzzana d.
Monfalcone
S. Polo di P.
Motta di L.
Portogruaro
Marano Lag.
Ausa-Corno
Aquileia
Duino
Sistiana
Aurisina
Ponte di P.
Cessalto
S. Stino di L.
Lugugnana
S. Michele al T.
Lag. di Marano
G. di Panzano
Grignano
Noventa di P.
Céggia
Livenza
Sabbiadoro
Lignano
Pineta
Riviera
Grado
Trieste
S. Biágio di C.
Treviso
S. Donà di Piave
S. Giórgio di Livenza
Bibione
Golfo di Trieste
Múggia
Musile di P.
Eraclea
Cáorle
Ankaran
Quarto d. Altino
Jésolo
Eraclea Mare
Izola
Strunjan
Piran
Portorož
Savudrija
Bernardin
Lido di Jésolo
(Saison)
Torcello
V. Burano
Murano
V. Cavallino
V. P. Sabbioni
Katoro
Umag
Kaštel
Buje
V. Lido
Venézia
Golfo
V. Malamocco
V. Alberoni
V. S. Pietro in Volta
Novigrad
Mirna
Vižinada
E55
E66
E70
A23
A28
A4
A27

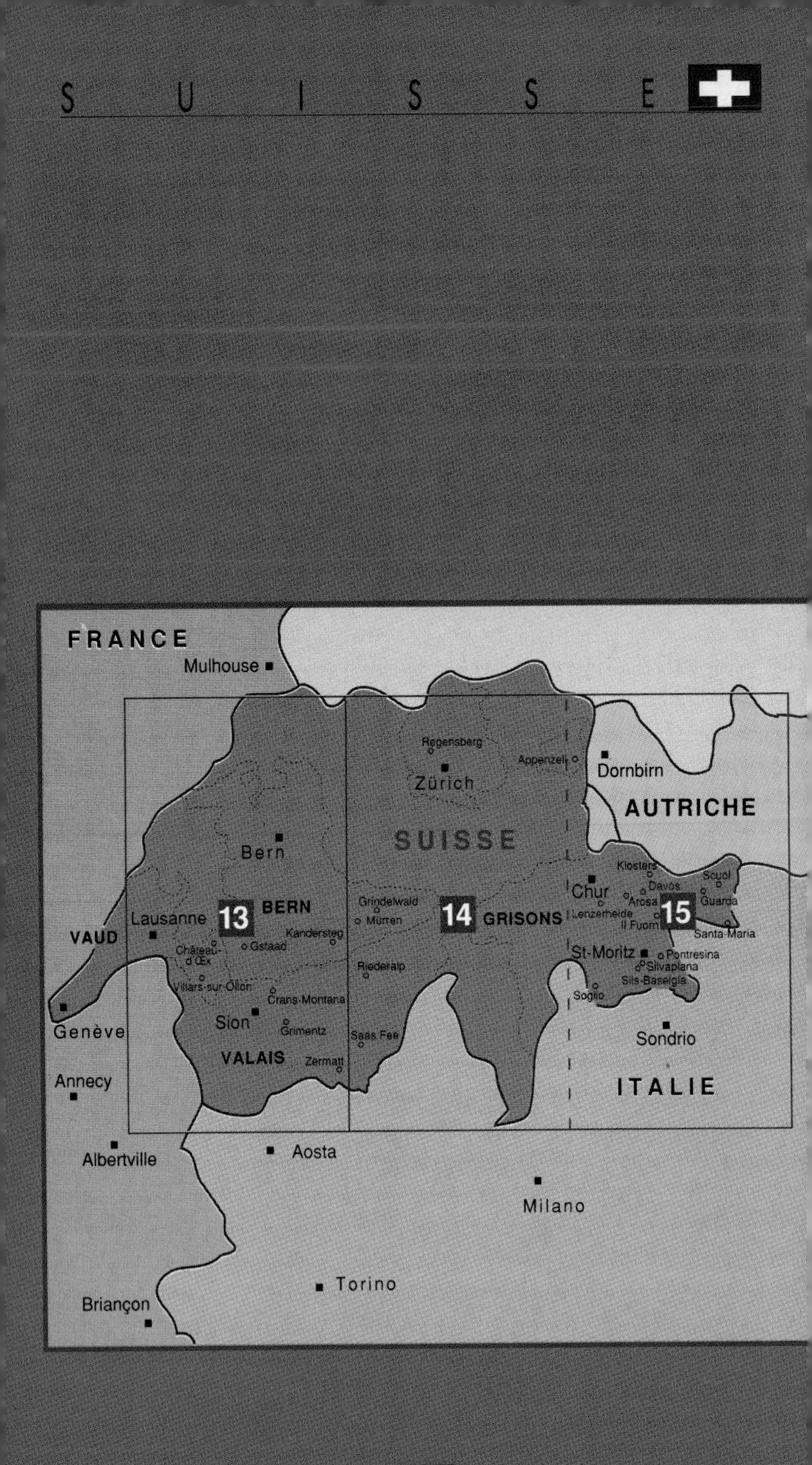

SUISSE
FRANCE
Mulhouse
Regensberg
Zürich
Appenzell
Dornbirn
AUTRICHE
SUISSE
Bern
13
BERN
Lausanne
VAUD
Kandersteg
Gstaad
Château-d'Œx
Villars-sur-Ollon
Crans-Montana
Sion
Grimentz
VALAIS
Zermatt
Genève
Grindelwald
Mürren
Riederalp
Saas Fee
14
GRISONS
Klosters
Davos
Arosa
Chur
Lenzerheide
Il Fuorn
15
Scuol
Guarda
Santa Maria
St-Moritz
Pontresina
Silvaplana
Sils-Baselgia
Soglio
Sondrio
ITALIE
Annecy
Albertville
Aosta
Milano
Torino
Briançon

BELFORT
13
St-Louis
Lörrach
Rheinfelden
Riehen
Bad Säckingen
BASEL
Muttenz
Altkirch
Delle
Montbéliard
Audincourt
Valentigney
Porrentruy
Liestal
Laufen
Delémont
Waldenburg
Aarau
Olten
Balsthal
St-Ursanne
Moutier
Solothurn
Grenchen
Langenthal
Zofingen
St-Hippolyte
Maîche
Saignelégier
Tramelan
St-Imier
BIEL
BIENNE
La Chaux-de-Fonds
Le Locle
Neuchâtel
Burgdorf
BERN
Muri
Köniz
Zollikofen
Aarberg
Lyss
Murten
Avenches
Payerne
Yverdon-les-Bains
Estavayer-le-Lac
Fribourg
Thun
Steffisburg
Spiez
Interlaken
Romont
Bulle
Gruyères
Moudon
LAUSANNE
Vevey
Montreux
Château-d'Oex
Gstaad
Zweisimmen
Adelboden
Lenk
Frutigen
Kandersteg
Jungfrau
Eiger
Mönch
Aletschhorn
Leukerbad
Montana
Sierre
Sion
Brig
Visp
Monthey
Aigle
Martigny
Verbier
Zermatt
Saas Fee
Dent Blanche
Matterhorn
Cervino
Mte. Rosa
Chamonix-Mt-Blanc
St-Gervais-les-Bains
Mont Blanc
Lac de Neuchâtel
231 › 243
244 › 246
248
249
250
251
254 › 256

257
14
229
230
247
252
253
36
Bad Säckingen
Laufenburg
Bözberg
Frick
Sissach
Aarau
Olten
Brugg
Baden
Wettingen
Bülach
Kloten
WINTERTHUR
Frauenfeld
Wil
Schlieren
Wallisellen
Dübendorf
ZÜRICH
Uster
Dietikon
Lenzburg
Wohlen
Bremgarten
Adliswil
Thalwil
Horgen
Küsnacht
Meilen
Wetzikon
Stäfa
Zofingen
Langenthal
Reinach
Triengen
Dagmersellen
Beromünster
Sursee
Hochdorf
Sins
Cham
Baar
Zug
Wädenswil
Rapperswil
Jona
Lachen
Einsiedeln
Willisau
Huttwil
LUZERN
Kriens
Horw
Weggis
Küssnacht a. R.
Schwyz
Brunnen
Glarus
Schwanden
Näfels
Pilatus
Stans
Buochs
Sarnen
Alpnach
Wolfenschiessen
Flüelen
Altdorf
Klausen-Pass
Engelberg
Titlis
Giswil
Lungern
Brienz
Meiringen
Interlaken
Grindelwald
Wengen
Eiger
Mönch
Jungfrau
Schreckhorn
Finsteraarhorn
Susten-P.
Sustenhorn
Dammastock
Göschenen
Andermatt
Wassen
Erstfeld
Amsteg
Tödi
Disentis/Muster
Oberalp-P.
Furka-P.
Grimsel-P.
Gletsch
Oberwald
Ulrichen
Münster
Fiesch
P.so d. S. Gottardo
Airolo
Faido
Biasca
Lucomagno
Olivone
Brig
Visp
Zermatt
Saas Fee
Simplon P.
Gondo
Iselle
Domodóssola
Villadóssola
Locarno
Bellinzona
Ascona
Brissago
Lugano
Luino
Verbània
Pallanza
Intra
Stresa
Omegna
Mte. Rosa
Macugnaga
Mendrisio
Varese
Como

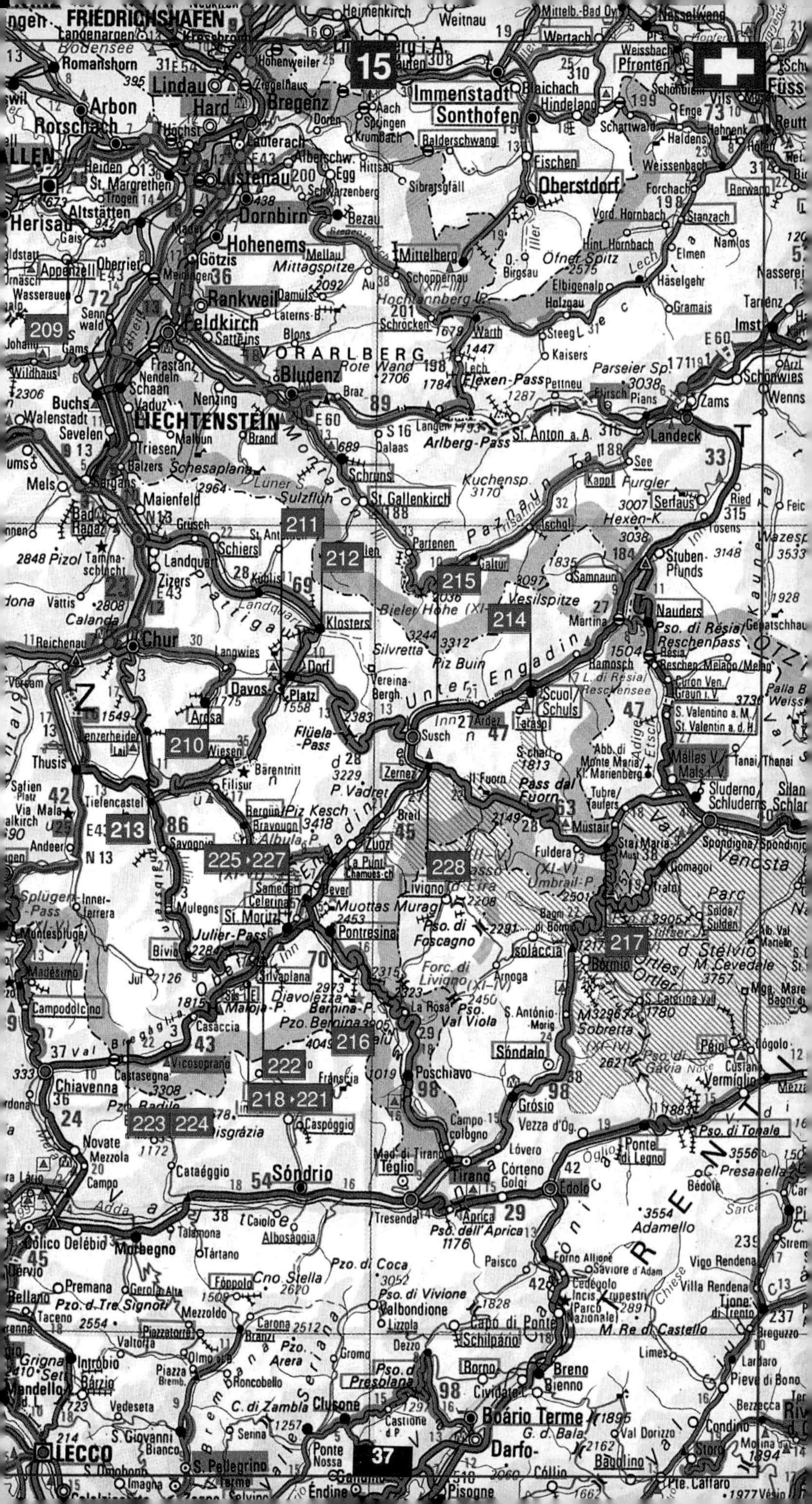

15
FRIEDRICHSHAFEN
Langenargen
Bodensee
Romanshorn
Lindau
Hard
Bregenz
Arbon
Rorschach
Immenstadt
Sonthofen
Blaichach
Hindelang
Pfronten
Füssen
Reutte
Heimenkirch
Weitnau
Wertach
Nesselwang
Aach
Doren
Springen
Krumbach
Balderschwang
Lauterach
Höchst
Lustenau
Alberschw.
Egg
Hittisau
Sibratsgfäll
Fischen
Oberstdorf
Schwarzenberg
Heiden
St. Margrethen
Trogen
Altstätten
Herisau
Gais
Appenzell
Oberriet
Dornbirn
Bezau
Hohenems
Götzis
Mellau
Mittagspitze
Mittelberg
Schoppernau
Hochtannberg P.
Öfner Spitz
2575
Vord. Hornbach
Hint. Hornbach
Stanzach
Forchach
Weissenbach
Haldens
Namlos
Elmen
Elbigenalp
Häselgehr
Holzgau
Gramais
Wasserauen
Rankweil
Damüls
Au
Schröcken
Warth
Feldkirch
Laterns
Sattelins
Blons
VORARLBERG
Steeg
Kaisers
Lech
Flexen-Pass
Rote Wand
2706
Parseier Sp.
3038
Imst
Schönwies
Zams
Wenns
Landeck
Gams
Wildhaus
Frastanz
Nendeln
Schaan
Vaduz
Nenzing
Bludenz
Braz
Pettneu
Flirsch
Pians
Buchs
Walenstadt
Sevelen
LIECHTENSTEIN
Malbun
Brand
Triesen
Balzers
Schesaplana
Dalaas
Langen
Arlberg-Pass
St. Anton a. A.
See
Mels
Sargans
Maienfeld
Lüner S.
Sulzfluh
Schruns
St. Gallenkirch
Kuchensp.
3170
Kappl
Furgler
Serfaus
Ried
Bad Ragaz
Grüsch
St. Antönien
Montafon
Paznaun Tal
Ischgl
Hexen-K.
3038
Pizol
Tamina-schlucht
Schiers
Landquart
Zizers
Partenen
Galtür
Samnaun
Stuben-Pfunds
Vattis
Calanda
Küblis
Prättigau
Klosters
Bieler Höhe
Vesilspitze
Martina
Nauders
Pso. di Résia/ Reschenpass
Chur
Reichenau
Langwies
Silvretta
Piz Buin
Ramosch
Résia
Reschen
Arosa
Davos
Platz
Dorf
Vereina-Bergh.
Unter-Engadin
Scuol/ Schuls
Tarasp
Lenzerheide
Lai
Wiesen
Flüela-Pass
Susch
Ardez
Curon Ven./ Graun i. V.
S. Valentino a. M./ St. Valentin a. d. H.
Thusis
Bärentritt
Filisur
Zernez
Il Fuorn
Pass dal Fuorn
S-charl
Abb. di Monte Maria/ Kl. Marienberg
Mälles V./ Mals i. V.
Tanai/Thanai
Sluderno/ Schluderns
Silandro/ Schlanders
Tiefencastel
Via Mala
Bergün/ Bravuogn
Piz Kesch
3418
Albula-P.
P. Vadret
Brail
Tubre/ Taufers
Müstair
Sta Maria
Spondigna/Spondinig
Val Venosta
Andeer
Savognin
Zuoz
La Punt Chamues-ch
Livigno
Fuldera
Umbrail-P.
Gomagoi
Trafoi
Parc
Splügen-Pass
Innerferrera
Mulegns
Samedan
Celerina
Bever
St. Moritz
Muottas Muragl
Pontresina
Pso. di Foscagno
Bagni di Bormio
Isolàccia
Solda/ Sulden
Stelvio
Ortles/ Ortler
M. Cevedale
3757
Montespluga
Julier-Pass
Bivio
Madésimo
Jul
Silvaplana
Sils
Maloja-P.
Diavolezza
Bernina-P.
Pzo. Bernina
4049
Forc. di Livigno
Pso. Val Viola
Arnoga
La Rosa
Bórmio
S. Caterina Valf.
Sobretta
Campodolcino
Casaccia
Bregaglia
Vicosoprano
S. Antonio-Morig.
Sóndalo
Pso. di Gavia
Péio
Cógolo
Cusiano
Vermíglio
Chiavenna
Castasegna
Fráscia
Poschiavo
Grósio
Vezza d'Og.
Pso. di Tonale
Ponte di Legno
Presanella
Pzo. Badile
Disgrázia
Caspóggio
Campocologno
Lóvero
Novate Mezzola
Campo
Cataéggio
Sóndrio
Mad. di Tirano
Téglio
Tirano
Córteno Golgi
Édolo
Adda
Colico
Delébio
Morbegno
Talamona
Caiolo
Albosàggia
Tresenda
Aprica
Pso. dell'Aprica
1176
Adamello
3554
Dérvio
Tártano
Paisco
Forno Allione
Saviore d'Adam
Vigo Rendena
Premana
Gerola Alta
Pzo. d. Tre Signori
Fóppolo
Cno. Stella
2620
Pzo. di Coca
3052
Pzo. di Vivione
Valbondione
Cedégolo
Incis. rupestri
Parco Nazionale
Villa Rendena
Tione di Trento
Bellano
Taceno
Mezzoldo
Carona
Lizzola
Capo di Ponte
Schilpário
M. Re di Castello
Breguzzo
Valtorta
Piazzatorre
Branzi
Pzo. Arera
Gromo
Dezzo
Grigna
Introbio
Bàrzio
Piazza Bremb.
Olmo al B.
Roncobello
Pso. d. Presolana
Borno
Breno
Cividate
Bienno
Limes
Lardaro
Pieve di Bono
Bezzecca
Mandello
Vedeseta
C. di Zambla
Clusone
Castione d. P.
Boário Terme
G. d. Bala
Val Dorizzo
Condino
S. Giovanni Bianco
Senna
Ponte Nossa
Darfo-
Bagolino
Storo
LECCO
S. Omobono
Imagna
S. Pellegrino Terme
Endine
Pisogne
Cóllio
Pte. Caffaro
37
209
210
211
212
213
214
215
216
217
218 › 221
222
223
224
225 › 227
228

AUTRICHE

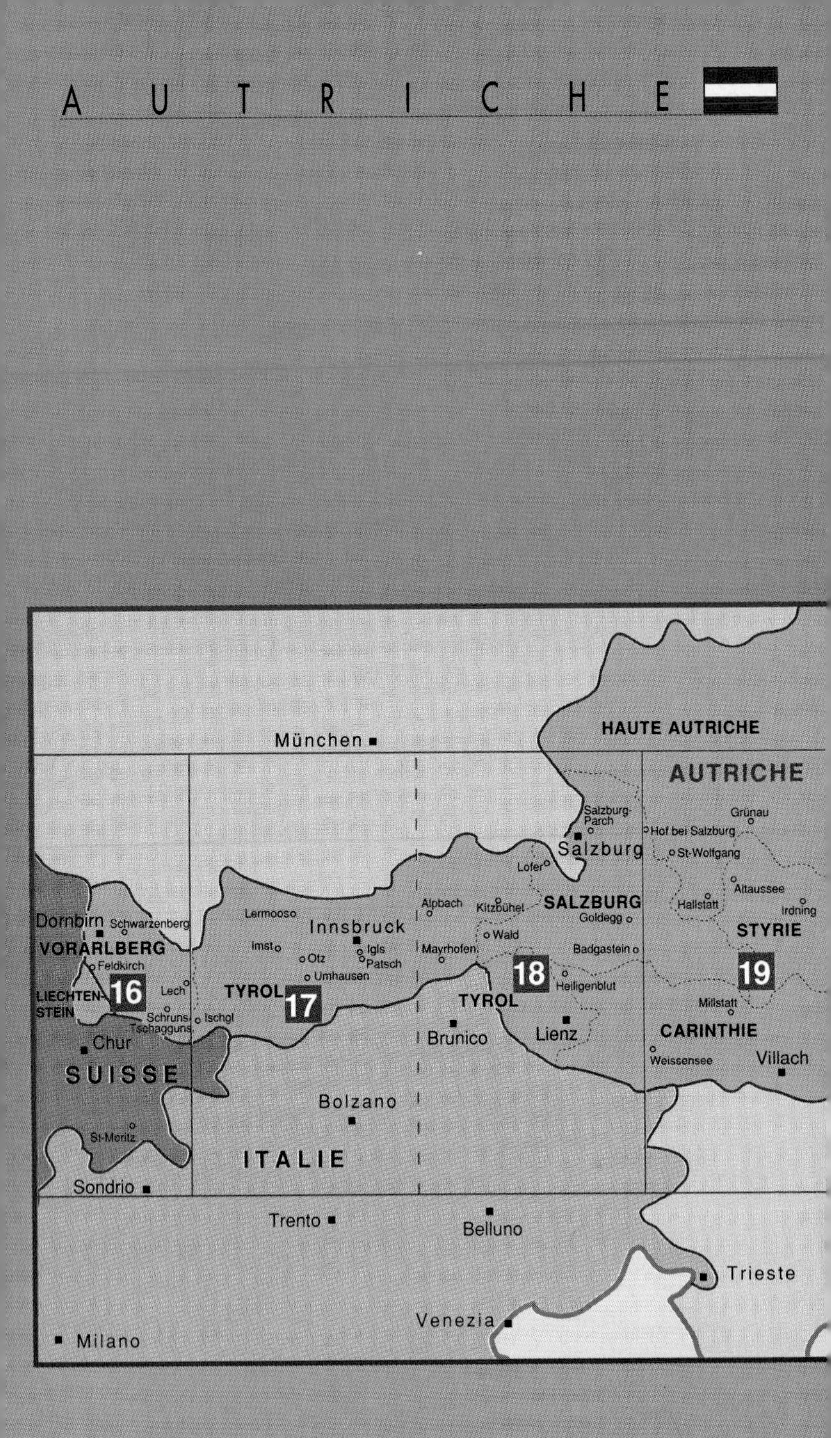

HAUTE AUTRICHE
München
AUTRICHE
Salzburg-Parch
Grünau
Hof bei Salzburg
Salzburg
St-Wolfgang
Lofer
Altaussee
Alpbach
Kitzbühel
SALZBURG
Hallstatt
Irdning
Dornbirn
Schwarzenberg
Lermooso
Innsbruck
Goldegg
STYRIE
VORARLBERG
Imst
Igls
Wald
Mayrhofen
Badgastein
Otz
Patsch
Feldkirch
Umhausen
18
19
16
Lech
Heiligenblut
LIECHTEN-STEIN
TYROL
17
TYROL
Millstatt
Schruns
Tschagguns
Ischgl
Brunico
Lienz
CARINTHIE
Chur
Weissensee
Villach
SUISSE
Bolzano
St-Moritz
ITALIE
Sondrio
Trento
Belluno
Trieste
Venezia
Milano

16
Sigmaringen
Biberach
Ochsenhsn.
Memmingen
Mengen
Saulgau
Bad Buchau
Bad Schussenried
Aulendorf
Messkirch
Krauchenwies
Ostrach
Pfullendf.
Altshausen
Bad Waldsee
Bad Wurzach
Stockach
Ludwigshafen
Überlingen
Weingarten
Ravensburg
Wolfegg
Leutkirch
Kisslegg
Singen
Radolfzell
Salem
Markdf
Meckenbeuren
Tettnang
Wangen i. Allgäu
Isny
KEMPTEN (ALLGÄU)
Meersbg
Mainau
Immenstaad
KONSTANZ
Kreuzlingen
FRIEDRICHSHAFEN
Langenargen
Bodensee
Kressbronn
Lindenberg i. A.
Oberstaufen
Immenstadt
Sonthofen
Frauenfeld
Weinfelden
Romanshorn
Lindau
307
Bregenz
Hard
Amriswil
Arbon
Rorschach
Wil
Bischofszell
ST. GALLEN
Gossau
Heiden
St. Margrethen
Lustenau
Dornbirn
Bezau
Balderschwang
Flawil
Herisau
Altstätten
Hohenems
Mittelberg
Appenzell
Säntis
72
304
Götzis
Rankweil
Feldkirch
Mittagspitze
Wattwil
Schwägalp
Frastanz
VORARLBERG
Rote Wand
Bludenz
Flexen-Pass
Warth
Lech
Churfirsten
Wildhaus
Buchs
Schaan
Vaduz
LIECHTENSTEIN
Walenstadt
Sevelen
Triesen
Balzers
Schesaplana
Flums
Näfels
Glarus
Schwanden
Mels
Sargans
Bad Ragaz
Maienfeld
Schruns
St. Gallenkirch
305
Arlberg-Pass
St. Anton
Kuchensp.
Sulzfluh
Landquart
Schiers
Küblis
Zizers
306
Partenen
Galtür
Silvretta
Piz Buin
Klosters
Linthal
Piz Sardona
Calanda
Chur
Flims
Flims-Waldhaus
Reichenau
Langwies
Davos-Platz
Dorf
Arosa
Tödi
Ilanz
Trun
Lenzerheide
Flüela-Pass
Susch
Thusis
Wiesen
Bärentritt
Filisur
Zernez
Vals
Via Mala
Tiefencastel
Savognin
Bergün/Piz Kesch
Albula-P.
Preda
Zuoz
La Punt
Livigno
Splügen
Hinterrhein
Rheinwaldhorn
Splügen-Pass
Samedan
Celerina
Bever
Muottas Muragl
St. Moritz
Pontresina
Julier-Pass
Bivio
Olivone
S. Bernardino
Pso. del S. Bernardino
Madésimo
Campodolcino
Pianazzo
Silvaplana
Maloja-P.
Diavolezza
Bernina-P.
Pzo. Bernina
Piz Palü
Casaccia
Mesocco
Biasca
39
Vicosoprano
Chiareggio
Poschiavo
Sondalo
La Rosa
Pso. Val Viola
Pso. di Foscagno
Forc. di Livigno
Engadin
Prättigau

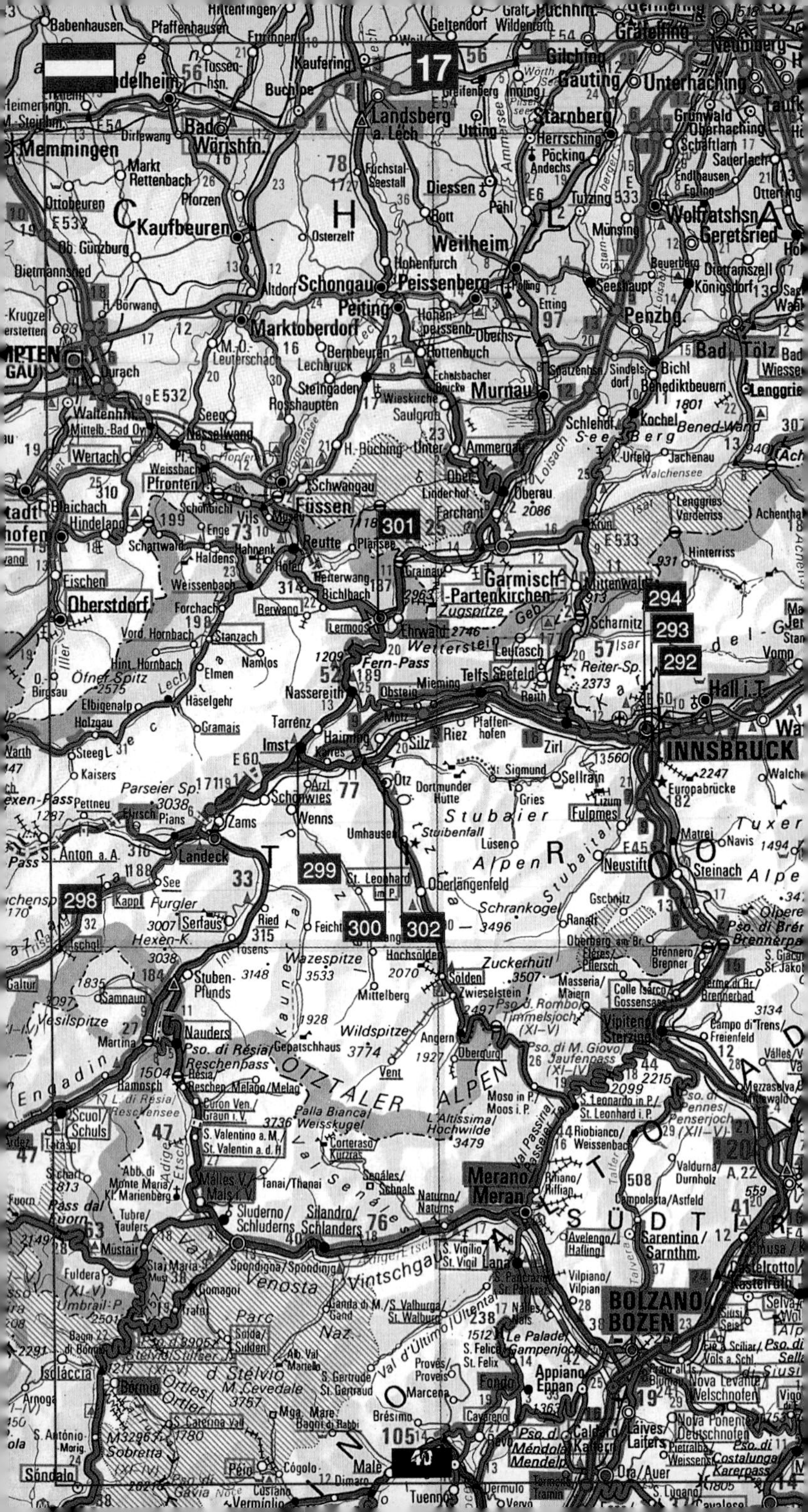

17
Babenhausen
Pfaffenhausen
Kaufering
Geltendorf
Gilching
Gräfelfing
Mindelheim
Buchloe
Landsberg a. Lech
Greifenberg
Gauting
Unterhaching
Starnberg
Memmingen
Bad Wörishfn.
Utting
Herrsching
Markt Rettenbach
Pöcking
Andechs
Diessen
Tutzing
Ottobeuren
Kaufbeuren
Pähl
Wolfratshsn.
Geretsried
Ob. Günzburg
Osterzell
Weilheim
Münsing
Hohenfurch
Dietmannsried
Schongau
Peissenberg
Seeshaupt
Königsdorf
Altdorf
Peiting
Penzbg.
Marktoberdorf
Bad Tölz
Bernbeuren
Rottenbuch
Lechbruck
Murnau
Bichl
Benediktbeuern
Lenggries
Steingaden
Rosshaupten
Saulgrub
Kochel
Nesselwang
Wertach
Ammergau
Pfronten
Schwangau
Füssen
Oberau
Linderhof
Hindelang
Reutte
Vils
Farchant
Fischen
Oberstdorf
Garmisch-Partenkirchen
Mittenwald
Zugspitze
Lermoos
Ehrwald
Scharnitz
Wetterstein Geb.
Stanzach
Forchach
Leutasch
Elmen
Namlos
Fern-Pass
Seefeld
Telfs
Nassereith
Mieming
Häselgehr
Elbigenalp
Holzgau
Imst
Tarrenz
Silz
Zirl
INNSBRUCK
Hall i.T.
Parseier Sp. 3038
Schönwies
Zams
Landeck
Pians
Ötz
Sellrain
St. Anton a. A.
Umhausen
Fulpmes
Stubaier Alpen
Matrei
Neustift
Steinach
Serfaus
Ried
St. Leonhard im P.
Schrankogel 3496
Brennero/Brenner
Ischgl
Hochsölden
Sölden
Zuckerhütl 3507
Samnaun
Mittelberg
Wildspitze 3774
Pfunds
Nauders
Gepatschhaus
Vent
Obergurgl
Vipiteno/Sterzing
Pso. di Résia/Reschenpass
Ötztaler Alpen
Palla Bianca/Weisskugel 3736
Moso in P./Moos i. P.
St. Leonhard i. P.
Engadin
Scuol/Schuls
S. Valentino a. M./St. Valentin a. d. H.
Merano/Meran
Málles V./Mals i. V.
Silandro/Schlanders
Naturno/Naturns
Sluderno/Schluderns
Sarentino/Sarnthm.
Lana
Müstair
Vinschgau
BOLZANO BOZEN
Bormio
Ortles/Ortler
M. Cevedale 3757
Appiano/Eppan
Fondo
Malè
Caldaro/Kaltern
Laives/Leifers
Nova Levante/Welschnofen
Ora/Auer
Stelvio/Stilfser J.

18
Burghausen
Vaterstetten
Zorneding
Anzing
Hohenlinden
Ebersberg
Wasserburg
Schnaitsee
Garching
Kirchweidach
Tittmoning
Grafing
Altenmarkt
Trostberg
Fridolfing
Moosdorf
Amerang
Obing
Traunreut
Palling
Halfing
Assling
Glonn
Rott
Vogtareuth
Seebruck
Waging a. S.
Laufen
Oberndf.
Mattsee
Beyharting
Endorf
Petting
286
Bruckm.
Prutting
Rimsting
Chieming
Traunstein
Teisendf.
Freilassing
Bad Aibling
Kolbermoor
ROSENHEIM
Prien
Grabenstätt
Siegsdorf
SALZBURG
Miesbach
Bad Feilbach
Raubling
Grassau
Aschau
Marquartstn.
Ruhpolding
Inzell
Bad Reichenhall
Schliersee
Hundham
Fischbachau
Flintsbach
Schleching
Unterwössen
Reit i. Winkl
Tegernsee
Rottach Egern
Sachrang
Kössen
Stein-Pass
Hallein
Bischofswiesen
Bayrischzell
Walchsee
Unken
Berchtesgaden
Ursprung Pass
Valepp
Kufstein
Kaiser-Gebirge
Waidring
Lofer
Ramsau
Königsee
Watzmann
Steinberg am Rofan
St. Johann i. Tir.
Ochsenhorn
Kitzbüheler Horn
Hochfilzen
Brandenbg.
Söll
Wörgl
Hopfgarten
Kirchberg
Fieberbrunn
285
SALZBURG
Selbhorn
Werfen
Hochkönig
Westendorf
Kitzbühel
Saalbach
Leogang
Saalfelden a. St. Meer
284
Rattenbg.
Alpbach
Kelchsau
Jochberg
Hinterglemm
Viehhofen
Dienten
Mühlbach a.H.
Fügen
Kitzbüheler Alpen
296
297
Maishofen
291
W. Salzachgeier
Thurn Pass
Uttendorf
Zell a. S.
Taxenbach
Bruck
Katzenkopf
Neukirchen
Bramberg
Stuhlfdn.
Piesendorf
Salzach
Lend
Aschau
Hollersbach
Mittersill
Kaprun
Dorfgastein
Zell a. Z.
Gerlos
Wald
Krimml
Fusch a. d. G.
Rauris
Krimmler Wasserfälle
288
Edelweisshütte
Kaprunertörl
Seidlwinkl
Wörth
Mayrhofen
Reichenspitze
Enzinger boden
Bucheben
Bad Hofgastein
Zillergrund
Felber Tauern
Rudolfshütte
Vetta d'Italia
Glockenkar-Kopf
Grossvenediger
Matreier Tauernhaus
Gross-glockner
Hochtor
Böckstein
Badgastein
Dornauberg
Pco. d. Tre Signori/ Dreiherrn-Sp.
Hocharn
295
Pratomagno/Prastmann
Heiligenblut
HOHE TAUERN
283
S. Pietro/ St. Peter
S. Giovanni/ St. Johann
Isel
Hinterbichl
Virgen
Matrei i. O.
Grossdorf
280
Mallnitz
Virgental
Riva di Túres/
Rain-Taufers
Döllach
Ausserfragant
Lappago/ Lappach
Lutago/ Luttach
Campo Túres/ Sand in T.
Collalto
Erlsbach
St. Jakob
Hopfgarten
Huben
Mörtschach
Defereggen
St. Veit
Tal
St. Johann im Walde
Stall
Möll
Obervellach
Molini di T./ Mühlen
Rif.
Passo Stalle/ Staller Sattel
Ainet
Winklern
Mölltal
Terento/ Terenten
Anterselva/ Antholz
Iselsberg
Rangersdorf
Brunico/ Bruneck
S. Maddalena/ St. Magdalena
Innervillgraten
Lienz
Leisach
Dölsach
Hochkreuz
Monguelfo/ Welsberg
Ausservillgraten
Dobbiaco/ Toblach
Sillian
Lienzer Dolomiten
303
Oberdrauburg
Greifenburg
Lusón/ Lüsen
Longega/ Zwischenwasser
Pustertal
Ober- Tilliach
Unter-
St. Lorenzen im Lesachtal
Gailberg Sattel
Dellach im D.
S. Vigilio/ St. Vigil
Sesto/ Sexten
Kötschach- Mauthen
Dellach
Kirchbach
Pederoa
Pso. M. Croce di Comélico/ Kreuzberg
Carbonin/ Schluderbach
Gailtal
La Villa/ Stern
Pádola
Plöckenpass
M. Coglians
Pso. di Gardena/ Grödner Joch
S. Cassiano/ St. Kassian
Pso. Tre Croci
Misurina
S. Nicolò di Com.
Sappada
Forni Avoltri
Timau
Corvara
Cortina d'Ampezzo
Auronzo di Cad.
S. Stefano di Cadore
Prato Carn.
Rigolato
Paularo
Pesarina
Pso. di Falzárego
S. Vito di Cad.
Cima Gogna
Vigo di Cad.
Lozzo di C.
Comeglians
Sútrio
Paluzza
Arabba
Pso. Pordoi
Pieve di Liv.
Cernadoi
Marmarole
Lorenzago di C.
Pso. d. Máuria
Sáuris
Arta Terme
Marmolada
Selva di Cadore
Vado Cad.
Tai di Cad.
Pieve di Cad.
Forni di Sopra
Ampezzo
Villa Sant.
Móggio Ud.
S. Pellegrino
Caprile
Alleghe
Fla. Staulanza
Venas di Cad.
Tolmezzo
Falcade
M. Civetta
Cencenighe
Forno di Z.
Perarolo di Cadore
41
Forni di Sotto
Sella Corso
Ospitale di Cadore
Pso. Duran
Venzone

19
Vöcklabruck
Gmunden
Steyr
Bad Hall
Ebensee
Bad Ischl
Bad Goisern
Hallstatt
Bad Aussee
Totes Gebirge
Sengsengebirge
Windischgarsten
Liezen
Admont
Schladming
Radstadt
Bischofshofen
Dachstein
Hochgolling
Tamsweg
Murau
St. Michael
Katschberg
Spittal a.d.D.
Millstatt
Feldkirchen
VILLACH
KLAGENFURT
St. Veit a.d. Glan
Hermagor
Arnoldstein
Tarvisio
Jesenice
Bled
Ferlach
287
279
289
277
278
290
282
281
recta
foldex

ALPES DU SUD

Pra-Loup (Alpes-de-Haute-Provence) 1600 / 2500 m

Station créée par Honoré Bonnet dans les années 60, Pra-Loup est très fréquentée au moment des vacances scolaires du midi de la France. Le centre commercial et toutes les activités sont regroupés autour de la patinoire en plein air. Ski facile à Pra-Loup, plus sportif à la Foux-d'Allos.

Renseignements pratiques

OFFICE DU TOURISME – tél. 92 84 10 04

ESF – tél. 92 84 11 05 / 92 84 15 15

GARDERIES – Jardin des neiges, Club des poussins, tél. 92 84 11 05, (3 à 6 ans) – Halte-Garderie, tél. 92 84 16 70, (6 mois à 6 ans).

INFOS ROUTIERES – Répondeur tél. 92 20 10 00

METEO – Station météo de Briançon, tél. 92 21 07 91

ACCES (VOIR CARTE N° 5) – SNCF : à 80 km de Gap – Navette gare-station, tél. 92 51 06 05 – AEROPORT : à 230 km de Marseille-Provence, à 180 km de Grenoble – Navette aéroport-station, tél. 91 62 10 22 – AERODROME : Barcelonnette Saint-Pons, tél. 92 81 08 78

HIVER – Pistes de ski alpin : 28 – Domaine skiable : liaison à La Foux-d'Allos (65 pistes) – Forfait commun : Pra-Loup-La Foux d'Allos – Randonnées : 5 km de sentiers balisés – Patinoire – Deux tennis couverts – Cinéma.

ETE – Ski sur herbe, tennis, équitation, parapente, deltaplane.

HOTELS – Auberge du Clos Sorel, p.72 – Le Prieuré de Molanes, p. 73

RESTAURANTS – A Pra-Loup : *Le Bistingo*, tél. 92 84 17 94, nouvelle cuisine – *La Tisane*, tél. 92 84 10 55, braserades, soirées fondue et raclette – A Barcelonnette à 8 km : *La Mangeoire*, Place des 4 Vents, tél. 92 81 01 61, viandes, grillades – *Le Passe-Montagne*, route de Cayolle, tél. 92 81 08 58, magret, salades.

Super-Sauze (Alpes-de-Hte Provence) 1400 / 2450 m

Station familiale, bien ensoleillée. Le pendant de Pra-Loup, entre Barcelonnette et le col d'Allos.

Renseignements pratiques

OFFICE DU TOURISME – tél. 92 81 05 61

ESF – tél. 92 81 05 20

GARDERIES – Jardin des neiges, ESF, tél. 92 81 05 20, à partir de 3 ans – C.B.U., tél. 92 81 16 76, à partir de 6 mois.

INFOS ROUTIERES – Répondeur tél. 92 20 10 00

METEO – Station météo de Briançon, tél. 92 21 07 91

ACCES (VOIR CARTE N° 5) – SNCF : à 75 km de Gap – Navette gare-station, tél. 92 81 05 61 – AEROPORT : à 180 km de Grenoble – Navette aéroport-station, tél. 92 32 18 36

HIVER – Pistes de ski alpin : 35 – Randonnées : 5 km de sentiers balisés – Domaine skiable : liaison par navette entre Barcelonnette et Pra-Loup – Piscine couverte, promenade en raquettes et en traîneau à chiens, parapente – Cinéma.

ETE – Randonnées : 30 km de sentiers balisés – Tennis, équitation, ulm, mountain-bike, escalade.

HOTEL – Le Pyjama, p. 74

RESTAURANTS – *Alp Hôtel*, tél. 92 81 05 04 – *Deux Mazots*, tél. 92 81 05 32 – A Barcelonnette : *La Mangeoire*, Place des 4 Vents, tél. 92 81 01 61, viandes, grillades – *Le Passe-Montagne*, route de Cayolle, tél. 92 81 08 58, magret, salades.

Saint-Véran (Hautes-Alpes) 2050 / 2800 m

Dans le parc régional du Queyras, Saint-Véran est la commune la plus haute de France qui a conservé ses anciens chalets XVIIe et XVIIIe siècles.

Renseignements pratiques

OFFICE DU TOURISME – tél. 92 45 82 21

ESF – tél. 92 45 81 20

GARDERIES – Jardin des neiges, ESF, tél. 92 45 81 20

INFOS ROUTIERES – tél. 91 78 78 78

METEO – Station météo de Briançon, tél. 92 21 07 91

ACCES (VOIR CARTE N° 5) – SNCF : à 30 km de Mont-Dauphin – Liaison gare-station par car.

HIVER – Pistes de ski alpin : 23 – Pistes de ski de fond : 80 km – Domaine skiable : liaison avec Molines.

ETE – 2 tennis, mountain-bike, alpinisme.

HOTEL – Les Chalets du Villard, p. 75

RESTAURANTS – *La Fougagno*, fondue et raclette – *La Maison d'Elisa*, tél. 92 45 82 48, salon de thé, restaurant – *Le Chalet des Amoureux*, tél. 92 45 84 35, snack, pizzas, terrasse ensoleillée au milieu des bois.

Serre-Chevalier (Hautes-Alpes) 1350 / 2800 m

Villeneuve et Monêtier font partie des treize villages qui forment le grand "Serre Che" et qui offrent un vaste domaine skiable. Station familiale et sportive, très fréquentée par les méridionaux.

Renseignements pratiques

OFFICE DU TOURISME
Monêtier, tél. 92 24 41 98 – Villeneuve-la-Salle, tél. 92 24 71 88

ESF – Villeneuve-la-Salle, tél. 92 24 71 99 – Monêtier, tél. 92 24 42 66

GARDERIES – Jardin des neiges, ESF, à partir de 3 ans – Les Poussins, tél. 92 24 03 43 – Les Schtroumpfs, tél. 92 24 70 95 – La Ruche, tél. 92 24 45 75, à partir de 6 mois.

INFOS ROUTIERES – tél. 91 78 78 78

METEO – Station météo de Briançon, tél. 92 21 07 91

ACCES (VOIR CARTE N° 3) – SNCF : à 5 km de Briançon – Liaison gare-station, tél. 92 21 00 56 – AEROPORT : à 108 km de Grenoble-St-Geoirs.

HIVER – Pistes de ski alpin : 93 – Pistes de ski de fond : 45 km en 5 boucles – Domaine skiable : liaison avec l'Alpe-d'Huez, les Deux-Alpes, Puy-St-Vincent, Voie Lactée, Bardonnècchia et Serre-Chevalier – Forfait commun : Grand Serre-Che – Randonnées : 20 km de sentiers balisés – 3 patinoires, piscine couverte, école de conduite voiture et moto sur glace, ULM, parapente, promenades en traîneau – Cinémas.

ETE – Randonnées dans le Parc des Ecrins – Escalade, ski sur herbe, deltaplane et parapente, ULM, équitation, tennis, rafting.

HOTELS – Auberge du Choucas, p. 76 – Le Clos de Chantemerle, p. 77 – Hôtel La Vieille Ferme, p. 78

RESTAURANTS – A Chantemerle : *La Boule de Neige*, 15 rue du Centre, tél. 92 24 00 16, menu unique à 100 F – A Monêtier-Lauzet : *Le Castel Pèlerin*, tél. 92 24 42 09, grillades – A Villeneuve : *Le Chazelay*, tél. 92 24 76 30, à côté de la télécabine, très fréquenté à midi (terrasse ensoleillée), plat du jour, fondue, et raclette – *La Marotte*, tél. 92 24 77 23 – *La Pastorale*, tél. 92 24 75 47 – *Le Pastelli*, tél. 92 24 70 92 – *Le Refuge*, tél. 92 24 73 20, restaurant mais surtout fréquenté pour sa crêperie – *Le Jardin*, la crêperie des teenagers – *La Rôtisserie de la Vieille Ferme*, tél. 92 24 76 44 – A Serre Barbin : *Le Barbin*, tél. 92 24 74 42, grand buffet d'entrées, grillades – A Chazal : *Le Chazal*, tél. 92 24 45 54, plat du jour, desserts maison – Restaurants d'altitude : *L'Echaillon*. A Fréjus : *Le Pi Maï*.

Vars (Hautes-Alpes) 1650 / 2750 m

La station se compose de quatre villages : Saint-Marcellin, Sainte-Catherine, Sainte-Marie et Vars-les-Claux. Vars-les-Claux est le cœur de la station. Station sportive et familiale.

Renseignements pratiques

OFFICE DU TOURISME – tél. 92 46 51 31

ESF – tél. 92 46 53 24

GARDERIES – Jardin des neiges, ESF, tél. 92 46 53 24 – SEI, tél. 92 46 57 54, à partir de 2 ans – Mamie Marmotte, tél. 92 46 57 16, à partir de 6 mois.

INFOS ROUTIERES – tél. 91 78 78 78

METEO – Station météo de Briançon, tél. 92 21 07 91

ACCES (VOIR CARTE N° 5) – SNCF : à 8 km de Mont-Dauphin Guillestre – Navette gare-station, tél. 92 45 18 11 – AEROPORT : à 180 km de Grenoble-St-Geoirs.

HIVER – Pistes de ski alpin : 61 – Pistes de ski de fond : 36 km – Domaine skiable : liaison avec Risoul, 159 km de pistes – Forfait commun : Le Domaine de la Forêt Blanche – Randonnées : 30 km de sentiers balisés – 2 patinoires, squash, circuit A.T.C, ULM, promenades en raquettes, en traîneau à chiens – Cinéma.

ETE – Randonnées : 10 sentiers balisés – Tennis, ULM, tir à l'arc, practice de golf, cyclotourisme, équitation.

HOTEL – Les Escondus, p. 79

RESTAURANTS – A Vars-les-Claux : *Le Relax*, tél. 92 46 51 66, plat du jour sur terrasse ensoleillée à midi, spécialités exotiques le soir, fondue, raclette – *La Zizanie*, tél. 92 46 53 47, crêpes, fondue, raclette, braserades, terrasse ensoleillée pour le déjeuner – *Chez Plumot*, tél. 92 46 52 12, bonne cuisine avec spécialités du Sud-Ouest mais aussi fondue, raclette.

Isola (Alpes-Maritimes) 2000 / 2610 m

Bel environnement pour une architecture de béton. La proximité de Nice séduit de plus en plus une riche clientèle étrangère. Beau domaine skiable.

Renseignements pratiques

OFFICE DU TOURISME – tél. 93 23 15 15

ESF – tél. 93 28 11 78

INFOS ROUTIERES – tél. 91 78 78 78

METEO – Météo, tél. 93 71 01 21 – Répondeur, tél. 93 72 31 33

GARDERIES – Jardin des neiges, Le Caribou, tél. 93 23 11 78, de 3 à 10 ans – Les Petites Canailles, tél. 93 23 17 57, de 2 à 6 ans.

ACCES (VOIR CARTE N° 5) – SNCF : à 90 km de Nice. Navette gare-station, tél. 93 85 92 60 – AEROPORT : à 90 km de Nice – Navette aéroport-station, tél. 93 85 92 60

HIVER – Pistes de ski alpin : 46, 1 piste de ski de nuit sur "Belvédère" – Pistes de ski de fond : 5 km – Sentiers balisés : 50 km – Patinoire, circuit voiture et A.T.C sur glace – Cinéma.

ETE – Randonnées : 18 km de sentiers balisés – Tour du Mercantour – Tour des lacs – Tennis, équitation, deltaplane, parapente, mountain-bike.

HOTEL – Hôtel Diva, p. 80

RESTAURANTS – *La Raclette*, tél. 93 23 10 34 – *La Bergerie*, tél. 93 23 10 50, agréable le soir, spécialités de montagne – *Le Petit Chamois*, tél. 93 23 10 50, petit restaurant sympathique – *La Génisserie*, tél. 93 23 10 50, à 2 ou 3 km, agréables dîners avec feu de cheminée – *La Buissonnière*, salon de thé – Le restaurant d'altitude le plus fréquenté : *Cow Club*.

DAUPHINE

Les Deux-Alpes (Isère) 1650 / 3600 m

Voisine de l'Alpe-d'Huez, cette station a su trouver une clientèle jeune et sympathique qui apprécie l'ambiance animée et les prix qui restent abordables.

Renseignements pratiques

OFFICE DU TOURISME
tél. 76 79 22 00

ESF – tél. 76 79 21 21

GARDERIES – Jardin des neiges, ESF, tél. 76 79 21 21 – ESI, tél. 76 79 04 21, de 3 à 6 ans – Bonhomme des Neiges, tél. 76 79 06 77, de 2 à 6 ans – Crèche du Clos des Fonds, tél. 76 79 02 62, de 6 mois à 2 ans.

INFOS ROUTIERES – tél. 76 40 47 47

METEO – Centre départemental de météorologie, tél. 76 54 29 63 Répondeur, tél. 76 51 11 11 – Horloge des neiges, tél. 76 51 19 29

ACCES (VOIR CARTE N° 2) – SNCF : Navette gare-station, tél. 76 47 77 77 à 75 km de Grenoble – AEROPORT : à 114 km de Grenoble-St-Geoirs – Navette aéroport-station, tél. 76 65 42 44 – ALTIPORT : Alpe-d'Huez à 40 km, tél. 76 80 41 60

HIVER – Pistes de ski alpin : 75 – Pistes de ski de fond : 20 km en 4 boucles – Domaine skiable : liaison avec La Grave – Forfait commun : Super-ski – Liaison en hélicoptère avec l'Alpe-d'Huez, tél. 76 80 58 09 – Patinoire, piscine couverte, squash – Cinéma.

ETE – Randonnées : promenades dans le Parc des Ecrins – Ski d'été, tennis, escrime, golf (4 trous), équitation, parapente.

HOTEL – Chalet Hôtel Mounier, p. 81

RESTAURANTS
Le P'tit Polyte, tél. 76 80 56 90, la nouvelle petite salle du Chalet Mounier, cuisine gourmande à la carte – *La Bérangère*, tél. 76 79 24 11, restaurant gastronomique – *La Belle Auberge*, tél. 76 79 57 90, fondue, raclette, cuisine à la carte – *Les Sagnes*, tél. 76 79 51 62, crêperie – Restaurants d'altitude : *La Troïka – La Pastorale – La Patache – Le Patachon – Les Glaciers – Le Panoramic.*

Villard-de-Lans (Isère) 1050 / 2170 m

C'est la plus belle station du Vercors, avant tout reine du ski de fond. Mais on a bien amélioré les pistes de ski alpin. Les champs de ski se trouvent à la côte 2 000, à 4 km, desservis à partir du village par une navette.

Renseignements pratiques

OFFICE DU TOURISME – tél. 76 95 10 38

ESF – tél. 76 95 10 94

GARDERIES – Jardin des neiges, ESF, tél. 76 95 10 94, à partir de 4 ans – Casa Mia, tél. 76 95 10 85, jusqu'à 12 ans – Villa mon rêve, tél. 76 95 14 31, jusqu'à 6 ans – Les Oursons, tél. 76 95 06 13, (3 mois à 6 ans).

INFOS ROUTIERES – tél. 76 40 47 47

METEO – Centre de météorologie, tél. 76 54 29 63 – Répondeur tél. 76 51 11 11 – Horloge des neiges, tél. 76 51 19 29

ACCES (VOIR CARTE N° 2) – SNCF : à 32 km de Grenoble – Navette gare-station, tél. 76 95 11 24 – AEROPORT : à 58 km de Grenoble-St-Geoirs, liaison par car – AERODROME : Le Versoud à 46 km, tél. 76 77 28 46

HIVER – Pistes de ski alpin : 36 – Domaine skiable : liaison avec Corrençon, Lans-en-Vercors, Autrans, Méaudre (79 remontées mécaniques) – Forfait commun : Ski Pass Vercors 4 montagnes – Pistes de ski de fond : 120 km avec le Centre Nordique de Bois-Barbu, tél. 76 95 03 30 et Centre Nordique de Corrençon en Vercors, tél. 76 95 06 24 – Patinoire, piscine couverte, tennis couvert, piste de luge – Cinéma.

ETE – Randonnées : 270 km de sentiers balisés – Escalade, piscine, équitation, mountain-bike, tir à l'arc, poney-club. Golf de Corrençon (18 trous) à 6 km, tél. 76 95 80 42

HOTELS
La Fleur du Roy, p. 82 – Auberge des Montauds, p. 83

RESTAURANTS
Le Matafan, tél. 76 95 91 68 – *Le Tetras*, tél. 76 95 12 51, le restaurant gastronomique de la station – *Le Bon Vieux Temps*, tél. 76 95 05 28 – *La Crèche Provençale*, tél. 76 95 11 74 – *Le Dauphin*, tél. 76 95 15 56 – *La Petite Auberge*, tél. 76 95 11 53

Corrençon-en-Vercors (Isère) 1111 / 2 287 m

Renseignements pratiques

SYNDICAT D'INITIATIVE – tél. 76 95 81 75

ESF – tél. 76 95 83 46

GARDERIES – Jardin des neiges, ESF, tél. 76 95 83 46

ACCES (VOIR CARTE N° 2) – Voir Villard-de-Lans

INFOS ROUTIERES – tél. 76 40 47 47

METEO – Voir Villard-de-Lans

HIVER – Pistes de ski alpin : 15 – Pistes de ski de fond : 130 km avec le Centre Nordique de Bois-Barbu, tél. 76 95 03 30 et Centre Nordique de Corrençon-en-Vercors, tél. 76 95 06 24
Domaine skiable : liaison avec Villard-de-Lans, Lans-en-Vercors, Méaudre – Forfait commun : Ski Pass Vercors 4 montagnes (46 pistes) – Tennis – A Villard-de-Lans (6 km) : patinoire, piscine couverte, tennis couvert, piste de luge.

ETE – Randonnées : 270 km de sentiers balisés – Golf de Corrençon (18 trous), tél. 76 95 80 42 – Tennis à Villard-de-Lans.

HOTELS – Hôtel du Golf, p. 84

ALPES DU NORD

Courchevel (Savoie) 1300 / 2707 m

Intégrée au Domaine des 3 Vallées, Courchevel, station olympique, va voir ses équipements sportifs encore améliorés (patinoire et stade de saut) et son look transformé. Station branchée à Courchevel 1 850 m, ambiance plus familiale au Praz 1 350 m.

Renseignements pratiques

OFFICE DU TOURISME – tél. 98 08 00 29

ESF – 1550 m, tél. 79 08 21 07 – 1650 m, tél. 79 08 26 08 – 1850 m, tél. 79 08 07 72

GARDERIES – Jardin des neiges, ESF, (1 850 m), tél. 79 08 14 59, de 4 ans à 1ère étoile – La Maison des Enfants, tél. 79 08 31 54

INFOS ROUTIERES – tél. 78 54 33 33

METEO – Station météo de Voglans, tél. 79 88 35 07 – Station météo de Bourg-Saint-Maurice, tél. 79 07 06 26

ACCES (VOIR CARTE N° 3) – SNCF : à 25 km de Moûtiers – Navette gare-station, tél. 79 08 01 17 AEROPORT : à 100 km de Chambéry – Navette aéroport-station, tél. 79 24 09 20 – ALTIPORT et HELIPORT, tél. 79 08 22 49

HIVER – Pistes de ski alpin : 92 – Pistes de ski de fond : 50 km en 10 boucles – Domaine skiable : liaison avec Méribel, La Tania, Les Menuires et Val-Thorens (610 pistes) – Forfait commun : Les 3 Vallées – Randonnées : 30 km de sentiers balisés – Patinoire, piscine, squash, promenade en traîneau, en raquettes, pilotage – Cinéma.

ETE – Randonnées dans le Parc de la Vanoise. Tour des glaciers – Tennis, équitation, ULM, parapente, deltaplane, Kiwis Club 6-9 ans, Kids Club 9-12 ans.

HOTELS – Les Airelles, p. 85 – Hôtel Bellecôte, p. 86 – Le Chabichou, p. 87 – Lodge Nogentil , p. 88 – La Sivolière, p. 89

RESTAURANTS – *Le Bateau Ivre*, tél. 79 08 02 46, le restaurant gastronomique de la station – *La Sivolière*, tél. 79 08 08 33, un menu délicieux, une table d'hôtes charmante – *Le Chalet de Pierres*, tél. 79 08 18 61, le restaurant d'altitude le plus couru où se pressent les célébrités – *La Poule au Pot*, tél. 79 08 33 97, bonnes spécialités traditionnelles – *La Bergerie*, tél. 79 08 24 70, dans une authentique bergerie une raclette (très chère), des soirées russes le vendredi très courues.

Méribel (Savoie) 1450 / 2910 m

Au cœur de l'immense domaine skiable des 3 Vallées avec 500 km de pistes. Trois villages se succèdent, formant la station : Les Allues, Méribel et Mottaret. Station moderne construite dans un style traditionnel dans un très beau paysage.

Renseignements pratiques

OFFICE DU TOURISME – tél. 79 08 60 01

ESF – tél. 79 08 60 31

GARDERIES – Club Saturnin, tél. 79 08 66 90, de 2 à 8 ans – Les Pingouins, tél. 79 00 46 46, de 3 à 8 ans.

INFOS ROUTIERES – tél. 78 54 33 33

METEO – Station météo de Voglans, tél. 79 88 35 07 – Station météo de Bourg-Saint-Maurice, tél. 79 07 06 26

ACCES (VOIR CARTE N° 3) – SNCF : à 18 km de Moûtiers – Navette gare-station, tél. 79 24 03 31 AEROPORT : à 90 km de Chambéry – Navette aéroport-station, tél. 79 24 03 31 – ALTIPORT : 79 08 61 33

HIVER
Pistes de ski alpin : 65 – Pistes de ski de fond : 33 km – Domaine skiable : liaison avec Mottaret, Courchevel, La Tania, Les Menuires, Val-Thorens, (200 remontées mécaniques, 260 pistes) – Forfait commun : Les 3 Vallées – Randonnées : 20 km de sentiers balisés – Piscine couverte, circuit A.T.C. – Cinéma.

ETE – Randonnées : 31 sentiers balisés – Golf (18 trous), tél. 79 00 52 67 – Tennis, équitation, ball-trap, tir à l'arc, poney-club.

HOTELS – Le Grand Cœur, p. 90 – Hôtel Le Chalet, p. 91 – Hôtel Adray Télébar, p. 92

RESTAURANTS – *Adray Telebar*, tél. 79 08 60 26, chalet rustique, superbe terrasse tout à côté du télésiège, bonne cuisine, l'endroit mode de la station – *Les Saints-Pères*, tél. 79 08 60 19, cuisine gourmande, dans une ancienne bergerie – *Le grand cœur*, tél 79 08 60 03, la meilleure table de Méribel.

Valmorel (Savoie) 1400 / 2550 m

Bien située à quelques kilomètres de Moûtiers, cette jeune station créée de toutes pièces a su allier la fonctionnalité des stations modernes à la tradition des vieux villages savoyards. Domaine skiable très varié : pistes en forêt, vallons, dénivelés, poudreuse...
Station familiale.

Renseignements pratiques

OFFICE DU TOURISME – tél. 79 09 85 55

ESF – tél. 79 09 81 86

GARDERIES – Halte-garderie Saperlipopette, tél. 79 09 85 55, de 8 h 30 à 17 h, de 6 mois à 8 ans.

INFOS ROUTIERES – tél. 78 54 33 33

METEO – Station météo de Voglans, tél. 79 88 35 07 – Station météo de Bourg-Saint-Maurice, tél. 79 07 06 26

ACCES (VOIR CARTE N° 3) – SNCF : à 15 km de Moûtiers. Navette gare-station, tél. 79 09 05 55 – AEROPORT : à 80 km de Chambéry-Voglans, tél. 79 54 46 13 – AERODROME : Tournon-Albertville à 40 km, tél. 79 31 40 87

HIVER – Pistes de ski alpin : 52 – Pistes de ski de fond : 20 km en 4 boucles ; départ de l'Omay, du Plannarc et du Plan-Cheyro – Accès au départ des pistes par navette – Domaine skiable : Grand Domaine. Liaison Tarentaise-Maurienne, Valmorel-Saint-François

Longchamp (83 pistes) – Forfait commun : Grand Domaine – Randonnées : 12 km de sentiers balisés – Pistes de luge, sauna – Cinéma.

ETE – Randonnées : 50 km de sentiers balisés – Tennis, équitation, école de rocher et de glace, mountain bike, rafting, canoë-kayak, escrime.

HOTEL – Le Planchamp, p. 93

RESTAURANTS – *Le Ski Roc*, tél. 79 09 83 17, ambiance conviviale, cuisine simple – Restaurants d'altitude : *L'Arbet – L'Alpage – L'Altipiano – Le Prariond.*

Val-Thorens (Savoie) 2300 / 3200 m

Station moderne en bordure de la Vanoise où, grâce à son emplacement, toutes les formes de ski peuvent se combiner. En effet située sur le domaine des 3 Vallées, elle est de ce fait reliée à Courchevel, La Tania, Méribel et les Ménuires. Une nouvelle télécabine, le Tunitel, lui assure d'autre part la liaison avec la Maurienne. Son altitude (2300 m) et son exposition (au nord) assurent une excellente neige et permettent le ski d'été, mais en revanche dès que le soleil se couche il peut faire très froid...

Renseignements pratiques

OFFICE DU TOURISME – tél. 79 00 08 08

ESF – tél. 79 00 02 86

GARDERIES – Jardin des neiges, ESF, tél. 79 00 02 86, à partir de 3 ans, de 9h à 17h – Village des Neiges de Marielle Goitschel, remarquablement bien organisé, tél. 79 00 00 47, à partir de 3 ans, de 9h à 17h.

INFOS ROUTIERES – tél. 78 54 33 33

METEO – Station météo de Voglans, tél. 79 88 35 07 – Station météo de Bourg-Saint-Maurice, tél. 79 07 06 26

ACCES (VOIR CARTE N° 3) – SNCF : à 36 km de Moutiers-Salins. Navette gare-station, tél. 79 00 61 38 – AEROPORT : à 112 km de Chambéry ; à 193 km de Lyon – Navette aéroport (Lyon)-station, tél. 78 23 10 56 – AERODROME : Tournon-Albertville à 60 km, tél. 79 31 40 87

HIVER – Pistes de ski alpin : 55 – Pistes de ski de fond : 3 km en 1 boucle – Domaine skiable : Les 3 Vallées, liaison avec Courchevel, La Tania, Méribel et les Ménuires (500 pistes, 2 500 ha) – Forfait commun : Les 3 Vallées – Randonnées : 7 km de sentiers balisés – Centre sportif de Val-Thorens : 2 piscines couvertes, 6 courts de tennis couverts, squash, mur d'escalade, sauna, centre fitness, patinoire, circuit A.T.C – Cinéma.

ETE – Randonnées : 90 km de sentiers balisés – Ski d'été, randonnées de haute montagne, piscine, tennis, deltaplane, parapente, canoë-kayak – Golf de Méribel (18 trous) à 60 km, tél. 79 08 61 33

HOTEL – Le Fitz Roy, p. 94

RESTAURANTS – *La Chaumière*, centre de Caron, tél. 79 00 01 13, décor rustique, ambiance sympathique, fondue, brasérade, raclette – *Le Val Thorens*, tél. 79 00 04 33, une partie de la salle est réservée aux fondues etc.., l'autre au restaurant qui sert une cuisine plus délicate et plus raffinée – *La Table du Roy*, tél. 79 00 04 78, le restaurant chic du Fitz Roy. On dîne aux chandelles devant le feu de cheminée. Bonne cuisine.

Les Saisies (Savoie) 1650 / 1950 m

C'est sur un des plateaux ensoleillés du Beaufortain, troisième grande vallée savoyarde après la Tarentaise et la Maurienne, qu'a été construite en 1963 la station des Saisies. C'est en fait l'association des villages de Crest-Voland, Cohennoz, Hauteluce et Villard-Doron qui forment Les Saisies et L'Espace Cristal.

Renseignements pratiques

OFFICE DU TOURISME – tél. 79 38 90 30

ESF – tél. 79 38 90 40

GARDERIES – Jardin des neiges, ESF, tél. 79 38 90 40 / 79 38 92 23, de 2 à 5 ans.

INFOS ROUTIERES – tél. 78 54 33 33

METEO – Station météo de Voglans, tél. 79 88 35 07 – Station météo de Bourg-Saint-Maurice, tél. 79 07 06 26

ACCES (VOIR CARTE N° 3) – SNCF : à 32 km d'Albertville – Navette gare-station, tél. 79 31 61 14 – AEROPORT : à 85 km d'Aix-les-Bains – AERODROME : Tournon-Albertville à 31 km, tél.79 31 40 87

HIVER – Pistes de ski alpin : 28 – Pistes de ski de fond : 100 km en 9 boucles – Domaine skiable : Espace Cristal, Les Saisies, Crest-Voland, Cohennoz (48 pistes) – Forfait commun : Espace Cristal – Randonnées : 3 km de sentiers balisés – Cinéma.

ETE – Randonnées : 105 km de sentiers balisés – Tennis, escalade, parapente, équitation, tir à l'arc, mountain bike.

HOTEL – Le Calgary, p. 95

RESTAURANTS – Restaurants d'altitude : *Le Bénetton – Les Halles – Le Panoramique 2000.*

Val-d'Isère (Savoie) 1850 / 3300 m

Le haut lieu du ski alpin aux Jeux Olympiques de 1992. Station très sportive qui a connu des champions célèbres : Oreiller, Killy et les sœurs Goitschel. Relié à Tignes, le domaine skiable s'est encore agrandi, formant l'Espace Killy où aura lieu la descente olympique.

Renseignements pratiques

OFFICE DU TOURISME – tél. 76 06 10 83

ESF – tél. 79 06 02 34

GARDERIES – Jardin des neiges, ESF, tél. 79 06 02 34, à partir de 4 ans. – Le Petit Poucet, tél. 79 06 13 97, de 3 à 10 ans.

INFOS ROUTIERES – tél. 78 54 33 33

METEO – Station météo de Voglans, tél. 79 88 35 07 – Station météo de Bourg-Saint-Maurice, tél. 79 07 06 26

ACCES (VOIR CARTE N° 3) – SNCF : à 30 km de Bourg-Saint-Maurice. – Navette gare-station, tél. 79 07 04 49 – AEROPORT : à 180 km de Genève – Navette aéroport-station, tél. 50 43 60 02 – AERODROME : Tournon-Albertville à 85 km, tél. 79 31 40 87

HIVER – Pistes de ski alpin : 70 – Pistes de ski de fond : 15 km en 9 boucles – Domaine skiable : liaison avec Tignes (107 remontées mécaniques, 129 pistes) – Forfait commun : Espace Killy – Randonnées : 10 km de sentiers balisés – Patinoire, piscine couverte, circuit A.T.C – Cinéma.

ETE – Ski d'été au Formet et sur le glacier de Pissaillas – Alpinisme, escalade, tennis, équitation, deltaplane, parapente – Club Junior des Aiglons.

HOTELS – Hôtel Le Blizzard, p. 96 – Hôtel La Savoyarde, p. 97 – Chalet Les Sorbiers, p. 98 – Hôtel Le Kern, p. 99

RESTAURANTS – *L'Aventure*, tél. 79 06 20 82 – *Le Bout de la rue*, tél. 79 06 03 27 – *El Cortijo*, tél. 79 06 03 25, le patron breton prépare surtout des spécialités de la mer – *La Luge*, tél. 79 06 02 07 – *Le Restaurant du Blizzard*, ouvert jusqu'à 2 heures du matin – *Crech' Ouna*, tél. 79 06 07 40 – A Joseray : *Les Boulons*, tél. 79 06 00 38

Chamonix (Haute-Savoie) 1035 / 3275 m

Capitale historique du ski alpin et de l'alpinisme, Chamonix offre un domaine skiable unique par sa diversité : La Vallée Blanche est une des pistes les plus célèbres du monde. Les villages limitrophes, Argentière, Les Bossons, Les Praz, Le Tour permettent d'échapper au côté "citadin" de la station et de retrouver l'ambiance paisible des villages de montagne.

Renseignements pratiques

OFFICE DU TOURISME – Chamonix, tél. 80 53 00 24 – Argentière, tél. 50 54 02 14

ESF – Chamonix, tél. 50 53 22 57 – Argentière, tél. 50 54 01 60 – Bureau des Guides, Chamonix, tél. 50 53 00 88

GARDERIES – Jardin des neiges, ESF Chamonix, tél. 50 54 01 60, de 4 à 12 ans – Panda-Club, de 3 mois à 12 ans, tél. 50 55 88 12 – De 18 mois à 15 ans, tél. 50 54 04 76

INFOS ROUTIERES – tél. 50 66 10 74 / 78 54 33 33

METEO – Station de Chamonix, tél. 50 53 03 40 – Horloge des neiges, tél. 50 53 17 11

ACCES (VOIR CARTE N° 3) – SNCF : Chamonix – AEROPORT : à 88 km de Genève-Cointrin – Navette aéroport-station, tél. 50 53 01 15 – AERODROME : Sallanches à 28 km, tél. 50 58 13 31

HIVER – Pistes de ski alpin : 55 – Pistes de ski de fond : 40 km en 13 boucles – Domaine skiable : liaison avec 13 stations (206 remontées mécaniques, 600 km de pistes) – Forfait commun : Ski Pass mont Blanc – Randonnées : 17 km de sentiers balisés – 2 patinoires avec l'anneau de vitesse, piscine, tennis couvert, squash, promenades en traîneau – Cinéma.

ETE – Randonnées : 300 km de sentiers balisés – Tour du mont Blanc, Le Lac Blanc, Les Dents Blanches – Excursions : téléphérique Plan des Aiguilles, 1ère station avant l'Aiguille du Midi, (3 842 m) jusqu'à La Pointe Helbronner (3 466 m) en Italie. Le Brevent, Le Montenvers, La Mer de Glace – Golf (18 trous), tél. 50 53 06 28 – Tennis, équitation, mountain bike, deltaplane, parapente, tir à l'arc.

HOTELS – Auberge du Bois Prin, p. 100 – Hôtel La Savoyarde, p. 101 – Hôtel du Jeu de Paume, p. 102 – Le Labrador, p. 103 – Chalet-Hôtel Beausoleil, p. 104

RESTAURANTS – Aux Mousoux : *Le Bois Prin*, tél. 50 53 33 51, le restaurant chic de Chamonix – A Argentière : *Le Dahu*, tél. 50 54 01 55, truite, grillade, raclette – *Marti*, pour le thé – A Plan Joran : restaurant d'altitude, grande terrasse.

Les Houches (Haute-Savoie) 1008 / 1960 m

Village traditionnel qui est associé à Chamonix ; célèbre pour sa piste verte historique, piste où Emile Allais devint champion du monde de descente en 1937.

Renseignements pratiques

OFFICE DU TOURISME – tél. 50 55 50 62

ESF – tél. 50 54 42 96

GARDERIES – Jardin des neiges, ESF, tél. 50 54 42 96, de 3 à 11 ans – Les Chavants, tél. 50 54 48 19, de 18 mois à 6 ans.

INFOS ROUTIERES – tél. 50 66 10 74 / 78 54 33 33

METEO – Station de Chamonix, tél. 50 53 03 40 – Horloge des neiges, tél. 50 53 17 11

ACCES (VOIR CARTE N° 3) – SNCF : gare Les Houches – AEROPORT : à 80 km de Genève-Cointrin – Liaison aéroport-station, tél. 50 55 50 62 – Navette inter-stations vers Chamonix, Argentière, Les Contamines, Megève, St Gervais – AÉRODROME : Sallanches à 20 km, tél. 50 58 13 31

HIVER – Pistes de ski alpin : 19 dont la fameuse piste verte – Pistes de ski de fond : 30 km en 5 boucles – Domaine skiable : liaison avec Megève, Chamonix, Argentière, St-Gervais, Les Contamines – Forfait commun : Ski Pass mont Blanc, Grand ski Vallée Chamonix – Randonnées : 20 km de sentiers balisés – Patinoire, circuit A.T.C., promenades en traîneau à chiens, en raquettes.

ETE – Randonnées : plus de 100 km de sentiers – Tennis, haute montagne, tir à l'arc, parapente.

HOTELS – Auberge Le Beau Site, p. 105 – Hôtel Mont Alba, p. 106 – Chalet-Hôtel Peter Pan, p. 107

RESTAURANTS
Le Peter Pan, tél. 50 54 40 63 – *La Marmotte*, tél. 50 54 44 60

St-Gervais-Le Bettex (Hte-Savoie) 800 / 2400 m

Trois domaines skiables pour cette ville qui n'est qu'à 800 mètres : Mont d'Arbois, Le Bettex, Mont Joly et le Prarion. Le Bettex est un petit village à quelques kilomètres de St-Gervais, relié au mont d'Arbois par une télécabine. Station familiale.

Renseignements pratiques

OFFICE DU TOURISME – tél. 50 78 22 43

ESF – tél. 50 78 21 00

GARDERIES – Jardin des neiges, ESF, tél. 50 78 21 00, de 4 à 6 ans – Garderie des neiges, tél. 50 78 21 00, de 6 mois à 6 ans.

INFOS ROUTIERES
tél. 50 66 10 74 / 78 54 33 33

METEO – Station de Chamonix, tél. 50 53 03 40 – Horloge des neiges, tél. 50 53 17 11

ACCES (VOIR CARTE N° 3) – SNCF : à 4 km de la gare St-Gervais-Le Fayet – Liaison gare-station, tél. 50 78 05 33 – AEROPORT : à 70 km de Genève-Cointrin.
Liaison aéroport-station, tél. 50 78 05 33 – AERODROME : Sallanches à 10 km, tél. 50 58 13 31

HIVER – Pistes de ski alpin : 44 ; piste la "Belle Etoile" éclairée – Pistes de ski de fond : 30 km – Domaine skiable : liaison avec St-Nicolas, Megève, Demi-Quartier (78 remontées mécaniques, 180 km de pistes) – Forfait commun : 4 C – Randonnées : 30 km de sentiers balisés – Patinoire, circuit A.T.C – Cinéma.

ETE – Tennis, équitation, golf, mountain-bike, parapente. Promenades : le Planey, St Nicolas de Veroce, Plateau de la Croix.

HOTEL – Chalet Rémy, p. 108

Megève (Haute–Savoie) 1113 / 2350 m

Station chic et luxueuse ; c'est une ancienne et vraie petite ville savoyarde, très bien équipée aussi bien pour les loisirs d'hiver que d'été.

Renseignements pratiques

OFFICE DU TOURISME
tél. 50 21 27 28

ESF – tél. 50 21 00 97

GARDERIES – Jardin des neiges, Chalet St-Michel, tél. 50 21 04 77, de 3 à 12 ans – L'Alpage, tél. 50 21 10 97 – Baby-Club, tél. 50 21 17 76 – Club Princesse, tél. 50 93 00 86, de 3 à 6 ans.

INFOS ROUTIERES – tél. 50 66 10 74 / 78 54 33 33

METEO – Station de Chamonix, tél. 50 53 03 40 – Horloge des neiges, tél. 50 53 17 11

ACCES (VOIR CARTE N° 3) – SNCF : à 12 km gare de Sallanches – Liaison gare-station, tél. 50 21 25 18 – AEROPORT : à 60 km, aéroport d'Annecy – Liaison aéroport-station, tél. 50 21 27 28 – ALTIPORT : Megève-Mont d'Arbois, tél. 50 21 40 33

HIVER – Pistes de ski alpin : 61 ; ski de nuit sur le Jaillet – Pistes de ski de fond : 65 km en 11 boucles – Accès au domaine skiable par le télésiège du Chamois au centre du village – Domaine skiable : liaison avec St-Gervais-Les Contamines, St-Nicolas-de-Veroce, Praz-sur-Arly – Forfait commun : Ski Pass mont Blanc.

Une navette dans la station relie Rochebrune, Le Jaillet, Le mont d'Arbois, La Côte 2 000 et La Princesse. Une navette relie Megève à St-Gervais, les Contamines, Chamonix, Combloux – Randonnées : 50 km de sentiers balisés – 2 patinoires, 2 piscines couvertes, tennis couvert, équitation, piste de luge, mur d'escalade, promenade en raquettes et traîneaux à chiens – Cinémas.

ETE – Randonnées : 150 km de sentiers balisés. – Golf du mont d'Arbois (18 trous), tél. 50 21 29 79 – Tennis, équitation, rafting, parapente, poney-club, tir à l'arc, patinage – Le Palais des Sports et des Congrès offre un riche complexe sportif.

HOTELS – Chalet du Mont d'Arbois, p. 109 – La Princesse de Megève, p. 110 – Au Coin du Feu, p. 111 – Ferme Hôtel Duvillard, p. 112 – Le Fer à Cheval, p. 113 – Les Fermes de Marie, p. 114 – Le Mégevan, p. 115

RESTAURANTS – *Saint-Nicolas*, route de Rochebrune, tél. 50 21 04 94, bonne cuisine dans un joli chalet – *Les Griottes*, route de Megève, tél. 50 93 05 94, cuisine amusante servie dans le jardin ou près de la cheminée – *Côte 2 000*, tél. 50 21 31 84, la sortie indispensable d'un séjour mégevan – *La Sapinière*, tél. 50 93 03 42, un des plus vieux restaurants de la station, salon de thé – *La Taverne du mont d'Arbois*, route du mont d'Arbois, tél. 50 21 03 53, ambiance rustique pour une clientèle chic et branchée – *Les Enfants Terribles*, dans l'hôtel du mont Blanc, place de l'église, tél. 50 21 20 02, les fresques de Jean Cocteau ont donné son nom à ce bar, le rendez-vous des mégevans à l'heure de l'apéritif – *Auberge Christomet*, le restaurant d'altitude à la mode pour le déjeuner.

Cordon (Haute-Savoie) 870 / 1600 m

Renseignements pratiques

OFFICE DU TOURISME – tél. 50 58 01 57

ESF – tél. 50 58 13 63

GARDERIES – Jardin des neiges, ESF, tél. 50 58 13 63

INFOS ROUTIERES – tél. 50 66 10 74 / 78 54 33 33

METEO – Station de Chamonix, tél. 50 53 03 40 – Horloge des neiges, tél. 50 53 17 11

ACCES (VOIR CARTE N° 3) – SNCF : à 4 km de Sallanches. Liaison gare-station par car – AEROPORT : à 60 km d'Annecy – AÉRODROME : Sallanches à 4 km, tél. 50 58 13 31

HIVER – Pistes de ski alpin : 9 – Pistes de ski de fond : 10 km – Patinoire, à environ 4 km – Cinéma.

ETE – Promenades, tennis.

HOTEL – Chalet Hôtel Les Roches Fleuries, p. 128

Combloux (Haute-Savoie) 1000 / 1853 m

La station fait face aux Aravis et au mont Blanc. Domaine skiable limité, mais liaison sur Megève et le mont Jaillet.

Renseignements pratiques

OFFICE DU TOURISME – tél. 50 58 60 49

ESF – tél. 50 58 60 87

GARDERIES – Jardin des neiges, ESF, tél. 50 58 60 87, à partir de 3 ans – Ski Nounours, tél. 50 58 60 87, à partir de 2 ans et demi.

INFOS ROUTIERES – tél. 50 66 10 74 / 78 54 33 33

METEO – Station de Chamonix, tél. 50 53 03 40 – Horloge des neiges, tél. 50 53 17 11

ACCES (VOIR CARTE N° 3) – SNCF : à 8 km de Sallanches. Navette gare-station, tél. 50 78 05 33 – AEROPORT : à 65 km de Genève-Cointrin – Liaison aéroport-station, tél. 50 58 60 49 – Navette inter-stations de Combloux vers Sallanches, Megève, St-Gervais, Chamonix – AÉRODROME : Sallanches à 8 km, tél. 50 58 13 31

HIVER – Pistes de ski alpin : 31 ; piste Garettes éclairée – Pistes de ski de fond : 15 km – Domaine skiable : 4 stations reliées (75 remontées mécaniques, 194 km de pistes) – Forfait commun : 4 C – Randonnées : 20 km de sentiers balisés – Promenades en traîneau.

ETE – Tennis, mountain-bike, tir à l'arc, randonnées, rafting et canoë-kayak à 8 km.

HOTELS – Au Coeur des Prés, p. 117 – Hôtel Idéal Mont Blanc p. 118

RESTAURANT – *Le Tavaillon*, crêperie et restauration.

La Clusaz (Haute-Savoie) 1100 / 2600 m

Au pied des Aravis, station sportive et familiale, qui offre toutes les formes de ski : ski de fond vers les confins, ski alpin sportif sous le col de Balme et le massif de l'Etale.

Renseignements pratiques

OFFICE DU TOURISME – tél. 50 02 60 92

ESF – tél. 50 02 40 83

GARDERIES – Jardin des neiges, Club des Champions, tél. 50 02 60 92, de 3 à 6 ans – Club des Mouflets, tél. 50 02 50 60, de 8 mois à 4 ans.

INFOS ROUTIERES – tél. 50 66 10 74 / 78 54 33 33

METEO – Station de Chamonix, tél. 50 53 03 40 – Horloge des neiges, tél. 50 53 17 11

ACCES (VOIR CARTE N° 3) – SNCF : Annecy à 32 km. Navette gare-station, tél. 50 02 40 11 – AEROPORT : Annecy-Meythet à 34 km – Liaison aéroport-station, tél. 50 02 44 94

HIVER – Pistes de ski alpin : 72 – Pistes de ski de fond : 60 km en 12 boucles – Randonnées : 20 km de sentiers balisés – Patinoire, A.T.C, piscine découverte – Cinéma.

ETE – Tennis, escalade, équitation, parapente, deltaplane, piscine.

HOTELS – Les Chalets de la Serraz, p. 119 – Le Vieux Chalet, p. 120

RESTAURANT – *Le Coin du Feu*, le Perrière, tél. 50 02 52 25, reblochonnade dans un décor sympathique – *L'Ecuelle*, tél. 50 02 42 03, crustacés, poissons, mais aussi fondue et raclette – *L'Ourson*, tél. 50 02 49 80, bonne cuisine, prix très raisonnables.

Manigod (Haute-Savoie) 1480 / 1810 m

Au coeur du Val Sulens, c'est une magnifique vallée savoyarde tranquille et accueillante, à proximité d'Annecy et de son lac, au pied de la chaîne des Aravis.

Renseignements pratiques

OFFICE DU TOURISME – tél. 50 44 92 44

ESF – tél. 50 44 92 04 / 50 02 54 29

GARDERIES – Jardin des neiges, ESF, tél. 50 44 92 04 / 50 02 54 29

ACCES (VOIR CARTE N° 3) – SNCF à 26 km d'Annecy – Liaison par car – AEROPORT : à Annecy-Meythet – Liaison par car – AERODROME : Annecy-Meythet, tél. 50 27 30 00

HIVER – Pistes de ski alpin : 27 – Pistes de ski de fond : 3 km – Domaine skiable : liaison avec La Clusaz par navette gratuite (1 km) – Randonnées en raquettes, patinoire à La Clusaz.

ETE – Randonnées : 135 km de sentiers balisés – Mur d'escalade, poney-club, centre de loisirs pour enfants.

HOTEL – Hôtel de la Croix-Fry, p. 121

Morzine (Haute-Savoie) 1 000 / 1200 m

Ambiance familiale pour cette ancienne station autrefois capitale des ardoisiers. La station, qui n'est qu'à 1000 mètres, a beaucoup gagné avec la construction d'Avoriaz et sa liaison avec les Portes du Soleil.

Renseignements pratiques

OFFICE DU TOURISME – tél. 50 79 03 45

ESF – tél. 50 79 13 13

GARDERIES – Jardin des neiges, ESF, tél. 50 79 13 13, à partir de 4 ans – L'Outa, tél. 50 79 26 00, de 2 mois à 3 ans.

INFOS ROUTIERES – tél. 50 66 10 74 / 78 54 33 33

METEO – Station de Chamonix, tél. 50 53 03 40 – Horloge des neiges, tél. 50 53 17 11

ACCES (VOIR CARTE N° 3) – SNCF : à 30 km de Thonon ou Cluse. Navette gare-station, tél. 50 79 15 69 – AEROPORT : à 63 km Genève-Cointrin – Navette aéroport-station, tél. 50 79 15 69 – Navette inter-stations dessert Avoriaz, de Morzine vers les Gets / Saint-Jean d'Aulps.

HIVER – Pistes de ski alpin : 72 – Pistes de ski de fond : 60 km en 5 boucles – Domaine skiable : Les Portes du Soleil, liaison en France avec Morzine, Les Gets, Montriond, Abondance, la Chapelle-d'Abondance, Aulps et Châtel. En Suisse avec Torgon, Morgins, Champoussin, Val d'Iliez, Les Crosets, Champéry et Planachaux – Forfait commun : Les Portes du Soleil – Randonnées : 25 km de sentiers balisés – Patinoire, A.T.C. – Cinéma.

ETE – Randonnées : 34 sentiers balisés – Tennis, équitation, hockey sur glace, tir à l'arc, stages musique, poney-club.

HOTEL – Hôtel Résidence La Bergerie, p. 122

RESTAURANTS – *La Chamade*, tél. 50 79 13 91, décor baroque pour une cuisine gastronomique – *La Grignotte*, place du téléphérique, tél. 50 74 02 66, table d'hôtes, décor sympathique – Le Pleney : *Le Cherche Midi*, route des Gets, tél. 50 79 05 85, très fréquenté pour le déjeuner et le dîner, accessible aussi par les pistes – Les Lindarets Montriond (accessible uniquement par les pistes en hiver) : c'est ici que se trouvent les restaurants les plus sympathiques – *La Crémaillère*, tél. 50 74 11 68, plat du jour, spécialités savoyardes.

Avoriaz (Haute-Savoie) 1800 m

En balcon plein sud dominant Morzine, c'est la plus réussie de ces stations artificielles des années 70 ; belle architecture ; station mode où a lieu le festival du film fantastique.

Renseignements pratiques

OFFICE DU TOURISME – tél. 50 74 02 11

ESF – tél. 50 74 05 65

GARDERIES – Village des Enfants, animé par Annie Famose – ESF, tél. 50 74 05 65 / 50 74 05 65, de 3 à 16 ans – Les Marmots, tél. 50 74 03 13, de 6 mois à 5 ans.

INFOS ROUTIERES – tél. 50 66 10 74 / 78 54 33 33

METEO – Station de Chamonix, tél. 50 53 03 40 – Horloge des neiges, tél. 50 53 17 11

ACCES (VOIR CARTE N° 3) – SNCF : TGV à Thonon (40 km) ou Cluses – Navette gare-station, tél. 50 74 05 05 – AEROPORT : à 70 km de Genève – Navette aéroport-station, tél. 50 74 05 05

HIVER – Pistes de ski alpin : 35 – Pistes de ski de fond : 40 km – Domaine skiable : Les Portes du Soleil, liaison en France avec Morzine, Les Gets, Montriond, Abondance, la Chapelle-d'Abondance, Aulps et Châtel. En Suisse avec Torgon, Morgins, Champoussin, Val d'Iliez, Les Crosets, Champéry et Planachaux. Forfait commun : Les Portes du Soleil – Randonnées : 8 km de sentiers balisés – Promenades en traîneau à rennes, en raquettes – parapente, vol libre – Cinéma – Manifestations : festival du film fantastique en janvier, coupe du monde de surf, raids des Portes du Soleil.

ETE – Randonnées : 250 km de sentiers balisés – Tennis, équitation, escalade, mountain-bike, parapente, deltaplane, poney, golf (6 trous) – Au "Village des Enfants" : tennis, équitation.

HOTEL – Hôtel Les Dromonts, p. 123

RESTAURANTS – *La Taverne des Dromonts*, prix plus doux que le restaurant gastronomique de l'hôtel – Les Lindarets Montriond (accessible uniquement par les pistes en hiver), c'est ici que tout le monde se retrouve pour le déjeuner – *La Crémaillère*, tél. 50 74 11 68, plat du jour, spécialités savoyardes.

Les Gets (Haute-Savoie) 1172 / 1850 m

Village, voisin de Morzine-Avoriaz, qui profite grâce à la liaison du vaste domaine des Portes du Soleil d'un très bon enneigement. Agréable village dans la forêt et les champs de neige, c'est un lieu idéal pour des vacances familiales.

Renseignements pratiques

OFFICE DU TOURISME – tél. 50 79 75 55

ESF – tél. 50 79 75 07

GARDERIES – Jardin des neiges, ESF, tél. 50 79 75 07, de 2 à 5 ans – Bébé Club, tél. 50 79 75 55, de 3 mois à 3 ans.

INFOS ROUTIERES – tél. 50 66 10 74 / 78 54 33 33

METEO – Station de Chamonix, tél. 50 53 03 40 – Horloge des neiges, tél. 50 53 17 11

ACCES (VOIR CARTE N° 3) – SNCF : à 22 km de Cluses – Navette gare-station, tél. 50 79 75 55 – AEROPORT : à 55 km de Genève – Navette aéroport-station, tél. 50 79 75 55

HIVER – Pistes de ski alpin : 30 – Pistes de ski de fond : 25 km en 7 boucles – Domaine skiable : liaison en France avec Morzine, Les Gets, Montriond, Abondance, la Chapelle-d'Abondance, Aulps et Châtel. En Suisse avec Torgon, Morgins, Champoussin, Val d'Iliez, Les Crosets, Champéry et Planachaux – Forfait commun : Les Portes du Soleil – Randonnées : 50 km de sentiers balisés – Piscine couverte, piste de luge, circuit A.T.C – Cinéma.

ETE – Randonnées : 150 km de sentiers balisés – Tennis, équitation, mountain-bike, tir à l'arc.

HOTEL – Chalet-Hôtel Le Crychar, p. 124

RESTAURANTS – *Le Labrador*, tél. 50 79 73 86 – *Le Schuss brasserie*, tél. 50 79 71 67

Montriond (Haute-Savoie) 900 / 2350 m

Village traditionnel apprécié des familles. Le lac crée un agréable centre de loisirs : on y fait du ski de fond en hiver, baignades et pêche en été. La station est rattachée au grand domaine skiable des Portes du Soleil

Renseignements pratiques (voir Morzine p. 27)

OFFICE DU TOURISME – tél. 50 79 12 81

ACCES (VOIR CARTE N° 3) – SNCF : à 30 km de Thonon ou Cluse. Navette gare-station, tél. 50 79 15 69 – AEROPORT : à 63 km Genève-Cointrin – Navette aéroport-station, tél. 50 79 15 69

HIVER – Pistes de ski de fond : 20 km (Lac de Montriond, Les Albertans, bords de la Drause) – Domaine skiable : Les Portes du Soleil (voir Morzine p. 27).

ETE – Randonnées : sentiers balisés.

HOTEL – Les Sapins, p. 125

JURA

Massif franco-suisse dans sa plus grande partie, le Jura se prolonge en Allemagne, par les Jura souabe et franconien. Couvert de forêts, le Jura est le paradis du ski de fond.

MAISON DE LA FRANCHE-COMTE (JURA)
2, boulevard de la Madeleine, 75009 Paris ; tél. (1) 42 66 26 28

Les Rousses (Jura) 1120 m

Station très bien équipée pour le ski de fond avec la Zone Nordique Les Rousses-Haut Jura qui regroupe : Belle Fontaine, Bois d'Amont, Lamoura, Longchaumois, Morbier, Morez, La Mouille, Prémanon, Les Rousses. Par contre, il faut aller à 3 km pour trouver les pistes de ski alpin (navette).

Renseignements pratiques

OFFICE DU TOURISME – tél. 84 60 02 55

ESF – tél. 84 60 01 61

GARDERIES – Jardin des neiges, ESF, tél. 84 60 32 97, de 2 mois à 6 ans – Aux Jouvencelles, tél. 84 60 01 61, à partir de 3 ans – Halte-garderie de Lamoura, tél. 84 41 24 66, à partir de 18 mois.

METEO - INFOS ROUTIERES – Besançon, tél. 81 88 44 44

ACCES (VOIR CARTE N° 2) – SNCF : à 8 km, Morez – Liaison gare-station par car – AEROPORT : Genève-Cointrin à 45 km – Liaison aéroport-station par train.

HIVER – Pistes de ski alpin : 50 km accessibles par navette (3 km) – Pistes de ski de fond : 450 km – Randonnées : 3 km de sentiers balisés – Patinoire, bowling.

ETE – Golf (18 trous) du mont Saint-Jean, Les Landes, tél. 84 60 09 71, parapente, tir à l'arc, équitation, tennis.

HOTEL – Hôtel de France, p. 127

VOSGES

Les Vosges s'étirent entre le Rhin et la Moselle sur 125 km de long et 70 de large. L'altitude est relativement élevée : 1424 m au ballon de Guebwiller et de nombreux sommets de plus de 1000 m. Des lacs, des forêts de hêtres et de sapins, des sources thermales permettent de satisfaire les amateurs de vraie montagne.

MAISON DE L'ALSACE (MASSIF VOSGIEN)
39, avenue des Champs-Elysées, 75008 Paris ; tél. (1) 42 56 15 94

Gérardmer (Vosges) 666 / 1150 m

Conserve sa vocation de ski de fond, mais d'importants travaux et l'installation de nombreux canons à neige ont beaucoup augmenté le nombre de pistes ; station familiale.

Renseignements pratiques

OFFICE DU TOURISME – tél. 29 63 33 23

ESF – tél. 29 63 33 23

GARDERIES – Jardin des neiges, ESF, tél. 29 63 33 23, de 3 mois à 16 ans – Garderie Translac, tél. 29 60 04 05, à partir de 3 ans.

METEO - INFOS ROUTIERES – Strasbourg, tél. 88 78 46 11 – Epinal, tél. 29 35 15 15

ACCES (VOIR CARTE N° 1) – SNCF : à 27 km gare de Remiremont. Navette gare-station, tél. 29 63 08 76 – AEROPORT : à 100 km de Mulhouse.

HIVER – Pistes de ski alpin : 19 – Pistes de ski de fond : 40 km en 8 boucles – Randonnées : 50 km de sentiers balisés – Piste de luge, patinoire, piscine couverte, tennis couvert, squash – Cinéma.

ETE – Randonnées : 300 km de sentiers balisés – Escalade, tennis, équitation, squash, mountain-bike.

HOTEL – Hostellerie des Bas-Rupts, p. 128

RESTAURANTS – *A la Belle Marée*, tél. 29 63 06 83, toujours des arrivages frais et variés de poissons et crustacés divinement cuisinés – *Le Glacier*, crêperie – Restaurants d'altitude : *Le Grand Haut* – *La Mauselaine*.

Ventron (Vosges) 900 / 1100 m

A 15 km du Thillot, Ventron est un authentique village des Vosges devenu une agréable station de sport d'hiver familiale. Pistes de ski alpin peu nombreuses mais variées. Nombreux sentiers de ski de fond.

Renseignements pratiques

OFFICE DU TOURISME
tél. 29 24 05 45

ESF – tél. 29 24 05 45

GARDERIES – Jardin des neiges, ESF, tél. 29 24 05 45 – Garderie La Schtroumpferie, tél. 29 24 05 45, à partir de 6 mois.

METEO - INFOS ROUTIERES – Strasbourg, tél. 88 78 46 11 – Epinal, tél. 29 35 15 15

ACCES (VOIR CARTE N° 1) – SNCF : Remiremont à 27 km – Navette aéroport-station, tél. 29 24 07 18 – AEROPORT : Mulhouse à 70 km.

HIVER – Pistes de ski alpin : 8 – Pistes de ski de fond : 35 km en 3 boucles – Ski hors-piste, ski artistique, ski surf, parapente.

ETE – Randonnées : 50 km de sentiers balisés – Tennis, escalade, équitation, parapente.

HOTELS – Le Chalet des Ayes, p. 129

RESTAURANTS – *Frère Joseph*, tél. 29 24 18 23
Restaurants d'altitude : *L'Ermitage*, tél. 29 24 18 29

PYRENEES

Frontière naturelle entre l'Espagne et la France, les Pyrénées françaises couvrent six départements. Les stations de sport d'hiver et les villes thermales sont d'importants attraits touristiques.

MAISON DES PYRENEES
15, rue Saint-Augustin, 75002 Paris ; tél. (1) 42 61 58 18

Llo / Eyne (Pyrénées Orientales) 1750 / 2350 m

Village traditionnel, agréable pour les vacances d'hiver et d'été. Plusieurs petites stations reliées entre elles ont agrandi le domaine skiable.

Renseignements pratiques

OFFICE DU TOURISME – tél. 68 04 78 66

ESF – tél. 68 04 75 13

GARDERIE – Jardin des neiges, ESF, tél. 68 04 75 13 / 68 04 01 22

METEO - INFOS ROUTIERES – Toulouse, tél. 61 71 11 11 – Pau, tél. 59 27 50 50 – Perpignan, tél. 68 61 07 10

ACCES (VOIR CARTE N° 7) – SNCF : à 6 km gare de Mont-Louis.

HIVER – Pistes de ski alpin : 10 – Pistes de ski de fond : 10 km – Domaine skiable : liaison avec St-Pierre-Dels-Forcats (13 pistes) – Patinoire, piscine, tennis dans les proches environs.

ETE – Randonnées – Patinoire, piscine, tennis dans les environs.

HOTEL – Auberge Atalaya, p. 130

RESTAURANT – A Saillagouse : *La Vieille Maison Cerdane*, place de Cerdagne, tél. 68 04 72 08, charcuterie de montagne et la spécialité traditionnelle de la maison, le canneton aux raisins.

Superbagnères (Haute-Garonne) 1880 / 2260 m

A moins de vingt kilomètres de Luchon, au pied du Pic de Céciré, le domaine skiable de Superbagnères vient d'être remodelé offrant un plus large éventail de pistes de ski alpin et des boucles de fond. En été la région offre aussi de grandes possibilités de promenades et de randonnées. Ambiance familiale.

Renseignements pratiques

OFFICE DU TOURISME – tél. 61 79 36 36

ESF – tél. 61 79 08 75

GARDERIES – Jardin des neiges, ESF, tél. 61 79 08 75, de 3 à 11 ans – Garderie, tél. 61 79 34 42, de 2 à 7 ans.

METEO - INFOS ROUTIERES – Toulouse, tél. 61 71 11 11 – Pau, tél. 59 27 50 50 – Perpignan, tél. 68 61 07 10

ACCES (VOIR CARTE N° 6) – SNCF : à 17 km de Luchon – Navette gare-station, tél. 61 79 21 21 – AEROPORT : à 140 km de Toulouse – Navette aéroport-station, tél. 61 79 03 06 – AERODROME : navette dans la station dessert Luchon 3 fois par jour.

HIVER – Pistes de ski alpin : 23 – Pistes de ski de fond : 27 km.

ETE – Randonnées : 200 km de sentiers balisés – Tennis (14 courts), escalade, deltaplane, parapente, mountain-bike, canoë-kayak, rafting, cure de remise en forme.

HOTEL – Le Sapin fleuri à Bourg d'Oueil, p. 131

RESTAURANTS – Restaurants d'altitude : *Céciré – La Hount*, tél. 61 79 25 50

XVIe Jeux Olympiques d'hiver Albertville – 8 au 23 février 1992

CENTRALE DE RESERVATION
79 45 92 92 - (1) 42 61 74 73
Cérémonie d'ouverture le 08/02/1992

Val D'Isère

SKI ALPIN MESSIEURS
Toutes les épreuves se dérouleront sur les nouvelles pistes tracées par Bernhardt Russi sur le Massif de Bellevarde.
Descente, dimanche 9 février
Super G (dernière née des disciplines alpines, compromis entre la Descente et le Géant), dimanche 16 février
Géant, dimanche 18 février
Combiné, mardi 11 février

Les Ménuires - Val-Thorens

SKI ALPIN MESSIEURS
Slalom Spécial, samedi 22 février

Méribel

SKI ALPIN DAMES
Les épreuves de ski alpin dames se dérouleront sur le Roc de Fer.
Descente, samedi 15 février
Super G, lundi 17 février
Géant, mardi 19 février
Slalom Spécial, jeudi 20 février
Combiné Dames, mercredi 12 février

HOCKEY SUR GLACE
dimanche 9 février et dimanche 16 février

Tignes

SKI ARTISTIQUE
Les Bosses, jeudi 13 février
Ballet (discipline de démonstration), lundi 10 février
Saut (discipline de démonstration), dimanche 9 février – dimanche 16 février

Les Saisies

SKI DE FOND
dimanche 9 février – samedi 22 février
BIATHLON
jeudi 20 février

Albertville

PATINAGE ARTISTIQUE
dimanche 9 février – mardi 11 février – jeudi 13 février – samedi 15 février – vendredi 21 février – samedi 22 février
PATINAGE DE VITESSE
samedi 15 février – dimanche 16 février – lundi 17 février
PATINAGE DE VITESSE SUR PISTE COURTE (SHORT-TRACK)
samedi 22 février

Courchevel

SAUT A SKI
dimanche 9 et 16 février
COMBINE NORDIQUE (SAUT)
mardi 11 février
COMBINE NORDIQUE (FOND)
mercredi 12 février

Pralognan-La-Vanoise

CURLING
(discipline de démonstration), jeudi 20 février

Les Arcs

SKI DE VITESSE
(discipline de démonstration), dimanche 16 février

La Plagne

BOBSLEIGH A DEUX
dimanche 16 février
BOBSLEIGH A QUATRE
vendredi 21 février – samedi 22 février
LUGE
dimanche 16 février
SAUT A SKI
dimanche 9 février – dimanche 16 février

Auberge du Clos Sorel ★★★

Les Molanès
04400 Pra-Loup (Alpes-de-Haute-Provence)
Tél. 92 84 10 74 - Mme Mercier

♦ *Ouverture du 15 décembre au 10 avril et du 15 juin au 10 septembre* ♦ *8 chambres avec tél. direct, s.d.b. et t.v. - Prix des chambres doubles : 400 à 600 F - Petit déjeuner : 38 F, servi de 8 h à 10 h 30 - Prix de la demi-pension : + 80 F (par pers., 3 j. min.)* ♦ *Carte bleue et Amex* ♦ *Chiens admis, tennis - Piscine avec 25 F de supplément à l'hôtel* ♦ *Ski : départ de l'hôtel* ♦ *Restaurant : service de 12 h 30 à 15 h, 19 h à 22 h 30 (pas de déjeuner l'hiver) - Carte - Spécialités : filet aux morilles, carré d'agneau, gâteau au chocolat* ♦ *Renseignements pratiques sur la station p. 45 .*

Bien située, à flanc de coteau dans le hameau de Clos Sorel resté miraculeusement tel qu'il était jadis, tout en étant sur les pistes de Pra-Loup, l'auberge occupe une ancienne ferme du village. En parfaite harmonie avec les petits chalets qui l'entourent, la ferme a conservé ses beaux murs de pierres apparentes et son entrée en rondins. A l'intérieur, on retrouve la même authenticité : les poutres, la grande cheminée, les chambres mansardées, les meubles cirés recréent l'atmosphère douillette et chaleureuse qu'on aime retrouver après une grande journée de ski ou de randonnée. Le soir, on dîne aux chandelles dans la grande salle de l'ancienne ferme. Les tables sont jolies, la cuisine raffinée. En été une piscine et des tennis font de cette auberge un lieu de séjour agréable. Accueil décontracté, ambiance informelle.

♦ *Itinéraire d'accès (voir carte n° 5) : à 70 km au sud-est de Gap par D900B et D900 jusqu'à Barcelonnette, puis D902 et D109 jusqu'à Pra-Loup. (Les Molanès est un peu avant la station).*

Le Prieuré de Molanès **

Les Molanès
04400 Pra-Loup (Alpes-de-Haute-Provence)
Tél. 92 84 11 43 - M. Dini

♦ *Ouverture du 1er décembre au 30 septembre* ♦ *17 chambres avec tél., s.d.b. ou douche, w.c. et t.v. - Prix des chambres simples et doubles : de 330 à 380 F (en été) - Petit déjeuner : 25 F - Prix de la demi-pension et de la pension : 250 à 370 F, 335 à 455 F (par pers., obligatoire en hiver)* ♦ *Cartes de crédit acceptées* ♦ *Chiens admis - Piscine à l'hôtel* ♦ *Ski : à 20 m du télésiège* ♦ *Restaurant : service de 12 h à 15 h, 19 h à 22 h 30 - Carte* ♦ *Renseignements pratiques sur la station p. 45.*

Situé un peu à l'écart sur la route qui monte au sommet de Pra-Loup, le Prieuré fait face au Pain de Sucre et au Chapeau de Gendarme, deux célébrités alpines de la région. L'hôtel a été aménagé avec beaucoup de caractère ; partout meubles anciens, bouquets de fleurs sèches et jolis bibelots créent une atmosphère chaleureuse. Les chambres, réparties sur deux étages sont toutes différentes, mais partout le bois y est roi ; la 14 est la plus spacieuse. Les salles de bains souffrent un peu d'exiguïté, due à l'architecture de la maison. Au rez-de-chaussée se trouve un salon aux grosses poutres et à la cheminée accueillante, ainsi que la salle de restaurant, où l'on dîne aux chandelles sur de coquettes nappes roses. La cuisine est de qualité avec des menus suivant toute la gamme de prix. A proximité, le télésiège de Molanès vous emmène à la découverte d'un des plus beaux domaines skiables des Alpes du Sud qui conjugue neige et soleil à tous les temps.

♦ *Itinéraire d'accès (voir carte n° 5) : à 70 km au sud-est de Gap par D900B et D900 jusqu'à Barcelonnette puis D902 et D109 jusqu'à Pra-Loup.*

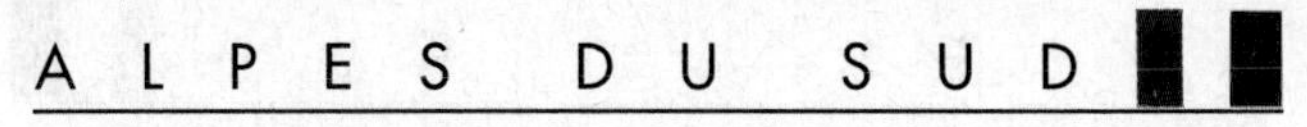

Le Pyjama ★★★

04400 Super-Sauze (Alpes-de-Haute-Provence)
Tél. 92 81 12 00 - Fax 92 81 03 16 - Mme Merle

♦ *Ouverture du 15 décembre au 15 avril et du 1er juillet au 30 août* ♦ *10 chambres avec tél. direct, s.d.b., w.c., t.v. et minibar - Prix des chambres simples et doubles : 220 à 290 F, 290 à 390 F - Prix des suites: 420 à 550 F - Petit déjeuner : 38 F, servi à toute heure* ♦ *Amex, Carte Bleue, Diners et Visa* ♦ *Chiens admis* ♦ *Ski : départ de l'hôtel* ♦ *Pas de restaurant à l'hôtel* ♦ *Renseignements pratiques sur la station p. 45.*

Après vingt ans passés à diriger un autre hôtel de la station, Geneviève Merle (mère de Carole, notre championne de ski...) a fait récemment construire ce petit hôtel dont les dimensions et les matériaux employés s'intègrent parfaitement à l'environnement. Huit des dix chambres sont exposées au sud et leur terrasse donne sur un champ de mélèzes. Il faut souligner qu'elles sont décorées avec goût. M. Merle tient une brocante à côté, et les meubles de l'hôtel sont le fruit de ses recherches. Parmi les chambres, quatre ont une mezzanine qui permet de loger deux personnes de plus. Toutes les salles de bains sont très agréables. Dans une annexe, quatre studios dotés de coin-cuisine sont aussi à louer, idéal pour les familles. L'hôtel ne dispose pas de restaurant, mais il n'en manque pas dans le village ou en altitude. Un hôtel très confortable au pied des pistes, où l'ambiance n'est pas convenue et où l'accueil est très sympathique.

♦ *Itinéraire d'accès (voir carte n° 5) : à 79 km au sud-est de Gap par D900B et D900 direction Barcelonnette, puis D9 et D209 jusqu'à Super-Sauze.*

Hôtel Les Chalets du Villard ★★

Le Villard
05350 Saint-Véran (Hautes-Alpes)
Tél. 92 45 82 08 - M. Weber

♦ *Ouverture de Noël à Pâques et du 20 juin au 20 septembre* ♦ *5 chambres avec tél., douche et w.c. et 21 appartements avec tél., s.d.b., w.c. et t.v. - Prix des appartements : 300 à 500 F (par jour.) - Prix des chambres simples et doubles : 180 à 300 F, 200 à 350 F - Petit déjeuner : 35 F, servi de 8 h à 12 h - Prix de la demi-pension : 210 à 450 F (par pers.)* ♦ *Carte Bleue et Visa* ♦ *Chiens admis - Tennis, tennis de table, billard à l'hôtel* ♦ *Ski : départ de l'hôtel pour le ski de fond, à 400 m des remontées mécaniques* ♦ *Restaurant : service de 12 h 30 à 14 h, 19 h 30 à 21 h - Menu : 88 à 130 F - Menu enfant : 60 F - Spécialités : grillades au feu de bois* ♦ *Renseignements pratiques sur la station* *p. 46.*

Plus haute commune d'Europe dans le parc naturel du Queyras, à 2040 mètres, Saint-Véran est une station touristique familiale qui bénéficie d'un ensoleillement exceptionnel. Les Chalets du Villard se trouvent au cœur du village ; récemment rénovés, leur architecture s'intègre parfaitement au reste du village dont beaucoup de chalets datent du XVIIIe siècle. Plus que des chambres, ce sont des petits studios avec kitchenette et orientés plein sud qui sont proposés, convenant parfaitement à des familles de deux à quatre enfants. Une salle de billard, une salle de ping-pong et un court de tennis complètent agréablement les équipements de l'hôtel. Partout à l'intérieur, les meubles en mélèze et de belles photos de montagne contribuent à créer une atmosphère agréable et reposante.

♦ *Itinéraire d'accès (voir carte n° 5) : à 51 km au sud-est de Briançon par N 94 jusqu'à Guillestre, puis D 902 jusqu'au-delà de Château-Queyras et D 5 jusqu'à Saint-Véran.*

Auberge du Choucas ★★★

Monêtier-les-Bains 05220 Serre-Chevalier (Hautes-Alpes)
Tél. 92 24 42 73 - Fax 92 24 51 60
Mme N. Sánchez-Ventura et M. Y. Gattechaut

♦ *Ouverture du 20 décembre au 2 novembre* ♦ *8 chambres et 4 suites avec tél. direct, s.d.b., w.c. et t.v. - Prix des chambres doubles : 360 à 620 F - Prix des suites: 850 à 980 F - Petit déjeuner : 55 F, servi de 8 h à 10 h - Prix de la demi-pension et de la pension : 380 à 790 F, 520 à 930 F (par pers., 3 j. min.)* ♦ *Carte bleue, Eurocard, MasterCard et Visa* ♦ *Chiens admis avec supplément* ♦ *Ski : à 500 m des remontées mécaniques - Golf de Montgenèvre, 9 trous, à 20 km - Golf de Clavière, 9 trous, à 23 km* ♦ *Restaurant : service à partir de 12 h et 19 h 30, fermeture du dimanche soir au mardi midi au printemps et en automne - Menu : 139 à 350 F - Menu enfant : 79 F - Carte* ♦ *Renseignements pratiques sur la station p. 47.*

Monêtier-les-Bains, vieux village haut-alpin est situé à 1 560 m d'altitude, le plus haut de Serre-Chevalier. A l'Auberge du Choucas, les gourmands seront pleinement satisfaits : confitures maison et petits pains craquants au petit déjeuner, sauces délicates pour des mets raffinés et de délicieux desserts d'un chef talentueux, Y. Gattechaut. Les chambres confortablement aménagées sont douillettes avec un petit coin salon devant les baies qui donnent sur la montagne. Et si les légendes vous intéressent, la maîtresse du lieu saura vous conter les histoires du pays.

♦ *Itinéraire d'accès (voir carte n° 3) : à 14 km au nord-ouest de Briançon par N 91.*

Le Clos de Chantemerle ★★

33, rue du centre Chantemerle
Saint-Chaffrey 05330 Serre-Chevalier (Hautes-Alpes)
Tél. 92 24 00 13 - Fax 92 24 09 51 - Mme Loubier

♦ *Ouverture de décembre à fin avril et de juin à fin septembre* ♦ *31 chambres avec tél. direct, w.c. (16 avec s.d.b., 1 avec douche) - Prix des chambres doubles : 300 à 430 F - Petit déjeuner : 30 (en été) à 60 F (en hiver) - Prix de la demi-pension : 340 à 430 F (par pers., 7 j. min.)* ♦ *Carte bleue et Visa* ♦ *Chiens admis avec 25 F de supplément* ♦ *Ski : à 60 m du téléphérique - Golf de Montgenèvre, 9 trous, à 18 km - Golf de Clavière, 9 trous, à 21 km* ♦ *Restaurant : service à partir de 19 h (l'hiver) - Menu : 98 à 140 F - Carte* ♦ *Renseignements pratiques sur la station* *p. 47.*

Cette ancienne ferme dont les origines remontent à 1732 fut transformée en hôtel dans les années 30, et devint un rendez-vous de célébrités qui y appréciaient son ambiance bohème. Denise Loubier et son mari ont donné un nouveau départ à cette grande maison pleine de charme. A l'intérieur, un mobilier ancien crée une atmosphère douillette et traditionnelle. Le bar est un lieu convivial apprécié. Dans une grande salle éclairée par des verrières, la salle à manger aux tables égayées de bouquets donne sur la montagne et le jardin de l'hôtel. Les chambres, qui ont toutes leurs dimensions d'origine, voient ainsi leur taille et leur équipement sanitaire varier beaucoup. Celles de la nouvelle aile sont les mieux équipées et celles au rez-de-jardin conviennent aux familles. La chambre 42 domine le village et la vallée, les chambres 8, 9, 31 et 32 ont un balcon et sont très soignées. Avec en plus une cuisine réputée, cet hôtel de qualité ne manquera pas de vous séduire.

♦ *Itinéraire d'accès (voir carte n° 3) : à 4 km au nord-ouest de Briançon par N 91 ; dans le village, à côté du téléphérique.*

Hôtel La Vieille Ferme ★★

Villeneuve-la-Salle 05240 Serre-Chevalier (Hautes-Alpes)
Tél. 92 24 76 44 - Fax 92 24 84 33 - M. Lemaire

♦ *Ouverture du 15 décembre au 15 mai et du 15 juin au 15 septembre* ♦ *30 chambres avec tél. direct, (11 avec s.d.b. ou douche), (17 avec w.c.) - Prix des chambres doubles : 228 à 528 F - Prix des suites : 468 à 600 F - Petit déjeuner : 42 F, servi de 7 h 30 à 9 h 30 - Prix de la demi-pension et de la pension en chambre double : 235 à 406 F, 385 à 526 F, dans les suites : 305 à 426 F, 385 à 526 F (par pers.)* ♦ *Carte bleue, Eurocard, MasterCard et Visa* ♦ *Chiens admis avec 50 F de supplément* ♦ *Ski : à 300 m du téléphérique de l'Aravet - Golf de Montgenèvre, 9 trous, à 18 km - Golf de Clavière, 9 trous, à 21 km* ♦ *Restaurant : service de 12 h à 13 h 30, 19 h à 21 h 30 - Menu : 110 F - Carte - Spécialités : assiette Vieille Ferme* ♦ *Renseignements pratiques sur la station p. 47 .*

C'est dans une des vieilles bâtisses, édifiées en 1732, du hameau de Villeneuve, au-dessus de la chapelle de Sainte-Luce que se trouve la Vieille Ferme. Ses propriétaires et rénovateurs ont respecté l'architecture et les pierres anciennes tout en dotant l'hôtel d'un confort moderne. Les chambres sont de styles différents : certaines sont exiguës, mais d'autres en duplex sont de véritables appartements. Leur décoration et les meubles anciens personnalisent chacune d'entre elles. Le bar de l'hôtel est très agréable pour l'après-ski. Le restaurant, où l'on sert une cuisine familiale, occupe une des salles voûtées de l'ancienne ferme. La rôtisserie de l'hôtel est très fréquentée : on y déguste entre autres de délicieuses canettes de barbarie préparées dans l'immense cheminée par Georges Carles.

♦ *Itinéraire d'accès (voir carte n° 3) : à 6 km au nord-ouest de Briançon par N 91 ; dans le vieux village.*

Les Escondus ★★

Les Claux 05560 Vars (Hautes-Alpes)
Tél. 92 46 50 35 - M. David

♦ *Ouverture du 20 décembre au 15 avril et du 1er juillet au 31 août* ♦ *22 chambres avec tél., s.d.b. ou douche (1 avec lavabo, 20 avec w.c.) - Prix des chambres doubles en demi-pension et pension : de 355 à 400 F, de 405 à 450 F (par pers., 3 j. min.) - Petit déjeuner : 35 F* ♦ *Cartes de crédit acceptées* ♦ *Chiens non admis - Tennis, squash, billard à l'hôtel* ♦ *Ski : départ de l'hôtel- Golf de Montgenèvre, 9 trous, à 18 km - Golf de Clavière, 9 trous, à 21 km* ♦ *Restaurant : service de 12 h 30 à 14 h, 19 h 30 à 21 h - Menu : 70 à 150 F - Carte* ♦ *Renseignements pratiques sur la station p. 48.*

Vars, domaine de la forêt blanche, est une station de ski où la forêt et le soleil dominent, Alpes du Sud obligent. Grâce à son microclimat, la neige y est abondante et poudreuse même dans les années de pénurie, et l'été l'herbe et les fleurs y sont aussi abondantes qu'en Suisse. Au cœur de la station et au pied des pistes, l'hôtel Les Escondus est un des plus anciens hôtels de Vars. Sur ce lieu-dit où les parents faisaient paître les troupeaux, les enfants sont aujourd'hui hôteliers et moniteurs de ski. Les Escondus, c'est non seulement des chambres confortables, toutes habillées de bois mais aussi une cuisine simple et variée, servie dans une grande salle à manger très conviviale. C'est aussi, à partir de 19 heures, le rendez-vous des habitués de la station. Piano-bar, billard, squash... rassemblent les jeunes et les moins jeunes. L'été, vous pourrez vous relaxer sur la pelouse au bord du ruisseau et au milieu des mélèzes. Mais vous pouvez aussi opter pour les balades à cheval, les promenades et les longues marches vers les hauteurs.

♦ *Itinéraire d'accès (voir carte n° 5) : à 75 km à l'est de Gap par N 94 jusqu'à Guillestre, puis D 902.*

Hôtel Diva ★★★★

06420 Isola 2 000 (Alpes-Maritimes)
Tél. 93 23 17 71 - Télex 460 322 - Fax 93 23 12 14
M. Saisi

♦ *Ouverture de mi-décembre à fin avril* ♦ *28 chambres avec tél. direct, s.d.b., w.c. et t.v. - Prix des chambres simples et doubles en demi-pension : 900 à 2 000 F, 1 500 à 2 600 F (par pers.) - Petit déjeuner compris, servi à partir de 7 h* ♦ *Cartes de crédit acceptées* ♦ *Chiens non admis - Sauna, jacuzzi* ♦ *Ski : départ de l'hôtel* ♦ *Restaurant : service de 12 h à 14 h 30, 19 h à 22 h 30 - Menu : 120 à 180 F - Carte - Spécialités : soufflé suisse, huîtres Francine* ♦ *Renseignements pratiques sur la station p. 48.*

Sur les hauteurs d'Isola, l'hôtel Diva est un grand chalet, récemment construit mais rompant par bonheur avec le concept initial de la station qui n'était qu'un grand paquebot de béton relié par des galeries. L'architecture tout en bois est inspirée des chalets de montagne traditionnels. C'est sans doute la clientèle fortunée de la Côte d'Azur qui a favorisé l'implantation de cet hôtel de luxe dans une station jusque-là familiale. Grand raffinement dans le décor des salons et des chambres, où mobilier, tissus et moquettes ont été importés d'Angleterre. Les salles de bains sont bien équipées, et toutes les chambres ont de larges balcons donnant sur le parc du Mercantour. Le restaurant est dirigé par Albert Roux, représentant prestigieux de la restauration française en Grande-Bretagne. Dès que le temps le permet, le service se fait sur une grande terrasse bien exposée.

♦ *Itinéraire d'accès (voir carte n° 5) : à 94 km au nord de Nice par N 202 et D 2205 direction le Mercantour, puis D 97.*

Chalet Hôtel Mounier ★★★

38860 Les Deux-Alpes (Isère)
Tél. 76 80 56 90 - Télex 308 411 - Fax 76 79 56 51 - M. Mounier

♦ Ouverture du 15 décembre au 10 mai et du 20 juin au 10 septembre ♦ 48 chambres avec tél. et t.v. (44 avec s.d.b. et w.c.) - Prix des chambres doubles et supérieures : 280 à 480 F, 320 à 650 F - Petit déjeuner compris, servi de 7 h 30 à 9 h 30 - Prix de la demi-pension et pension : 240 à 460 F, 300 à 520 F (par pers., 3 j. min.) ♦ Visa ♦ Chiens admis avec 35 F de supplément - Piscine chauffée, sauna, hammam, bain californien et jacuzzi, parking, garage (35 F) à l'hôtel ♦ Ski : à 100 m des remontées mécaniques - Golf 6 trous ♦ Restaurant : service de 12 h 30 à 13 h 30, 19 h 30 à 20 h 30 - Menu : 105 à 240 F - Carte - Spécialités : cuisine gourmande ♦ Renseignements pratiques sur la station p. 49.

A l'origine refuge et ferme d'alpage, ce chalet de montagne est depuis 1933 un hôtel qui n'a cessé de s'agrandir et de se moderniser tout en préservant son authenticité. L'entrée accueillante du chalet laisse très vite présumer de l'atmosphère de la maison. On est en effet rapidement séduit par le charme de la décoration du salon et du restaurant qui s'ouvrent par de grandes baies vitrées sur le jardin et la piscine, et sur le front de neige en hiver. Les chambres, très confortables, ont toutes un balcon avec une vue imprenable sur le cirque de montagnes. La cuisine de Robert Mounier, qu'il qualifie de cuisine gourmande, est excellente et le service parfait. Une nouvelle petite salle de restaurant s'est ouverte et propose une cuisine plus gastronomique. Bien que situé sur une des rues centrales du village, l'hôtel est très calme. Ambiance sympathique.

♦ Itinéraire d'accès (voir carte n° 2) : à 74 km au sud-est de Grenoble par N 85 jusqu'à Vizille, puis N 91 jusqu'à Chambon par le Bourg-d'Oisans, puis D 213 jusqu'aux Deux-Alpes.

La Fleur du Roy ★★

Rue Professeur Lesné
38250 Villard-de-Lans (Isère)
Tél. 76 95 11 91 - Fax 76 95 98 39 - M. Bon

♦ *Ouverture du 20 décembre au 1er avril et du 15 avril au 31 octobre* ♦ *11 chambres avec tél. direct, s.d.b.,douche, w.c. et t.v. - Lit supplémentaire : 100 F - Prix des chambres simples et doubles : 295, 315 F - Petit déjeuner : 35 F, servi de 8 h à 9 h - Prix de la demi-pension : 262 à 330 F (par pers.)* ♦ *Carte bleue, Eurocard, MasterCard et Visa* ♦ *Petits chiens admis avec 25 F de supplément* ♦ *Ski : à 3 km des remontées mécaniques (voiture et navette gratuite) - Golf de Corrençon, 9 trous, à 5 km* ♦ *Restaurant : service de 19 h 30 à 21 h - Menu : 85 F - Spécialités : cuisine familiale régionale* ♦ *Renseignements pratiques sur la station p. 50.*

Un peu à l'écart du centre mais à cinq minutes à pied de la rue principale, cette ancienne dépendance du Grand Adret (ancien hôtel de luxe de Villard-de-Lans), a été aménagée il y a trois ans en petit hôtel très sympathique. Les chambres, modernes et spacieuses, bénéficient toutes de salles de bains complètes. Très bien placées face aux montagnes, deux grandes terrasses, chacune à un étage différent, profitent de la vue. La jolie salle à manger au plafond en bois et aux nappes roses jouit du même spectacle. Le petit salon avec sa cheminée et son piano est douillet et accueillant. Un hôtel calme, tenu par deux frères qui y font régner une ambiance familiale, d'où vous pourrez découvrir le magnifique parc du Vercors en été, avec ses grottes fascinantes, ou vous adonner aux joies du ski en hiver dans le grand domaine de Villard-Corrençon.

♦ *Itinéraire d'accès (voir carte n° 2) : à 34 km au sud-ouest de Grenoble par N 532 jusqu'à Sassenage, puis D 531.*

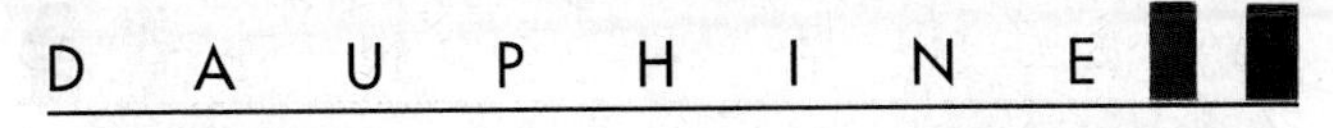

Auberge des Montauds ⋆⋆

Le Bois-Barbu
38250 Villard-de-Lans (Isère)
Tél. 76 95 17 25 - Mme Magnat

♦ *Ouverture toute l'année* ♦ *10 chambres avec tél. direct, s.d.b., douche, w.c. et t.v. - Prix des chambres doubles : 245 à 295 F - Petit déjeuner : 25 F, servi de 8 h à 10 h - Prix de la demi-pension et de la pension : 205 à 225 F, 245 à 265 F (par pers., 2 j. min.)* ♦ *Carte bleue, Eurocard, MasterCard et Visa* ♦ *Chiens admis avec supplément - Jeux d'enfants à l'hôtel* ♦ *Ski : à 10 km des remontées mécaniques - Golf de Corrençon, 9 trous, à 7 km* ♦ *Restaurant : service de 12 h à 13 h, 19 h 30 à 20 h 15 - Menu : 90 à 140 F - Carte - Spécialités : gratin dauphinois, gigot d'agneau, tarte aux pommes* ♦ *Renseignements pratiques sur la station p. 50.*

Cette grande ferme, propriété familiale depuis 300 ans, a été transformée en petit hôtel voici quelques années. Située au Bois-Barbu à quelques kilomètres de Villard-de-Lans, elle est entourée d'un grand pré et partout les montagnes s'offrent à la vue. Une jolie terrasse fleurie permet de profiter du paysage. On pourrait s'attendre à des chambres rustiques au confort sommaire, mais leur découverte est une agréable surprise : modernes (elles viennent toutes d'être refaites) et confortables ; la chambre 4 est la plus spacieuse. Le restaurant est réputé dans les environs pour ses prix attrayants et sa bonne cuisine. La salade et les pommes de terre proviennent du potager et le pain est fait maison. Un endroit calme à l'ambiance détendue.

♦ *Itinéraire d'accès (voir carte n° 2) : à 34 km au sud-ouest de Grenoble par N 532 jusqu'à Sassenage, puis D 251 et D 215c.*

Hôtel du Golf ★★★

38250 Corrençon-en-Vercors (Isère)
Tél. 76 95 84 84 - Fax 76 95 84 63
M. Sauvajon

♦ *Ouverture toute l'année sauf mai et novembre* ♦ *12 chambres avec tél. direct, s.d.b., t.v et minibar - Prix des chambres simples et doubles : de 300 à 450 F, 350 à 530 F - Petit déjeuner : 40 F, servi de : 8 h à 10 h 30.* ♦ *Amex, Diners, Visa, MasterCard, Eurocard* ♦ *Chiens non admis - Piscine, parking à l'hôtel* ♦ *Ski : départ à 200 m de l'hôtel - Golf 9 trous à 200 m* ♦ *Restaurant : service de 12 h 30 à 13 h 30 , de 19 h à 20 h 30 - Fermeture le mardi - Menu : 80 à 180 F - Carte - Spécialités : lotte au poivre rose, fricassée de Garenne, gâteau truffé au chocolat* ♦ *Renseignements pratiques sur la station p. 51.*

Situé à côté du joli golf de Corrençon, voici un hôtel confortable de construction moderne au nombre de chambres restreint. L'atmosphère feutrée cherche à restituer l'ambiance d'un club-house. Les chambres sont particulièrement spacieuses ; la plupart sont d'ailleurs prévues pour plus de deux personnes. Celles du second étage avec leurs hauts plafonds et leurs poutres apparentes ont du caractère ; dans certaines, des mezzanines donnent accès au lit supplémentaire. Au premier étage les chambres sont simplement mais joliment aménagées avec des meubles en bois, d'agréables salles de bains, et quatre d'entre elles profitent d'un balcon. Un bar tout en bois et de larges fauteuils de cuir complètent l'atmosphère chaleureuse de l'endroit. Ajoutons une restauration créative avec rappel de cuisine dauphinoise et un accueil très agréable. Les amateurs de golf apprécieront le parcours vallonné de ce golf d'altitude qui comptera bientôt 18 trous.

♦ *Itinéraire d'accès (voir carte n° 2) : à 40 km au sud-ouest de Grenoble par N 532 jusqu'à Sassenage puis N 531 direction Villard-de-Lans puis D 215 sur 5 km.*

1992

Les Airelles ★★★★

Le Jardin Alpin
73121 Courchevel 1850 (Savoie)
Tél. 79 09 38 38 - Fax 79 08 38 69 - M. Piedoie

♦ *Ouverture du 21 décembre au 19 avril* ♦ *56 chambres avec tél. direct, s.d.b., coffre, t.v et minibar - Prix des chambres doubles en demi-pension obligatoire : de 1 350 à 1 500 F, 950 à 1 500 F - Prix des suites : 1 300 à 1 900 F - Petit déjeuner compris servi de 8 h à 11 h* ♦ *Amex, Diners, Visa, MasterCard, Eurocard* ♦ *Petits chiens admis avec 200 F supplément dans les chambres seulement - Piscine chauffée, sauna, centre de remise en forme, salon de coiffure, garage à l'hôtel (150 F par jour)* ♦ *Ski : départ de l'hôtel - Golf de Courchevel, 9 trous - Golf de Méribel 18 trous* ♦ *Restaurant : service de 12 h à 14 h 30, 19 h à 22 h 30 - Menu : 270 à 320 F - Carte - Spécialités : œufs coque à la truffe, poularde de Bresse à l'estragon, buffet de desserts* ♦ *Renseignements pratiques sur la station p. 51.*

Voici sûrement l'un des nec plus ultra en matière d'hôtellerie de montagne. Récemment inauguré, ce grand chalet aux balcons en bois travaillé et aux murs peints façon autrichienne, est situé dans le Jardin Alpin. Dès l'entrée, carrelages anciens, plafonds à caissons, fenêtres à vitraux, grands salons à recoins et cheminées créent une atmosphère unique. La décoration des chambres et des suites, toutes habillées de bois anciens, rehaussée de peintures et de frises, se marie parfaitement au mobilier de montagne. Salles de bains raffinées et confort absolu (penderie sèche-anorak). Au sous-sol tout en bois clair, vous trouverez un "club santé" pour vous relaxer après une journée de ski. L'hôtel fait face aux pistes auxquelles vous accéderez skis aux pieds, à moins que vous ne préfériez rester sur la grande terrasse plein sud.

♦ *Itinéraire d'accès (voir carte n° 3) : à 50 km au sud-est d'Albertville par N 90 jusqu'à Moûtiers, puis D 915 et D 91.*

Hôtel Bellecôte ★★★★

73120 Courchevel (Savoie)
Tél. 79 08 10 19 - Télex 980 421 - Fax 79 08 17 16
M. Toussaint

♦ *Ouverture du 4 décembre au 1er mai* ♦ *54 chambres avec tél., s.d.b., w.c., minibar et t.v. - Prix des chambres en pension : 2 100 à 3 300 F, 5 000 à 5 500 F pour une suite (2 pers.) - Petit déjeuner : 120 F* ♦ *Cartes de crédit acceptées* ♦ *Chiens non admis - Piscine, sauna, bains bouillonnants, salle de gymnastique à l'hôtel* ♦ *Ski : départ de l'hôtel - Golf de Courchevel, 9 trous - Golf de Méribel, 18 trous* ♦ *Restaurant : service de 12 h à 15 h, 19 h à 21 h - Menu : 310 à 340 F - Carte* ♦ *Renseignements pratiques sur la station p. 51.*

La renommée du Bellecôte n'est plus à faire. Ce grand chalet fait partie de l'histoire de Courchevel. L'atmosphère y est particulièrement recherchée, le passé s'alliant à la modernité pour créer un confort toujours luxueux : tapisseries d'Aubusson et meubles de montagne anciens créent un décor chaleureux. L'architecture du salon faite de poutres et de structures de bois brut, de profonds canapés en cuir créent de confortables coins et recoins où il fait bon s'isoler. Les chambres ont elles aussi un joli mobilier de bois blond avec des ouvertures bien calculées pour faire du paysage un tableau naturel. Même souci de privilégier le décor dans la salle à manger. A midi cependant, un grand buffet est servi sur la terrasse ensoleillée. Un centre sportif avec piscine, sauna, UVA... permet de revenir quoi qu'il en soit avec une mine superbe.

♦ *Itinéraire d'accès (voir carte n° 3) : à 50 km au sud-est d'Albertville par N 90 jusqu'à Moûtiers, puis D 915 et CD 91 (l'hôtel se trouve vers l'altiport).*

Le Chabichou ★★★★

73120 Courchevel (Savoie)
Tél. 79 08 00 55 - Télex 980 416 - Fax 79 08 33 58
M. Rochedy

♦ Ouverture du 1er décembre au 30 avril ♦ 40 chambres avec tél. direct, s.d.b., w.c. et t.v. et minibar - Prix des chambres doubles en demi-pension : 850 à 1 250 F - Prix des suites en demi-pension : 980 à 1 540 F - Petit déjeuner compris - Prix des chambres doubles en pension : 780 F à 1 330 F (par pers.) ♦ Cartes de crédit acceptées ♦ Chiens admis - Mise en forme, détente, boutique à l'hôtel ♦ Ski : à 50 m du télécabine du Praz - Golf de Courchevel, 9 trous - Golf de Méribel, 18 trous ♦ Restaurant : service de 12 h 30 à 14 h 30, 19 h 30 à 22 h 30 - Menu : 200 à 500 F - Carte - Spécialités : vivier de langouste ♦ Renseignements pratiques sur la station p. 51.

A Courchevel tout le monde connaît, ou remarque le Chabichou. Les habitués de la station pour la qualité de sa cuisine, les autres pour son aspect extérieur : il est le seul chalet à être peint en blanc. L'intérieur se veut résolument moderne. Les tons pastel et les éclairages indirects créent une ambiance très feutrée. Dans le salon, fresques, papiers froissés et toiles de Kijno ornent les murs. Les chambres, très claires, sont grandes, tendues comme les couloirs de toile de jute peinte. L'espace détente et remise en forme est lui aussi très moderne, comme la cuisine qui mérite une visite. C'est là que Michel Rochedy prépare ses plats raffinés servis dans la salle à manger au luxe discret.

♦ Itinéraire d'accès (voir carte n° 3) : à 50 km au sud-est d'Albertville par N 90 jusqu'à Moûtiers, puis D 915 et D 91.

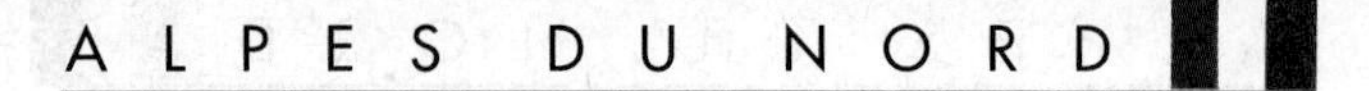

Lodge Nogentil Hôtel ★★★

Rue de Bellecôte
73120 Courchevel 1850 (Savoie)
Tél. 79 08 32 32 - Fax 79 08 03 15
Mme Kollmann

♦ *Ouverture du 1er décembre au 12 mai, juillet et août* ♦ *10 chambres avec tél. direct, s.d.b., w.c, t.v et minibar - Prix des chambres doubles : 900 à 1 450 F ; Prix des suites-duplex : 1 600 à 2 000 F - Petit déjeuner compris, servi de 8 h à 14 h* ♦ *Amex, Visa, MasterCard* ♦ *Chiens non admis - Piscine, parking couvert à l'hôtel, sauna, salle de gymnastique* ♦ *Ski : départ de l'hôtel - Golf de Courchevel, 9 trous - Golf de Méribel, 18 trous* ♦ *Pas de restaurant à l'hôtel* ♦ *Renseignements pratiques sur la station p. 51.*

Conformément à la nouvelle tradition architecturale de Courchevel, parmi les luxueux chalets Fenestraz, le Lodge Nogentil est un des derniers chalets-hôtels de charme de Courchevel, bien situé en bordure de la piste de Bellecôte. Peu de chambres et toutes très jolies : claires, lambrissées de bois blond, agréablement décorées de meubles rustiques qui se mêlent avec bonheur aux armoires ramenées d'Afghanistan. Même parti pris dans le salon où la tradition se pimente d'exotisme. La détente après le ski est assurée : sauna, salle de gymnastique étant à la disposition des clients. Pas de restaurant dans l'hôtel mais une navette gratuite vous conduira jusqu'au centre de la station.

♦ *Itinéraire d'accès (voir carte n° 3) : à 50 km au sud-est d'Albertville par N 90 jusqu'à Moûtiers, puis D 915 et D 91 jusqu'à Courchevel 1850.*

La Sivolière ★★★

Les Chenus
73120 Courchevel (Savoie)
Tél. 79 08 08 33 - Télex 309 169 - Fax 79 08 15 73
Mme Cattelin

♦ *Ouverture du 15 novembre au 11 mai* ♦ *30 chambres avec tél. direct, s.d.b., w.c. et t.v. - Prix des chambres doubles : 690 à 1 080 F - Petit déjeuner : 70 F, servi à toute heure* ♦ *Visa* ♦ *Chiens non admis - Sauna, jacuzzi, parking et garage (90 F) à l'hôtel* ♦ *Ski : départ de l'hôtel - Golf de Courchevel, 9 trous - Golf de Méribel, 18 trous* ♦ *Restaurant : service de 12 h à 14 h 30, 19 h à 23 h - Menu : 120 à 280 F - Spécialités : cuisine "maison", cuisine régionale* ♦ *Renseignements pratiques sur la station p. 51.*

Bien à l'abri dans la forêt, au pied des pistes, La Sivolière est l'hôtel de charme de Courchevel. Sa situation calme et tranquille permet tout de même de se rendre à pied au village. Hôtel d'atmosphère, reflet de la personnalité de Mme Cattelin qui a le souci de recevoir au mieux ses hôtes et qui a mis vingt ans pour faire ce paradis (le mot n'est pas trop fort). Dans le chalet tout est de bon goût : la décoration, la nourriture, l'accueil. Mille petits détails, pots-pourris, bouquets de fleurs fraîches, jolies nappes, délicieux plats du jour et tartes maison succulentes en font le succès. On retrouve ce même souci de confort dans le ski-room et dans les installations de détente. Une adresse qu'on a du mal à donner de peur que le succès ne change quoi que ce soit à l'esprit de la maison.

♦ *Itinéraire d'accès (voir carte n° 3) : à 50 km au sud-est d'Albertville par N 90 jusqu'à Moûtiers, puis D 915 et D 91.*

1992

Le Grand Cœur ****

73550 Méribel-les-Allues (Savoie)
Tél. 79 08 60 03 - Fax 79 08 58 38 - M. et Mme Buchert

♦ *Ouverture du 16 décembre au 20 avril* ♦ *51 chambres avec tél. direct, s.d.b. ou douche, w.c, t.v et minibar - Prix des chambres doubles en demi-pension obligatoire : 650 à 1 050 F (par pers.) - Petit déjeuner compris, servi de 7 h 30 à 11 h* ♦ *Amex, Diners, Visa, MasterCard, Eurocard* ♦ *Chiens admis avec supplément - Piscine chauffée, tennis, sauna, gymnase, parking par voiturier à l'hôtel* ♦ *Ski : départ de l'hôtel - Golf de Méribel, 18 trous - Golf de Courchevel, 9 trous* ♦ *Restaurant : service de 12 h à 14 h 30, 19 h 30 à 22 h 30 - Menu : 160 à 270 F - Carte* ♦ *Renseignements pratiques sur la station* *p. 52.*

Ce grand chalet luxueux se trouve à proximité de la rue principale mais suffisamment à l'écart pour qu'y règne le calme. Au rez-de-chaussée plafonds en bois, jolis tissus anglais et lumières tamisées créent une ambiance chaleureuse dans les salons et le bar. Les meubles en bois savoyard au design très 50, dessinés spécialement pour l'hôtel ont toujours autant de charme. Les chambres spacieuses, douillettes et raffinées ont toutes un balcon avec vue sur les sommets de la Vanoise. Toutes sont très confortables mais celles de l'annexe ont une décoration plus impersonnelle.Au sous-sol une grande salle de jeux, une piscine et des équipements de remise en forme. Le restaurant de l'hôtel sous la direction de Patrick Beekes est devenu la meilleure table de la station. Carte saisonnière et variée aux saveurs méditerranéennes avec des spécialités très raffinées. Le bar du Grand Cœur est aussi un des rendez-vous de Méribel à l'heure du thé et de l'apéritif.

♦ *Itinéraire d'accès (voir carte n° 3) : à 44 km au sud d'Albertville par N 90 et D 915.*

Hôtel Le Chalet ★★★★

Le Belvédère
73550 Méribel-les-Allues (Savoie)
Tél. 79 00 55 71 - Télex 309 992 - Fax 79 00 56 22

♦ *Ouverture du 15 décembre au 10 mai et du 29 juin au 8 septembre* ♦ *35 chambres avec tél. direct, s.d.b., w.c. et t.v. - Prix des chambres doubles : 860 à 1 200 F - Prix des suites : 3 500 à 4 200 F - Petit déjeuner : 70 F - Prix de la demi-pension : 710 à 1 200 F (par pers.)* ♦ *Cartes de crédit non acceptées* ♦ *Chiens admis - Piscine, sauna, hammam à l'hôtel* ♦ *Ski : à 100 m des remontées mécaniques - Golf de Méribel, 18 trous - Golf de Courchevel, 9 trous* ♦ *Restaurant : service de 12 h 30 à 13 h, 19 h 30 à 21 h - Menu : 300 F - Carte* ♦ *Renseignements pratiques sur la station p. 52.*

Récemment ouvert, le Belvédère a été conçu comme une maison d'amis. En effet tout a été assez personnalisé pour qu'on se sente chez soi ; les boiseries patinées, les meubles anciens, les confortables fauteuils devant le feu de cheminée dans la bibliothèque contribuent à créer une atmosphère chaleureuse et intime. Les chambres, plus ou moins spacieuses, sont modulables : certaines communiquent pour être tout près des enfants. L'une d'elles, située au dernier étage peut même se transformer en appartement de 200 m². Au restaurant, vous choisirez selon vos goûts le menu-tonus ou le menu-minceur. Une piscine, un hammam, tout a été prévu pour vivre un séjour de charme et de confort.

♦ *Itinéraire d'accès (voir carte n° 3) : à 44 km au sud d'Albertville par N 90 et D 95, puis D 90 (l'hôtel est dans le quartier du Belvédère).*

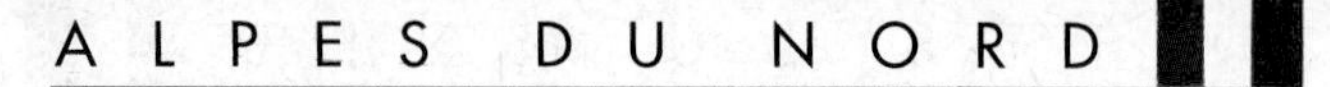

Chalet-Hôtel Adray Télébar ★★★

73 550 Méribel - les Allues (Savoie)
Tél. 79 08 60 26

♦ *Ouverture du 20 décembre au 20 avril* ♦ *24 chambres doubles avec tél. direct, s.d.b., w.c. et t.v. - Prix des chambres doubles en demi-pension et pension : de 390 à 570 F, 440 à 620 F (par pers.) - Petit déjeuner compris, servi de 8 h à 10 h* ♦ *Cartes de crédit non acceptées* ♦ *Chiens admis* ♦ *Ski : départ de l'hôtel - Golf de Méribel, 18 trous - Golf de Courchevel, 9 trous* ♦ *Restaurant : Menu 170 F - Carte - Spécialités : gnocchis, gigot, foie de veau* ♦ *Renseignements pratiques sur la station* *p. 52.*

A quelques mètres du départ du télésiège, au milieu des pistes, ce joli chalet domine la vallée et jouit d'une vue extraordinaire sur les sapins et les montagnes. On y accède par Méribel 1600 où vous devrez laisser votre voiture et là, le personnel de l'hôtel vous conduira jusqu'au chalet. A Méribel, l'Adray est incontournable. A l'heure du déjeuner, la grande terrasse ensoleillée est prise d'assaut. L'ambiance est gaie, la cuisine familiale et de bonne qualité. Les chambres sont simples mais accueillantes avec des meubles rustiques créant une atmosphère confortable. L'accueil est très amical et le service attentionné. Une bonne adresse pour profiter pleinement de la montagne sans payer les prix forts pratiqués au cœur de la station.

♦ *Itinéraire d'accès (voir carte n° 3) : à 44 km au sud d'Albertville par N 90 et D 915.*

1992

Hôtel Planchamp ★★★

73260 Valmorel (Savoie)
Tél. 79 09 83 91 - Fax 79 09 83 93
M. Chevallier

♦ Ouverture de novembre à mai, juillet et août ♦ 30 chambres avec tél. direct, s.d.b. ou douche, w.c., t.v., (5 avec minibar) - Prix des chambres doubles : 400 à 900 F - Petit déjeuner compris, servi de 8 h à 10 h - Prix de la demi-pension (obligatoire en haute saison) : 260 à 380 F en basse saison, 540 à 780 F en haute saison (par pers.) ♦ Amex, Diners, Visa, MasterCard, Eurocard ♦ Chien admis dans l'hôtel seulement ♦ Ski : départ de l'hôtel - Golf 18 trous à 1 km ♦ Restaurant : service de 11 h 30 à 13 h 30, de 19 h 30 à 21 h 30 - Menu 295 F - Carte - Spécialités : cuisine à base de produits locaux - filet de bœuf au Pineau et airelles - gratin de myrtilles ♦ Renseignements pratiques sur la station p. 53.

En réaction à une architecture “moderne” propre à plusieurs stations des Alpes, Valmorel fait partie de ces jeunes stations-villages créées de toutes pièces, où confort, tradition et modernisme se marient sans béton. Situé à 300 mètres de la rue commerçante, parmi un ensemble de maisons qui s'ordonne autour de la place et de la fontaine traditionnelle, l'hôtel Planchamp n'en est pas moins au calme. Si les menuiseries et les huisseries sont en bois blond, l'intérieur a une décoration contemporaine et classique. Les chambres sont simples mais toutes confortables, la plupart avec un balcon. Dans le salon, la grande cheminée centrale crée une ambiance chaleureuse. L'hôtel est au pied des pistes et c'est à skis que l'on peut rejoindre les pentes du Grand Domaine. L'accueil de la famille Chevalier est très sympathique.

♦ Itinéraire d'accès (voir carte n° 3) : à 40 km au sud d'Albertville par la N 90 Aigueblanche puis D 95.

Fitz Roy ****

73440 Val Thorens (Savoie)
Tél. 79 00 04 78 - Fax 79 00 06 11
Mme Loubet

♦ *Ouverture du 15 novembre au 6 mai* ♦ *36 chambres avec tél. direct, s.d.b., t.v. et minibar - Prix des chambres doubles en demi-pension et pension : 700 à 1500 F, 880 à 1680 F (par pers.) - Petit déjeuner : 90 F, servi de 8 h à 11 h* ♦ *Amex, Visa* ♦ *Chien admis avec 90 F de supplément dans les chambres seulement - Piscine, sauna, centre de remise en forme, salon de coiffure, garage (350 F la semaine)* ♦ *Ski : départ de l'hôtel* ♦ *Restaurant : service 12 h à 15 h, 19 h à 22 h - Menu : 220 à 500 F - Carte - Spécialités : cuisine du terroir* ♦ *Renseignements pratiques sur la station p. 54.*

Au cœur de Val Thorens, le Fitz Roy est un luxueux chalet moderne. L'intérieur est aménagé de façon très élégante : boiseries blondes, tissus où dominent le blanc et les couleurs pastel, meubles choisis avec goût. Le grand salon, où de vastes canapés confortables entourent la cheminée, donne plein sud, face aux pistes. Les chambres, toutes différentes, sont spacieuses, très raffinées dans le décor et dans le confort. Chacune possède un balcon ainsi qu'une baignoire dotée d'un jacuzzi. Le soir on dîne aux chandelles ; la cuisine est généreuse, le service stylé. Une grande terrasse-solarium permet de profiter aussi des superbes couchers de soleil sur la station. Pour l'après-ski, l'hôtel s'est doté d'une piscine et de superbes installations de remise en forme. Dans une station à laquelle on peut reprocher le caractère artificiel, le Fitz Roy a su conjuguer le luxe, la modernité et la tradition hôtelière.

♦ *Itinéraire d'accès (voir carte n° 3) : à 62 km au sud-est d'Albertville par N 90 jusqu'à Moûtiers puis D 915 et D 117.*

1992

Hôtel le Calgary ★★★

73620 Les Saisies (Savoie)
Tél. 79 38 98 38 - Fax 79 38 98 00
M. Berthod

♦ *Ouverture toute l'année sauf mai et novembre ♦ 40 chambres avec tél. direct, s.d.b., t.v., coffre et minibar - Prix des chambres doubles ou triples en demi-pension et pension : 290 à 420 F, 340 à 490 F (par pers.) ♦ Amex, Diners, Visa, MasterCard, Eurocard ♦ Chiens admis avec 40 F de supplément - Piscine, hammam, sauna, garage (40 F par jour) ♦ Ski : départ de l'hôtel - Golf du Mont d'Arbois,18 trous à Megève, 24 km ♦ Restaurant : service de 12 h à 13 h 30, de 19 h 15 à 20 h 30 - Menu : 115 à 250 F - Carte - Spécialités : suprême de saumon, soufflé aux écrevisses, filet mignon d'agneau en feuille croustillante et son coulis de truffes, nougat glacé au miel de thym ♦ Renseignements pratiques sur la station p. 55.*

De ses voyages à travers le monde, le champion de ski national Frank Piccard, médaillé olympique à Calgary, est revenu amoureux des hôtels autrichiens. Aussi quand la commune des Saisies lui offrit un terrain, il décida d'y implanter un hôtel inspiré du Tyrol. C'est ainsi qu'on retrouve sur ce gros chalet les balcons abondamment fleuris qui courent sur les façades et les deux oriels traditionnels. A l'intérieur, le salon rappelle les *Stuben* autrichiens et la salle à manger avec ses nappes colorées est très gaie. Les chambres (à la décoration un peu standardisée) sont spacieuses, certaines pouvant accueillir trois personnes. Toutes ont un balcon pour profiter de la vue sur le Beaufortain et les pistes des Saisies. En été, l'hôtel propose des séjours avec un grand éventail de stages y compris pour les enfants. Quant à Frank Piccard, souhaitons-lui bonne chance pour un nouveau titre.

♦ *Itinéraire d'accès (voir carte n° 3) : à 31 km au nord-est d'Abertville par D 925 direction Beaufort et D 218 direction Col des Saisies.*

Hôtel Le Blizzard ★★★

73150 Val-d'Isère (Savoie)
Tél. 79 06 02 07 - Télex 309 662 - Fax 79 06 04 94

♦ *Ouverture du 1er décembre au 2 mai* ♦ *69 chambres avec tél. direct, s.d.b., w.c. et t.v. - Prix des chambres doubles : 1 100 à 1 300 F - Petit déjeuner compris - Prix de la demi-pension : 900 F (par pers.)* ♦ *Amex, Carte bleue, Diners et Visa* ♦ *Chiens admis* ♦ *Sauna et jacuzzi à l'hôtel* ♦ *Ski : à 500 m des remontées mécaniques* ♦ *Restaurant : service de 12 h à 13 h 30, 19 h 30 à 21 h - Carte* ♦ *Renseignements pratiques sur la station p. 56.*

C'est depuis toujours "l'hôtel" de Val-d'Isère. Fréquenté par une clientèle chic d'habitués et par des personnalités, l'esprit n'en est pas moins sportif, tous ayant en commun la passion du ski. Et même si l'on traîne un peu le soir au bar, tout le monde se retrouve le matin au départ des premières bennes. Toutes les chambres situées au sud ont été refaites dans un esprit contemporain et chaleureux à la fois. Ce sont les plus agréables, car elles ont aussi un balcon et une jolie vue. C'est dire qu'il vaut mieux ne pas dormir sur la rue, plus bruyante. Les autres points forts de cet hôtel sont l'ambiance et le restaurant qui sert aussi en terrasse sur la neige. Excellente cuisine très appréciée. A signaler aussi, Le Knack, la boîte de nuit de l'hôtel, et La Luge, le restaurant ouvert jusqu'à deux heures du matin. Très bien isolés du reste de l'hôtel, ils ne dérangent en rien les résidents.

♦ *Itinéraire d'accès (voir carte n° 3) : à 85 km au sud-est d'Albertville par N 90 jusqu'à Bourg-Saint-Maurice, puis D 902 jusqu'à Val-d'Isère.*

Hôtel La Savoyarde ★★★

73150 Val-d'Isère (Savoie)
Tél. 79 06 01 55 - Télex 309 274 - Fax 79 41 11 29
Famille Marie

♦ *Ouverture du 1er décembre au 5 mai* ♦ *44 chambres et 2 suites avec tél. direct, s.d.b. (2 avec douche), w.c. et t.v. - Prix des chambres en demi-pension et pension : 460 à 700 F, 530 à 770 F (par pers., 3 j. min.) - Petit déjeuner compris* ♦ *Cartes de crédit acceptées* ♦ *Chiens admis - Sauna, jacuzzi, solarium, massage à l'hôtel* ♦ *Ski : départ de l'hôtel* ♦ *Restaurant : service de 19 h 30 à 21 h 30 - Menu : 200 F - Carte* ♦ *Renseignements pratiques sur la station p. 56 .*

La Savoyarde est au cœur même de l'espace Killy dans le vieux village ; c'est le "classique" de Val-d'Isère. Propriété de la même famille depuis quatre générations, chacune y a apporté sa touche personnelle mais avec le souci de privilégier avant tout le confort. L'hôtel a été récemment rénové ; les chambres sont sobres et de bon goût. Les poutres de certaines se marient bien avec le mobilier en pin et les couvre-lits en patchwork, d'autres ont d'agréables balcons avec une vue dégagée sur les pistes et la vallée du Manchet. Toutes ont des salles de bains confortables. La salle à manger est aussi très agréable et conviviale le soir au dîner. La cuisine y est raffinée. Un des hôtels chéris des fidèles de la station.

♦ *Itinéraire d'accès (voir carte n° 3) : à 85 km au sud-est d'Albertville par N 90 jusqu'à Bourg-Saint-Maurice, puis D 902 jusqu'à Val-d'Isère.*

Hôtel Chalet Les Sorbiers ***

Rue Principale
73150 Val-d'Isère (Savoie)
Tél. 79 06 23 77 - Fax 79 41 11 14
Mme Terrini

♦ *Ouverture du 10 juillet au 10 mai ♦ 30 chambres avec tél. direct, s.d.b., w.c. et t.v. - Prix des chambres simples et doubles : 500 à 600 F, 630 à 730 F - Prix des suites : 1 200 à 1 500 F - Petit déjeuner compris, servi de 8 h à 11 h ♦ Carte bleue et Visa ♦ Chiens non admis - Sauna, parking, garage à l'hôtel ♦ Ski : à 100 m des remontées mécaniques ♦ Pas de restaurant à l'hôtel ♦ Renseignements pratiques sur la station p. 56 .*

Val-d'Isère n'est pas seulement une des plus anciennes et des plus sportives stations de ski d'Europe ; c'est aussi en été le passage vers le col de l'Iseran. Sur cette route, Les Sorbiers accueille les voyageurs pratiquement toute l'année. Sa façade un peu austère, en vieilles pierres de la vallée, s'égaye dès les beaux jours des grappes orange des sorbiers. L'entrée est aussi très harmonieuse et l'accueil amical. Les salons, où les lumières indirectes créent une douce ambiance, sont meublés d'authentiques bahuts et petites tables de la Tarentaise. Chambres simples mais confortables. Certaines ont une kitchenette (l'hôtel n'a pas de restaurant) permettant ainsi de faire dîner les enfants si l'on veut sortir le soir.

♦ *Itinéraire d'accès (voir carte n° 3) : à 85 km au sud-est d'Albertville par N 90 jusqu'à Bourg-Saint-Maurice, puis D 902 jusqu'à Val-d'Isère.*

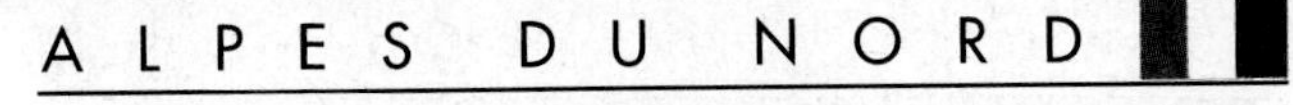

Hôtel Le Kern ★★

73150 Val-d'Isère (Savoie)
Tél. 79 06 06 06 - Fax 79 06 26 31
Mme Marie

♦ *Ouverture du 1er décembre au 5 mai* ♦ *19 chambres avec tél. direct, s.d.b. ou douche (17 avec w.c.), (15 avec t.v.) - Prix des chambres simples et doubles : 240 F, 460 à 500 F - Petit déjeuner : 35 F (buffet), servi de 8 h à 11 h - Prix de la demi-pension : 290 à 460 F (par pers.)* ♦ *Carte bleue, Diners et Visa* ♦ *Chiens non admis* ♦ *Ski : à 200 m des remontées mécaniques* ♦ *Restaurant : service de 19 h 30 à 22 h - Menu : 145 F - Carte - Spécialités : cuisine de tradition* ♦ *Renseignements pratiques sur la station p. 56.*

C'est dans une ruelle du centre de Val-d'Isère que l'on trouve Le Kern. Peu de chambres dans cet hôtel qui fonctionne un peu comme une pension de famille avec une demi-pension obligatoire comportant un dîner ou une formule petit déjeuner. Meubles savoyards et meubles plus précieux décorent le petit salon et la salle à manger. Les chambres ne sont pas très grandes mais coquettes. Un agréable petit hôtel à des prix très raisonnables.

♦ *Itinéraire d'accès (voir carte n° 3) : à 85 km au sud-est d'Albertville par N 90 jusqu'à Bourg-Saint-Maurice, puis D 902 jusqu'à Val-d'Isère.*

Auberge du Bois Prin ★★★★

69, Chemin de l'Hermine
Les Moussoux 74400 Chamonix (Haute-Savoie)
Tél. 50 53 33 51 - Fax 50 53 48 75 - M. Carrier

♦ *Ouverture du 13 décembre au 20 mai et du 7 juin au 14 octobre* ♦ *11 chambres avec tél. direct, s.d.b, w.c. et t.v. - Prix des chambres simples et doubles : 580 à 790 F, 815 à 995 F - Petit déjeuner : 65 F, servi de 7 h 30 à 11 h - Prix de la demi-pension et de la pension : 550 à 665 F, 670 à 785 F (par pers., 3 j. min.)* ♦ *Cartes de crédit acceptées* ♦ *Chiens admis avec 35 F de supplément* ♦ *Ski : à 300 m du Brévent - Golf des Praz 18 trous* ♦ *Restaurant : service de 12 h 30 à 14 h, 20 h à 21 h 30 - Fermeture le mercredi à midi - Menu : 150 à 360 F - Carte - Spécialités : panaché de poissons du lac, noisette d'agneau à la sariette* ♦ *Renseignements pratiques sur la station p. 57.*

Un hôtel où le luxe et l'authenticité font enfin bon ménage. L'auberge du Bois Prin offre en effet un service 4 étoiles dans un cadre très raffiné mais néanmoins traditionnel. Le bois est le matériau privilégié, les meubles sont anciens et rustiques, le confort douillet. Les chambres sont toutes différentes (tissus fleuris ou meubles peints de style autrichien) et très confortables. L'été, le chalet est entouré d'un très joli jardin abondamment fleuri face au Mont Blanc. L'hiver, c'est de la terrasse ou du balcon des chambres que l'on profite du panorama. Le charme, le confort, la proximité du golf en été en font un lieu recherché, d'où la nécessité de réserver bien à l'avance. Même goût du "vrai" au restaurant, qui propose une bonne cuisine aux saveurs légères.

♦ *Itinéraire d'accès (voir carte n° 3) : à 67 km au nord-est d'Albertville par N 212 jusqu'à Saint-Gervais, puis N 205. Par A 40 sortie Le Fayet. (L'hôtel est dans le quartier des Moussoux.)*

1992

La Savoyarde ★★★

28, Route des Moussoux
74400 Chamonix (Haute-Savoie)
Tél. 50 53 00 77 - Fax 50 55 86 82 - Mme Jamin

♦ *Ouverture du 15 décembre au 13 novembre* ♦ *14 chambres avec tél. direct, s.d.b., w.c., t.v. - Prix des chambres doubles : 380 à 570 F - Petit déjeuner : 42 F, servi à partir de 7 h* ♦ *Amex, Diners, Visa* ♦ *Chiens admis - garage (30 F) et parking à l'hôtel* ♦ *Ski : à 50 m du téléphérique du Brévent - Golf des Praz 18 trous à 3 km* ♦ *Pas de restaurant à l'hôtel* ♦ *Renseignements pratiques sur la station p. 57.*

Aux pieds du Brévent, c'est sûrement un des hôtels les mieux situés de Chamonix. Il domine le village et profite de la vue extraordinaire sur l'Aiguille du Midi. Dans un style qui évoque aussi bien un cottage anglais qu'un chalet traditionnel, c'est un pur hôtel de charme refait il y a bientôt deux ans. Constitué de deux maisons reliées l'une à l'autre, l'ensemble est très soigné et fleuri. Après avoir gravi un joli petit perron, le coquet hall de réception donne le ton : plafonds peints, murs blancs et atmosphère feutrée ; ici les propriétaires ont écarté toute tentation pseudo-rustique, c'est le confort et l'intimité qui ont été recherchés. Claires et modernes, avec un mobilier spécialement dessiné pour l'hôtel, les chambres sont attrayantes. Toutes profitent de balcons ou terrasses et seulement trois donnent sur l'arrière. Parmi nos préférées, la n°5 avec son grand balcon et la n°14 à la charpente apparente. Seul défaut : un manque d'insonorisation dans la maison principale où les skieurs matinaux peuvent parfois réveiller les autres clients moins valeureux. La Savoyarde est néanmoins une adresse précieuse à Chamonix.

♦ *Itinéraire d'accès (voir carte n° 3) : à 67 km au nord-est d'Albertville par N 212 jusqu'à Saint-Gervais, puis N 205. Par A 40 sortie Le Fayet.*

Hôtel du Jeu de Paume ★★★★

705, Route du Château - Le Lavancher
74400 Chamonix (Haute-Savoie)
Tél. 50 54 03 76 - Fax 50 54 10 75
Mmes Prache et Blanc

♦ *Ouverture du 1er janvier au 31 décembre ♦ 32 chambres avec tél. direct, s.d.b., t.v. et minibar - Prix des chambres doubles : de 700 à 1 200 F - Petit déjeuner compris, servi de 7 h 30 à 10 h 30 - Prix de la demi-pension : + 160 F (par pers.) ♦ Amex, Diners, Visa, MasterCard, Eurocard ♦ Chiens admis avec 50 F de supplément - Piscine, tennis, sauna, parking à l'hôtel ♦ Ski à Argentières (Les Grands Montets) 10 km et à Chamonix 7 km - Golf des Praz 18 trous à 9 km ♦ Restaurant : service de 12 h 30 à 14 h 30, de 20 h à 21 h 30 - Menu : 200 à 250 F - Carte - Spécialités : cuisine traditionnelle ♦ Renseignements pratiques sur la station p. 57 .*

Propriétaire à Paris, au cœur de l'Ile St-Louis de l'élégant Hôtel du Jeu de Paume, Elyane et Guy Prache viennent d'ouvrir à Chamonix un délicieux hôtel. Le chalet se situe plus précisément au Lavancher, à 7 km de Chamonix, à l'orée d'une sapinière en surplomb de la vallée d'Argentière. C'est un hôtel luxueux, raffiné et très confortable, un chalet “réinventé” où l'on a abondamment utilisé le bois naturel. Toutes les chambres sont très fonctionnelles, la plupart avec balcon, meublées avec goût et chaleur. Même ambiance feutrée dans les salons et le bar. Partout des meubles, des miroirs, des tableaux achetés au hasard des coups de cœur chez des antiquaires. Bonne cuisine traditionnelle et conviviale. Très bon accueil. A noter qu'en hiver une voiture de l'hôtel peut conduire les clients jusqu'au départ des pistes.

♦ *Itinéraire d'accès (voir carte n° 3) : à 67 km au nord-est d'Albertville par N 212. Par A 40 sortie Le Fayet (A 7 km au nord de Chamonix par N 506 direction Argentière.)*

Hôtel Le Labrador ★★★

Route du Golf, 101 - Les Praz
74400 Chamonix (Haute-Savoie)
Tél. 50 55 90 09 - Télex 319 222 - Fax 50 53 15 85
M. et Mme Dizerens

♦ *Ouverture toute l'année* ♦ *32 chambres avec tél. direct, s.d.b., w.c., t.v. et minibar - Prix des chambres doubles : 450 à 620 F - Petit déjeuner : 50 F, servi jusqu'à 11 h - Prix de la demi-pension et de la pension : 425 à 510 F, 575 à 660 F (par pers., 3 j. min.)* ♦ *Cartes de crédit acceptées* ♦ *Chiens admis - Sauna, salle de gym, jacuzzi, parking à l'hôtel* ♦ *Ski : La Flégère à 250 m, Chamonix à 4 km - Golf des Praz 18 trous* ♦ *Restaurant : service de 12 h à 14 h 30, 19 h 30 à 22 h - Fermeture du 15 novembre au 15 décembre - Menu : 180 à 380 F - Carte - Spécialités : foie gras, canard rôti aux figues, tournedos Rossini, saumon fumé maison* ♦ *Renseignements pratiques sur la station* *p. 57.*

Construit sur le golf de Chamonix face au Mont Blanc, Le Labrador bénéficie d'un environnement exceptionnel. Mariant l'architecture scandinave et savoyarde, les différents bâtiments s'intègrent harmonieusement avec la nature environnante. Les chambres ne sont pas très grandes, mais celles en façade ont des balcons. Plus typiquement finlandais, avec un toit gazonné et un assemblage de *kelo*, le restaurant La Cabane propose une cuisine simple avec des spécialités qui changent au fil des saisons. Seul reproche, sa grande superficie qui lui fait manquer un peu d'intimité. Accueil attentionné de M. et Mme Dizerens qui vous aideront à organiser au mieux votre séjour en vous proposant des forfaits ski, golf ou montagne.

♦ *Itinéraire d'accès (voir carte n° 3) : à 67 km au nord-est d'Albertville par N 212. Par A 40 sortie Le Fayet. (A 4 km au nord de Chamonix par N 506 direction Argentière ; sur le golf.)*

Chalet-Hôtel Beausoleil ★★

Le Lavancher
74400 Chamonix (Haute-Savoie)
Tél. 50 54 00 78 - Fax 50 54 17 34
M. Bossonney

♦ *Ouverture du 20 décembre au 20 septembre* ♦ *15 chambres avec tél. direct, s.d.b. ou douche, w.c. et t.v. - Prix des chambres simples et doubles : 270 F, 345 à 430 F - Petit déjeuner : 35 F, servi de 7 h 30 à 11 h - Prix de la demi-pension et de la pension : 248 à 335 F, 308 à 395 F (par pers., 3 j. min.)* ♦ *Carte bleue, Eurocard, MasterCard et Visa* ♦ *Chiens admis dans les chambres avec supplément - Tennis à l'hôtel* ♦ *Ski : à 3 km, départ de l'hôtel pour ski de fond - Golf des Praz 18 trous* ♦ *Restaurant : service de 12 h 30 à 13 h 30, 19 h 30 à 20 h 30 - Menu : 95 à 180 F - Carte - Spécialités : entrecôte sauce morilles, escalope de veau savoyarde, filet de truite à l'oseille, fondue, raclette* ♦ *Renseignements pratiques sur la station p. 57.*

Voici un hôtel paisible, tenu par la famille Bossonney depuis cinquante ans. Au pied de l'Aiguille du Midi et du Mont Blanc, il est entouré de prés et isolé du bruit. Les chambres rénovées récemment sont petites mais toutes offrent un confort moderne avec un balcon pour les chambres du premier étage et des salles de bains agréables. La salle à manger se prolonge d'une terrasse qui donne sur le jardin fleuri bordé de sapins. Bonne cuisine familiale et accueil sympathique.

♦ *Itinéraire d'accès (voir carte n° 3) : à 67 km au nord-est d'Albertville par N 212. Par A 40 sortie Le Fayet. (A 4 km au nord de Chamonix par N 506 direction Argentière.)*

Auberge Le Beau Site ★★★

74310 Les Houches (Haute-Savoie)
Tél. 50 55 51 16 - Fax 50 54 53 11 - Famille Perrin

♦ *Ouverture du 20 décembre au 15 avril, mai, et du 15 juin au 30 septembre* ♦ *18 chambres avec tél., s.d.b., w.c., t.v. et minibar - Prix des chambres doubles : 320 à 400 F - Petit déjeuner : 40 F, servi de 7 h 30 à 10 h - Prix de la demi-pension et de la pension : 285 à 330 F, 360 à 400 F (par pers.)* ♦ *Cartes de crédit acceptées* ♦ *Chiens non admis - Sauna à l'hôtel* ♦ *Ski : à 600 m des remontées mécaniques - Golf des Praz 18 trous à Chamonix, à 7 km* ♦ *Restaurant : service de 12 h à 13 h 30, 19 h à 21 h 30 - Menu : 90 à 190 F - Carte - Spécialités : cuisine traditionnelle gastronomique* ♦ *Renseignements pratiques sur la station p. 58.*

Les amateurs de bon confort seront comblés par ce petit hôtel récemment ouvert. La décoration de style scandinave convient tout à fait à un hôtel de montagne, même si elle est un peu surprenante dans nos Alpes savoyardes. La salle à manger du restaurant de l'hôtel, Le Pêle, est plus traditionnelle, gaie et accueillante. Les chambres, décorées sobrement avec le même penchant pour une décoration moderne et colorée, s'enorgueillissent d'être équipées selon les nouvelles normes européennes : toutes sont confortables et possèdent un balcon mais il est préférable, si l'on recherche la tranquillité, de demander les chambres donnant côté jardin ou sur l'arrière de l'hôtel. Le bar et le restaurant sont d'agréables lieux de détente. La carte offre des spécialités variées avec quelques bonnes recettes de poisson. L'été, le service se fait dans le jardin.

♦ *Itinéraire d'accès (voir carte n° 3) : à 59 km au nord-est d'Albertville par N 212, puis N 205. Par A 40 sortie Le Fayet, puis N 5 (à 7 km à l'ouest de Chamonix).*

Hôtel Mont Alba ★★★

Avenue des Alpages - La Griaz
74310 Les Houches (Haute-Savoie)
Tél. 50 54 50 35 - Fax 50 55 50 87 - M. et Mme Lagarde

♦ *Ouverture toute l'année* ♦ *43 chambres avec tél. direct, s.d.b., w.c., t.v. et minibar - Prix des chambres doubles : 400 à 470 F - Petit déjeuner : 45 F, servi de 7 h 30 à 10 h - Prix de la demi-pension et de la pension : 320 à 420 F, 400 à 500 F (par pers.)* ♦ *Cartes de crédit acceptées* ♦ *Chiens admis avec 30 F de supplément - Piscine couverte chauffée, sauna à l'hôtel* ♦ *Ski : à 200 m des remontées mécaniques - Golf des Praz à Chamonix, 7 km* ♦ *Restaurant : service de 12 h à 14 h, 19 h à 21 h 30 - Menu : 95 à 240 F - Carte* ♦ *Renseignements pratiques sur la station p. 58.*

Situé dans la grande rue du joli village des Houches, cet hôtel récent a beaucoup d'atouts : une architecture et une décoration qui allient la tradition et le contemporain, le confort et le style des hôtels de montagne traditionnels. La salle à manger chaleureuse qui possède une jolie cheminée est meublée et décorée avec raffinement. Le bar, plus classique, donne de plain-pied sur une terrasse où l'on peut déjeuner l'été. Les chambres sont spacieuses, gaies et confortables ; elles ont presque toutes un balcon en bois. Nos préférées sont les chambres avec des lits jumeaux situées sur l'arrière de l'hôtel avec vue sur le Mont Blanc. La cuisine est simple mais bonne. L'accueil de la propriétaire est aimable et professionnel. Une bonne adresse pour des séjours d'hiver comme d'été, un confort et un raffinement assez rares dans la vallée de Chamonix dans une gamme de prix raisonnables.

♦ *Itinéraire d'accès (voir carte n° 3) : à 59 km au nord-est d'Albertville par N 212, puis N 205. A 7 km à l'ouest de Chamonix. Par A 40 sortie Le Fayet, puis N 205 (l'hôtel est au-delà du carrefour St-Antoine, vers la station).*

Chalet-Hôtel Peter Pan ★

74310 Les Houches (Haute-Savoie)
Tél. 50 54 40 63 - M. Bochatay

♦ *Ouverture du 15 décembre au 15 mai et du 1er juin au 30 septembre* ♦ *13 chambres avec s.d.b. ou douche, lavabo ou cabinet de toilette, (2 avec w.c.) - Prix des chambres simples et doubles : 178 F, 178 à 230 F - Petit déjeuner : 28 F, servi de 8 h à 12 h - Prix de la demi-pension et de la pension : 178 à 208 F, 210 à 238 F (par pers., 3 j. min.)* ♦ *Cartes de crédit non acceptées* ♦ *Chiens admis* ♦ *Ski : à 1 km des remontées mécaniques - Golf des Praz 18 trous à Chamonix, 7 km* ♦ *Restaurant : service de 12 h 30 à 13 h, 19 h 30 à 21 h, fermeture du 1er octobre au 15 décembre - Menu : 95 à 120 F - Carte - Spécialités : escalopes de saumon frais à l'oseille, braserades*
♦ *Renseignements pratiques sur la station p. 58.*

Installés depuis dix-sept ans dans cette belle ferme du XVIIIe siècle située sur les hauteurs tout près des Houches, avec une vue superbe sur la vallée de Chamonix, Michel Bochatay et son épouse ont su créer une ambiance originale et chaleureuse et proposent une cuisine de qualité à des prix raisonnables. Entièrement en bois, ces deux chalets sont de véritables petits musées. Les repas sont servis, à la lueur des bougies, sur de coquettes petites tables en bois qu'égayent des bouquets. L'agrément des chambres varie. Les chambres 1 et 2, très spacieuses (la 2 est la seule à posséder une salle de bains) et la 6, plus intime et mansardée donnent sur la vallée ; celles de l'annexe sont plus petites et quatre n'ont qu'un lavabo. Mais grâce à la qualité de l'accueil, au calme et au charme de ses chalets, le Peter Pan s'avère une grande réussite.

♦ *Itinéraire d'accès (voir carte n° 3) : à 59 km au nord-est d'Albertville par N 212, puis N 205. Par A 40 sortie Le Fayet (à 7 km à l'ouest de Chamonix).*

Chalet Rémy ★

Le Bettex
74170 Saint-Gervais (Haute-Savoie)
Tél. 50 93 11 85 - Mme Didier

♦ *Ouverture toute l'année* ♦ *19 chambres avec lavabo et 1 appartement avec s.d.b. - Prix des chambres doubles : 180 F - Prix de la suite : 750 F (8 pers.) - Petit déjeuner : 25 F, servi de 8 h à 10 h - Prix de la demi-pension et de la pension : 240 à 300 F (par pers., 3 j. min.)* ♦ *Carte bleue, Eurocard, MasterCard et Visa* ♦ *Chiens admis* ♦ *Ski : à 6 km des remontées mécaniques - Golf du Mont-d'Arbois à Megève, 15 km* ♦ *Restaurant : service de 12 h à 14 h, 17 h à 21 h - Menu : 85 F - Carte - Spécialités : cuisine familiale* ♦ *Renseignements pratiques sur la station p. 58 .*

Maison exceptionnelle, cette ancienne ferme du XVIIIe siècle a traversé les années en préservant toutes ses boiseries : panneaux, plafonds, moulures ainsi que l'escalier conduisant à une superbe galerie où se trouvent les chambres, s'harmonisent dans des teintes rouge foncé uniques. Une cuisine familiale de qualité est servie dans la salle à manger sur de petites tables éclairées par des chandelles. Amateur de musique classique, la maîtresse de maison sonorise avec talent les repas. C'est la simplicité des chambres qui fait leur charme et malgré un équipement sanitaire sommaire, elles sont dans leur genre de purs joyaux avec leurs murs, plafond et plancher tout en bois. Le Chalet Rémy possède un autre atout majeur : sa situation ; à l'écart de Saint-Gervais, on y accède par une route en lacets et là, entouré de sapins et de prés, il fait face à la silhouette impressionnante du Mont Blanc.

♦ *Itinéraire d'accès (voir carte n° 3): à 50 km au nord-est d'Albertville par N 212 et D 909 jusqu'à Robinson et Le Bettex. Par A 40 sortie Le Fayet.*

Chalet du Mont d'Arbois ★★★★

Chemin de la Rocaille
74120 Megève (Haute-Savoie)
Tél. 50 21 25 03 - Fax 50 21 24 79
M. Vincent-Genod

♦ Ouverture du 15 juin au 15 octobre et du 15 décembre au 15 avril ♦ 20 chambres et une suite avec tél. direct, s.d.b., w.c. et t.v. - Prix des chambres simples et doubles : 800 à 1 570 F, 900 à 1 740 F - Prix des suites : 2 700 à 5 900 F - Petit déjeuner compris, servi de 7 h à 10 h 30 - Prix de la demi-pension et de la pension : + 260 F, + 520 F (par pers., 3 j. min.) ♦ Cartes de crédit acceptées ♦ Chiens admis - Tennis, piscine, parking à l'hôtel, accès au golf du Mont d'Arbois ♦ Ski : à 500 m des remontées mécaniques - Golf du Mont d'Arbois, 18 trous (gratuit pour les résidents) ♦ Restaurant : service de 12 h à 14 h 30, 19 h 30 à 22 h - Menu : à partir de 200 F - Carte - Spécialités : broche au feu de bois (volaille de Bresse), gigot d'agneau *♦ Renseignements pratiques sur la station p. 59 .*

Situé en bordure de la forêt, le chalet du Mont d'Arbois autrefois maison familiale est devenu un luxueux hôtel décoré et conçu par Nadine de Rothschild dans un style savoyard cossu. Grandes chambres très confortables et très bien meublées, salles de bains en bois blond raffinées et confortables, salons feutrés, restaurant où est servie une cuisine française traditionnelle avec comme il se doit une cave exceptionnelle. L'accueil est distingué et souriant. Rien ne manque pour faire du Mont d'Arbois un grand hôtel à la montagne. Une adresse chic et raffinée.

♦ Itinéraire d'accès (voir carte n° 3) : à 34 km au nord-est d'Albertville par N 212. Par A 40 sortie Le Fayet. (A 3 km du centre ville direction le Mont d'Arbois).

1992

Princesse de Megève ★★★★

Demi Quartier - 74120 Megève (Haute-Savoie)
Tél. 50 93 08 08 - Fax 50 21 45 65
M. et Mme Maillet-Contor

♦ *Ouverture du 15 novembre au 13 décembre* ♦ *11 chambres avec tél. direct, s.d.b. ou douche, w.c. et t.v. - Prix des chambres simples et doubles : de 500 à 905 F, 780 à 1550 F - Petit déjeuner compris, servi de 8 h à 12 h* ♦ *Diners, Visa, Eurocard, Amex* ♦ *Chiens admis avec 40 F de supplément - Piscine, hammam, sauna, centre de beauté et de remise en forme, garage (35 F par jour) et parking à l'hôtel* ♦ *Ski : départ de l'hôtel pour le télécabine de la Princesse - Golf du Mont d'Arbois, 18 trous* ♦ *Restaurant : service de 12 h 30 à 14 h, 20 h à 22 h - Spécialités régionales* ♦ *Renseignements pratiques sur la station p. 59.*

A l'écart du village, sur la route de Sallanches, la Princesse de Megève est une ancienne ferme construite en 1897 qui a été entièrement "repensée" mais où les pierres de taille, la charpente et les boiseries d'époque témoignent encore de son caractère authentique. Les chambres sont spacieuses, toutes ont un coin salon et un balcon ou terrasse sur la Chaîne des Aravis et les Aiguilles de Warens ; trois ont une grande cheminée. Les pièces de réception du rez-de-chaussée sont très accueillantes : fauteuils, canapés confortables, belle cheminée avec boiseries anciennes et bibliothèque décorent le grand salon. Ambiance feutrée dans le salon-billard, chaleureuse dans le wine-bar. La cuisine est sans prétention mais de qualité avec de délicieux petits déjeuners (confitures maison, œufs, jus de fruits frais) . A noter, enfin un centre de beauté et de santé très bien équipé. Accueil des plus charmants.

♦ *Itinéraire d'accès (voir carte n° 3) : à 34 km au nord-est d'Albertville par N 212 - Par A 40 sortie Le Fayet - à 2,5 km du centre de la station route de Sallanches.*

Au Coin du Feu ★★★

Route de Rochebrune
74120 Megève (Haute-Savoie)
Tél. 50 21 04 94
M. et Mme Sibuet

♦ Ouverture du 15 décembre au 15 avril et du 15 juillet au 30 août ♦ 23 chambres avec tél., s.d.b., w.c. et t.v. - Prix des chambres simples et doubles : 500 à 680 F, 580 à 850 F - Petit déjeuner : 45 F ♦ Carte bleue et Amex ♦ Chiens admis ♦ Ski : à 200 m des remontées mécaniques - Golf du Mont d'Arbois, 18 trous ♦ Restaurant : service de 19 h 30 à 22 h 30 - Carte : 250 F - Spécialités : cuisine du terroir, poissons du lac ♦ *Renseignements pratiques sur la station p. 59.*

Depuis longtemps, Le Coin du Feu est connu à Megève comme étant l'hôtel sympathique où il faut descendre si l'on aime la tradition. Jolis meubles en pin, boiseries de chêne, tissus fleuris et bien sûr un coin du feu accueillant en ont fait le succès. Le restaurant Le Saint-Nicolas accueille aussi les habitués de la station qui apprécient la cuisine simple mais savoureuse de la maison ou les traditionnelles raclettes et fondues. Les chambres sont toutes aussi jolies et coquettes, et l'accueil amical.

♦ Itinéraire d'accès (voir carte n° 3) : à 34 km au nord-est d'Albertville par N 212. Par A 40 sortie Le Fayet (l'hôtel est sur la route de Rochebrune).

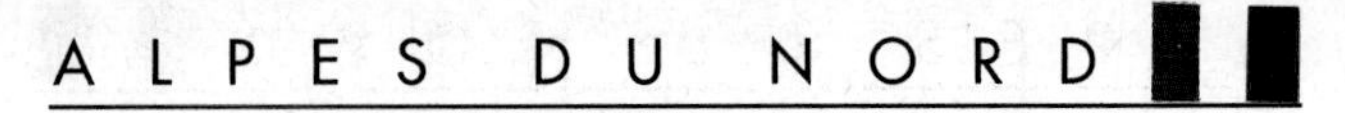

Ferme Hôtel Duvillard ★★★

Le Mont d'Arbois
74120 Megève (Haute-Savoie)
Tél. 50 21 14 62 - Fax 50 21 42 82
M. Mouroux

♦ *Ouverture du 20 décembre au 15 avril et du 1er juillet au 15 septembre* ♦ *19 chambres avec tél., s.d.b. ou douche, w.c. et t.v - Prix des chambres en duplex (4 pers.) : 900 à 1 000 F - Prix des chambres simples et doubles : 546 F à 650 F, 650 F à 860 F - Petit déjeuner : 50 F, servi de 7 h 30 à 9 h 30 - Prix de la demi-pension : 690 à 800 F (par pers.)* ♦ *Carte bleue et Visa* ♦ *Chiens admis avec supplément - Piscine, sauna à l'hôtel* ♦ *Ski : départ de l'hôtel pour le téléphérique du Mont-D'Arbois - Golf du Mont d'Arbois, 18 trous* ♦ *Restaurant : service de 12 h à 14 h, 19 h 30 à 21 h - Menu : 150 F - Carte - Spécialités : pierrade, fondue, raclette* ♦ *Renseignements pratiques sur la station p. 59.*

Géré aujourd'hui par M. Mouroux, c'est Adrien Duvillard, originaire de Megève et membre de l'équipe de France de ski pendant dix ans, et son épouse Eva, diplômée de l'école hôtelière d'Innsbruck, qui ont transformé la ferme paternelle en hôtel. Il est très bien situé, au pied des pistes, de la télécabine et du golf du Mont d'Arbois. L'intérieur est chaleureux. Les chambres ne sont pas très grandes, mais on les a dotées de tout un confort, bienvenu à la montagne : télévision, sèche-cheveux... et sauna à l'étage. Au restaurant, la cuisine simple privilégie les spécialités savoyardes dans un joli décor mi-savoyard mi-tyrolien. L'accueil réservé devient vite sympathique.

♦ *Itinéraire d'accès (voir carte n° 3) : à 34 km au nord-est d'Albertville par N 212. Par A 40 sortie Le Fayet (l'hôtel est au pied du télécabine du Mont d'Arbois).*

Hôtel Le Fer à Cheval ★★★

36, route du Crêt d'Arbois
74120 Megève (Haute-Savoie)
Tél. 50 21 30 39 - Fax 50 93 07 60
M. et Mme Sibuet

♦ Ouverture du 20 décembre à Pâques et du 1er juillet au 10 août ♦ 43 chambres avec tél., s.d.b. ou douche, w.c. et t.v. (21 avec minibar) - Prix des chambres doubles en demi-pension : 550 à 575 F - Prix des suites en demi-pension : 735 à 765 F (par pers.) - Petit déjeuner : 40 F, servi de 7 h 30 à 11 h 30 - Prix de la demi-pension : 510 F (par pers.) ♦ Carte bleue et Visa ♦ Chiens admis avec supplément - Piscine, sauna, jacuzzi, centre de remise en forme à l'hôtel ♦ Ski : à 500 m des remontées mécaniques - Golf du Mont d'Arbois, 18 trous ♦ Restaurant : service de 19 h 30 à 21 h 30 - Carte : 250 F ♦ Renseignements pratiques sur la station p. 59.

Le Fer à Cheval est l'un des plus charmants hôtels de Megève. Tout y est admirablement réussi : le chalet a été très bien restauré et à l'intérieur, le bois des poutres et des lambris crée une atmosphère très chaleureuse et confortable à laquelle contribuent également les meubles anciens, cirés et patinés, chinés dans la vallée, et le choix des tissus et des objets. Inutile de recommander telle ou telle chambre, elles sont toutes adorables. Les prix varient seulement en fonction de leur superficie. En hiver, on prend les repas près du feu de cheminée dans la salle à manger, en été au bord de la piscine. Accueil sympathique.

♦ Itinéraire d'accès (voir carte n° 3) : à 34 km au nord-est d'Albertville par N 212. Par A 40 sortie Le Fayet.

Les Fermes de Marie ★★★

Chemin de Riante Colline
74120 Megève (Haute-Savoie)
Tél. 50 93 03 10 - Fax 50 93 09 84 - M. Sibuet

♦ *Ouverture du 10 décembre au 15 avril et du 15 juin au 15 septembre* ♦ *52 chambres avec tél. direct, s.d.b., w.c. et t.v. - Prix des chambres simples et doubles : 650 F, 1 200 à 1 400 F - Prix de la demi-pension : 1 100 à 2 000 F - Petit déjeuner : 50 F* ♦ *Amex, Visa* ♦ *Chiens admis avec supplément - Piscine, sauna, centre de remise en forme à l'hôtel* ♦ *Ski : à 500 m du téléphérique du chamois Golf du Mont d'Arbois, 18 trous* ♦ *Restaurant : service de 12 h à 14 h, 19 h 30 à 22 h 30 - Carte : 250 F - Spécialités : cuisine du terroir, poissons du lac* ♦ *Renseignements pratiques sur la station p. 59.*

Après le délicieux hôtel de Rochebrune Le Coin du Feu et le sympathique restaurant Le Saint-Nicolas, baptisé du prénom de leur fils, Jocelyne et Jean-Louis Sibuet ont ouvert Les Fermes de Marie, du nom de leur dernier bébé. C'est en fait un petit hameau de plusieurs chalets, reconstitué avec d'anciens mazots récupérés dans la montagne et réalisés entièrement avec de vieux bois. La réception, les deux restaurants, la bibliothèque et le bar occupent le bâtiment principal. Toutes les chambres sont exposées plein sud et dotées d'un balcon-terrasse et d'un coin salon. Jocelyne a chiné plus de quatre cent cinquante meubles anciens pour décorer l'hôtel. Le même souci est apporté au service ultra rapide du petit déjeuner : de délicieuses confitures maison accompagnent le bon pain de campagne et la baguette croustillante. La carte du soir est simple, mais la cuisine est saine et savoureuse.

♦ *Itinéraire d'accès (voir carte n° 3) : à 34 km au nord-est d'Albertville par N 212. Par A 40 sortie Le Fayet (l'hôtel est sur la route du téléphérique de Rochebrune).*

Hôtel Le Mégevan ★★

Route de Rochebrune
74120 Megève (Haute-Savoie)
Tél. 50 21 08 98 - Fax 50 58 79 20
M. Demarta

♦ *Ouverture du 1er juillet au 15 septembre et du 18 décembre à Pâques ♦ 11 chambres avec tél. direct, s.d.b., w.c. et t.v. - Prix des chambres doubles : 500 F - Petit déjeuner compris, servi à partir de 7 h ♦ Amex, Carte bleue et Visa ♦ Chiens admis ♦ Ski : au pied du téléphérique de Rochebrune - Golf du Mont d'Arbois, 18 trous ♦ Pas de restaurant à l'hôtel ♦ Renseignements pratiques sur la station* *p. 59.*

Composé d'une clientèle d'habitués, le Mégevan est un pur hôtel de charme, tout en finesse, qui n'affiche modestement que deux étoiles. Ici, pas d'hôtellerie rigide où l'on vous refuse le petit déjeuner parce qu'il est 10 h 03 : les horaires sont élastiques et l'accueil avenant. Cette ancienne maison familiale des Demarta abrite onze chambres séduisantes. Toutes ont un balcon et sont décorées avec goût ; dans une ambiance 1930 s'y mélangent jolies gravures, bois, tapis douillets ainsi que de coquettes salles de bains. Le salon-bar avec ses profonds fauteuils en cuir invite à la détente après-ski autour de la cheminée. Le téléphérique de Rochebrune n'est qu'à cent mètres. Pas de restaurant, mais à Megève, le choix est vaste.

♦ *Itinéraire d'accès (voir carte n° 3) : à 34 km au nord-est d'Albertville par N 212. Par A 40 sortie Le Fayet (l'hôtel est sur la route de Rochebrune).*

Chalet-Hôtel Les Roches Fleuries ***

74700 Cordon (Haute-Savoie)
Tél. 50 58 06 71
M. et Mme Picot

♦ *Ouverture du 20 décembre au 23 septembre* ♦ *28 chambres avec tél. direct, s.d.b., w.c. et t.v. - Prix des chambres doubles : 375 F - Prix des suites : 470 F - Petit déjeuner : 44 F, servi de 7 h 30 à 10 h - Prix de la demi-pension et de la pension : 290 à 390 F, 320 à 420 F (par pers., 3 j. min.)* ♦ *Amex, Carte bleue et Visa* ♦ *Chiens admis avec 30 F de supplément - Piscine chauffée à l'hôtel* ♦ *Ski : à 700 m des remontées mécaniques - Golf du Mont d'Arbois, 18 trous à Megève, 17 km* ♦ *Restaurant : service de 12 h 30 à 14 h, 19 h 30 à 21 h 30 - Menu : 125 à 265 F - Carte - Spécialités : chartreuse de légumes et sot-l'y-laisse au miel, curry d'agneau aux tomates vertes et purée d'ail* ♦ *Renseignements pratiques sur la station p. 60.*

Entre Combloux et Sallanches, en avant-scène sur le Mont Blanc, Cordon est un ravissant village où la montagne est belle en toute saison. En été, les chalets se nichent entre les cerisiers et les noyers ; en hiver, on profite de l'exceptionnel panorama sur les Aiguilles de Chamonix et la Chaîne des Aravis. Le Chalet-Hôtel Les Roches Fleuries est bien situé pour profiter de tous ces avantages. Les chambres joliment meublées ont pour la plupart des terrasses individuelles permettant de profiter de la vue, du calme et de l'ensoleillement. Le mobilier rustique et confortable prévaut aussi dans le salon et la salle à manger. En hiver, le feu de cheminée contribue enfin à créer un charme douillet et chaleureux. La cuisine est bonne, l'accueil attentif et amical.

♦ *Itinéraire d'accès (voir carte n° 3) : à 43 km au nord-est d'Albertville par N 212 jusqu'à Sallanches, puis D 113. Par A 40 sortie Le Fayet.*

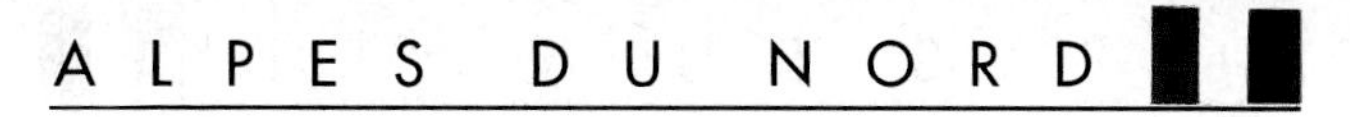

Au Cœur des Prés ★★★

74920 Combloux (Haute-Savoie)
Tél. 50 93 36 55
M. Paget

♦ *Ouverture du 20 décembre au 15 avril et du 1er juin au 25 septembre* ♦ *34 chambres avec tél. direct, s.d.b. et w.c. (20 avec t.v.) - Prix des chambres simples et doubles : 250 à 300 F, 350 à 400 F - Petit déjeuner : 36 F, servi à partir de 7 h 30 - Prix de la demi-pension et de la pension : 340 à 390 F (par pers.)* ♦ *Carte bleue et Visa* ♦ *Chiens admis - Tennis, parking et garage à l'hôtel* ♦ *Ski : à 1 km des remontées mécaniques - Golf du Mont d'Arbois, 18 trous à Megève, 5 km* ♦ *Restaurant : service de 12 h 30 à 14 h, 19 h 30 à 20 h 30 - Menu : 120 à 180 F - Carte - Spécialités : panaché de saumon frais et fumé au fumet d'écrevisse, nonnette de pommes chaudes* ♦ *Renseignements pratiques sur la station p. 61.*

Cet hôtel bénéficie, non seulement d'une vue imprenable sur le Mont Blanc et la Chaîne des Aravis mais aussi d'un grand pré qui l'entoure et le protège ainsi de tout voisinage gênant. La plupart des chambres donnant sur le Mont Blanc ont un balcon ; confortables, leur décoration est néanmoins un peu impersonnelle. Celles du troisième étage, mansardées, offrent plus de caractère. Dans le salon vous attendent de nombreux fauteuils moelleux et une grande cheminée. Aussi soignée, la salle à manger avec ses carrelages, ses nappes roses et ses poutres profite de la vue panoramique. Primé par la commune pour sa floraison, l'hôtel satisfera les amateurs de calme et de repos dans un cadre grandiose.

♦ *Itinéraire d'accès (voir carte n° 3) : à 36 km au nord-est d'Albertville par N 212 jusqu'à Combloux par Megève. Par A 40 sortie Le Fayet.*

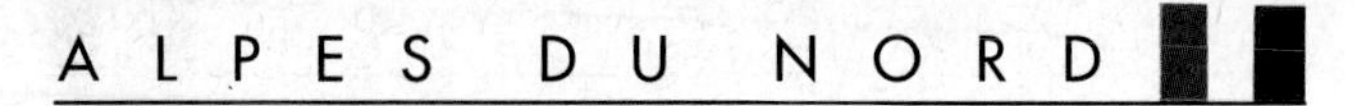

Hôtel Idéal Mont Blanc ***

74920 Combloux (Haute-Savoie)
Tél. 50 58 60 54 - Fax 50 58 64 50 - Famille Muffat

♦ *Ouverture du 20 décembre au 31 mars et du 19 juin au 30 septembre* ♦ *28 chambres et 1 suite avec tél. direct, s.d.b., w.c. et t.v. - Prix des chambres doubles : 380 à 470 F - Prix des suites : 450 à 490 F - Petit déjeuner : 45 F - Prix de la demi-pension et de la pension : 350 à 450 F, 400 à 520 F (par pers., 2 j. min.)* ♦ *Amex, Carte bleue, Diners et Visa* ♦ *Chiens admis avec un supplément de 35 F - Piscine couverte, salle de gym à l'hôtel* ♦ *Ski : à 1 km des remontées mécaniques - Golf du Mont d'Arbois, 18 trous à Megève, 5 km* ♦ *Restaurant : service de 12 h 15 à 13 h 30, 19 h 15 à 20 h 30 - Menu : 145 à 220 F - Carte* ♦ *Renseignements pratiques sur la station p.61.*

Tenu par la même famille depuis trois générations, cet hôtel jouit d'un point de vue unique sur le Mont Blanc, géant débonnaire, qui s'élève majestueusement devant ce grand chalet et dont profitent seize des vingt-huit chambres (toutes avec balcon). Les autres font face à la Chaîne des Aravis et aux Aiguilles de Warens. Lumineuses et modernes, elles offrent un bon confort. Mais au troisième étage, certaines, mansardées et toutes en bois, ont un style plus sylvestre. Les repas sont pris dans une grande salle panoramique. Devant l'hôtel, au milieu d'un jardin en pente, une piscine couverte a été aménagée ; on peut y accéder depuis l'hôtel par le sous-sol, évitant ainsi les froids hivernaux. Enfin une navette gratuite qui dessert les remontées mécaniques passe devant l'hôtel. Il règne ici une ambiance familiale où les clients ne se sentent jamais négligés.

♦ *Itinéraire d'accès (voir carte n° 3) : à 36 km au nord-est d'Albertville par N 212 jusqu'à Combloux par Megève. Par A 40 sortie Le Fayet.*

Hôtel Les Chalets de la Serraz ★★★

Les Etages
74220 La Clusaz (Haute-Savoie)
Tél. 50 02 48 29 - Fax 50 02 64 12 - Mme Gallay

♦ *Ouverture du 15 décembre au 30 avril et du 15 juin au 15 septembre* ♦ *10 chambres avec tél. direct, s.d.b. ou douche, w.c. et t.v. - Prix des chambres simples et doubles : 410 à 470 F, 390 à 520 F - Prix des suites : 695 F - Petit déjeuner : 50 F, servi à toute heure - Prix de la demi-pension : 385 à 450 F (par pers.)* ♦ *Cartes de crédit acceptées* ♦ *Chiens admis avec supplément - Piscine, salle de gym à l'hôtel* ♦ *Ski : à 400 m des remontées mécaniques - Golf du lac d'Annecy, 18 trous à 35 km* ♦ *Restaurant : service à partir de 20 h - Menu : 150 F (table d'hôtes) - Spécialités : cuisine savoyarde* ♦ *Renseignements pratiques sur la station p. 61.*

Les Chalets de la Serraz, c'est un hameau miniature au cœur de La Clusaz, village bien protégé où de jolis chalets se pressent autour de l'élégant clocher à bulbe de l'église. L'hôtel offre différentes formules : des chambres traditionnelles bien aménagées, de plain-pied avec le jardin ou un mazot individuel pour quatre ou cinq personnes, bien équipé pour vivre de façon indépendante. La décoration est simple, dans le style montagnard mais de bon goût, créant une atmosphère chaleureuse. On peut à loisir dîner au restaurant qui propose aussi des soirées autour de spécialités savoyardes. En hiver, on accède directement aux pistes à partir de l'hôtel. En été, la piscine au milieu des prés et le half-court complètent agréablement les équipements confortables de l'hôtel.

♦ *Itinéraire d'accès (voir carte n° 3) : à 35 km à l'est d'Annecy par D 909 jusqu'à La Clusaz direction Thônes. (L'hôtel est à 3 km au sud de la station au lieu-dit Les Etages par la route du col des Aravis).*

Le Vieux Chalet ★★★

Les Tollets
74220 La Clusaz (Haute-Savoie)
Tél. 50 02 41 53
Mme Faber

♦ Ouverture toute l'année - Fermeture le mardi et le mercredi en b.s. ♦ 7 chambres avec tél. direct, s.d.b., (1 avec douche), (6 avec w.c. et t.v.) - Prix des chambres doubles : 250 à 300 F - Petit déjeuner : 35 F, servi de 8 h à 10 h - Prix de la demi-pension et de la pension : 300 F, 350 F (par pers., 3 j. min.) ♦ Carte bleue ♦ Chiens non admis ♦ Ski : départ de l'hôtel - Golf du lac d'Annecy, 18 trous à 35 km ♦ Restaurant : service de 12 h 15 à 13 h 45, 19 h 15 à 20 h 45 - Menu : 90 à 250 F - Carte - Spécialités : salade de légumes et ses escalopines de ris de veau, morue fraîche au caviar d'aubergines, gigotin d'agneau en croûte de sel ♦ Renseignements pratiques sur la station p. 61.

Le Vieux Chalet domine la station. Ce petit hôtel-restaurant a avant tout acquis sa réputation grâce à son excellente cuisine préparée par un jeune chef dynamique et talentueux. On peut néanmoins séjourner fort agréablement dans ce petit chalet qui ne compte que sept chambres. Elles sont à la taille de la maison : modestes, mais elles possèdent le nécessaire pour un séjour confortable. Situé sur les pistes, il permet aux hôtes de profiter au maximum du panorama et du calme qu'offrent les Aravis. Une bonne adresse pour les gourmets sportifs.

♦ Itinéraire d'accès (voir carte n° 3) : à 35 km à l'est d'Annecy par D 909 jusqu'à La Clusaz, direction Thônes. (L'hôtel est sur la route du Crêt-du-Merle).

Hôtel de la Croix-Fry ★★

74230 Manigod (Haute-Savoie)
Tél. 50 44 90 16 - Fax 50 44 94 87 - Mme Guelpa-Veyrat

♦ *Ouverture du 20 décembre au 15 avril et du 15 juin au 15 septembre* ♦ *15 chambres avec tél., s.d.b. ou douche, w.c. - Prix des chambres doubles : 450 à 550 F - Prix des suites: 550 à 700 F - Petit déjeuner : 48 F, servi de 8 h à 10 h - Prix de la demi-pension et de la pension : 400 à 450 F, 430 à 480 F* ♦ *Cartes de crédit acceptées* ♦ *Chiens admis - Piscine, tennis, parking à l'hôtel* ♦ *Ski : à 1 km des remontées mécaniques - Golf du lac d'Annecy, 18 trous à 31 km* ♦ *Restaurant : service de 12 h 30 à 13 h 30, 19 h 30 à 20 h 30 - Menu : 130 à 300 F - Carte - Spécialités : filet de veau ou filet de bœuf aux bolets ou chanterelles* ♦ *Renseignements pratiques sur la station* *p. 62.*

Cet hôtel est un véritable petit hôtel de charme, chaleureux et douillet.. Ici les chambres aux noms de fleurs des alpages ont fait l'objet de soins au fil des ans ; le bois des poutres et celui des vieux meubles savoyards leur donnent un charme et un caractère tout montagnards. Celles qui font face à la vallée jouissent d'une vue de toute splendeur et d'un ensoleillement optimum ; balcons, terrasses, mezzanines se répartissent équitablement et rattrapent l'exiguïté des salles de bains. Dans ce qui fut l'étable de la ferme familiale se trouve un bar aux banquettes chaudement revêtues de peau de mouton. Lui faisant suite, la salle de restaurant fait face au massif de la Tournette. Eté comme hiver une bonne adresse dans la belle vallée de Manigod. Il est recommandé de prévoir à l'avance son séjour car les fervents de l'hôtel sont nombreux.

♦ *Itinéraire d'accès (voir carte n° 3) : à 31 km à l'est d'Annecy par D 909 jusqu'à Thônes, puis D 12 et D 16 par Manigod direction du col de la Croix-Fry.*

Hôtel Résidence La Bergerie ★★★

Rue du Téléphérique
74110 Morzine (Haute-Savoie)
Tél. 50 79 13 69 - Télex 309 066 F - Fax 50 75 95 71
Mme Marullaz

♦ *Ouverture de juillet à septembre et de Noël à Pâques* ♦ *27 chambres, studios et appartements avec tél. direct, s.d.b. ou douche, w.c., (kitchenette et t.v. dans les studios et appartements) - Prix des chambres simples : 220 à 280 F - Prix des studios : 350 à 600 F - Prix des appartements (5 à 6 pers.) : 500 à 800 F - Petit déjeuner : 50 F, servi de 8 h à 11 h* ♦ *Carte bleue, Eurocard et Visa* ♦ *Chiens admis avec supplément - Piscine, sauna, solarium, centre de remise en forme, salle de jeux, parking et garage à l'hôtel* ♦ *Ski : à 50 m des remontées mécaniques - Golf du Royal Hôtel, 18 trous, Evian, 40 km* ♦ *Pas de restaurant à l'hôtel* ♦ *Renseignements pratiques sur la station p. 63.*

La Bergerie est l'hôtel préféré des résidents de Morzine, même si la formule a un peu changé. En effet, on y trouve certes des chambres, mais aussi des studios et des appartements jouissant eux aussi des services de l'hôtel. Les fauteuils de Mourgues, les tissus à carreaux orange et jaune des fauteuils du salon, dans le goût de Knoll, donnent à l'ensemble un style déco années 70 bien sympathique. Les chambres à recommander sont celles exposées plein sud, donnant sur le jardin ou la piscine. L'hôtel ne possède pas de restaurant, mais des repas légers peuvent être servis. Une autre façon d'être en vacances à Morzine.

♦ *Itinéraire d'accès (voir carte n° 3) : à 93 km au nord-est d'Annecy par A 41 et A 40 sortie Cluses, puis D 902 (l'hôtel est près de l'E.S.F.).*

Hôtel Les Dromonts ★★★

Avoriaz
74110 Morzine (Haute-Savoie)
Tél. 50 74 08 11 - Fax 50 74 00 36

♦ *Ouverture du 21 décembre au 2 mai* ♦ *40 chambres avec tél. direct, s.d.b., w.c. et t.v. - Prix des chambres simples et doubles : 360 à 590 F, 410 à 665 F - Petit déjeuner compris, servi de 7 h 30 à 10 h 30 - Prix de la demi-pension : 520 à 750 F, 570 à 825 F (par pers.)* ♦ *Cartes de crédit acceptées* ♦ *Chiens admis avec supplément* ♦ *Ski : départ de l'hôtel - Golf 18 trous du Royal Hôtel, à Evian, 50 km* ♦ *Restaurant : service de 12 h à 14 h, 19 h à 21 h 30 - Menu : 165 à 260 F - Carte* ♦ *Renseignements pratiques sur la station p. 63.*

Véritable repère dominant Morzine, Avoriaz fut une des premières stations créées de toutes pièces, et l'une des plus réussies. Ouvert depuis la création, Les Dromonts avec sa façade de shingles est bien représentatif de cette architecture qui a fait référence. L'intérieur est aussi intéressant : différences de niveau, décrochements, puits de lumières, poutres de soutènement apparentes créent une ambiance un peu fantastique. Le bois brut, l'ardoise, la brique sont les matériaux d'un décor où l'on n'a pas craint de recouvrir les canapés et les tabourets de Knoll en fausse fourrure blanche. De belles couvertures en patchwork finissent de créer une ambiance décontractée et accueillante. Les chambres sont modernes, un peu standardisées mais très bien exposées au sud avec des balcons. Le restaurant de l'hôtel est plus intime pour savourer des recettes gastronomiques.

♦ *Itinéraire d'accès (voir carte n° 3) : à 93 km au nord-est d'Annecy par A 41 et A 40 sortie Cluses, puis D 902. En été à 14 km de Morzine par D 338, en hiver accès de Morzine par téléphérique. Parking.*

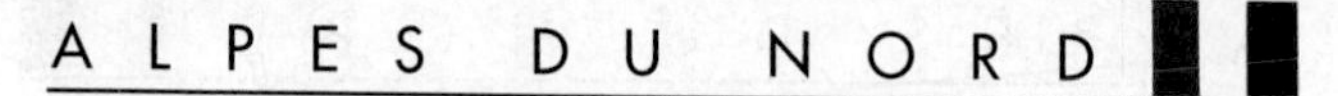

Chalet-Hôtel Le Crychar ★★★

74260 Les Gets (Haute-Savoie)
Tél. 50 79 72 24 - 50 75 80 50 - Fax 50 79 83 12
M. Bouchet

♦ *Ouverture du 15 décembre au 15 avril et du 1er juillet au 15 septembre ♦ 12 chambres avec tél. direct, s.d.b., w.c. et t.v. - Prix des chambres doubles : 340 à 490 F - Petit déjeuner : 40 F ♦ Amex, Carte bleue, MasterCard et Visa ♦ Chiens non admis - Piscine, sauna, solarium, parking, garage (40 F) à l'hôtel ♦ Ski : départ de l'hôtel ♦ Pas de restaurant à l'hôtel ♦ Renseignements pratiques sur la station* *p. 64.*

Au cœur des pistes en hiver (mais seulement à 100 mètres du centre du village) et entouré d'alpages verdoyants en été, cet hôtel moderne a su garder l'ambiance d'un chalet montagnard, grâce au nombre restreint de chambres. D'un bon standing avec leur balcon et leur salle de bains complète, elles sont claires et accueillantes.
L'hôtel est aussi bien équipé en équipements de détente et de loisirs : ping-pong, piscine, mais aussi un véritable sauna finlandais et des appareils de gymnastique sont à la disposition des clients. L'absence de restaurant garantit une parfaite quiétude mais vous trouverez des restaurants tout près.

♦ *Itinéraire d'accès (voir carte n° 3) : à 86 km au nord-est d'Annecy par A 41, puis A 40 sortie Cluses, puis D 902 jusqu'aux Gets par Taninges.*

Les Sapins ★★

74110 Montriond (Haute-Savoie)
Tél. 50 79 06 52 - Fax 50 75 96 43
M. et Mme Seguin

♦ Ouverture du 30 septembre au 13 décembre ♦ 19 chambres avec tél. direct, (14 avec s.d.b. et w.c.) - Prix des chambres doubles : 160 à 200 F - Petit déjeuner : 25 F, servi de 8 h à 10 h 30 - Prix de la demi-pension et pension : 190 à 230 F, 220 à 260 F (par pers. 3 j. min.) ♦ Diners, Visa, Eurocard ♦ Chiens admis avec 20 F de supplément - Parking à l'hôtel ♦ Ski : à 3 km des pistes des Portes du Soleil - Golf 18 trous du Royal Hôtel, à Evian à 40 km ♦ Restaurant : service de 12 h à 14 h, 19 h à 21 h - Menu : 58 F à 125 F - Spécialités : omble chevalier meunière, croustade de champignons forestière ♦ Renseignements pratiques sur la station p. 65.

Lorsque après la dernière guerre, le père de la propriétaire actuelle décida de construire un hôtel près du joli lac de Montriond, au milieu de la montagne boisée de sapins, personne ne pensait à la réussite de son projet. Eloigné de tout, la route s'arrêtait alors à ce joli site ombragé. Depuis, la route s'est allongée mais les clients, fidèles, reviennent chaque année goûter la quiétude et la simplicité de ce petit hôtel aux prix raisonnables. Les chambres dont la plupart ont un balcon, sont simples mais bien tenues et décorées de façon agréable. Tout autour de l'hôtel la nature préservée amène beaucoup de calme et il n'est pas rare d'apercevoir chamois ou mouflons. La cuisine, à base de produits locaux, est bonne. Une navette gratuite assure le transport vers les remontées mécaniques qui desservent le grand domaine des Portes du Soleil. Pour les amateurs de ski nordique, le tour du lac est très apprécié. Hôtel familial et accueillant.

♦ Itinéraire d'accès (voir carte n° 3) : à 95 km au nord-est d'Annecy par A 41 et A 40, sortie Cluses, puis D 902.

Chez les Colin ⋆

Hauterive-la-Fresse
25650 Montbenoît (Doubs)
Tél. 81 46 51 63 - M. et Mme Colin

♦ *Ouverture du 15 décembre au 15 avril et du 15 juin au 15 septembre* ♦ *6 chambres avec tél., (douche et w.c. extérieurs) - Prix des chambres en pension : 350 à 470 F (par pers., 7 j. min.) - Petit déjeuner compris, servi à 9 h* ♦ *Cartes de crédit non acceptées* ♦ *Chiens non admis* ♦ *Ski de fond : départ de l'hôtel* ♦ *Table d'hôtes à 13 h et 20 h .*

Dans cette ancienne maison de douaniers, située sur les crêtes du Jura, les Colin vous reçoivent comme des amis. Il règne chez eux une ambiance chaleureuse dans un calme campagnard qui ne veut pas dire rustique. Confortables et douillettes, les chambres ont été aménagées avec raffinement : meubles francs-comtois, gros édredons et jolis bibelots, elles sont toutes différentes et pleines de charme. La maîtresse de maison excelle à la cuisine, à base de produits maison. Ses terrines et ses pâtisseries, entre autres, sont délicieuses. En hiver, Jacques Colin emmène ses pensionnaires pour de belles balades en ski de fond dans la forêt jurassienne dont il connaît tous les secrets. Une certaine éthique régit la maison : respect du calme (ni télévision, ni radio et, sauf exception, pas d'enfants en bas âge), petits déjeuners à heure fixe et table d'hôtes invitant au jeu de la convivialité.

♦ *Itinéraire d'accès (voir carte n° 1) : à 14 km au nord-est de Pontarlier par D 437 direction Montbenoît, puis D 320 sur 3 km.*

Hôtel de France ★★★

39220 Les Rousses (Jura)
Tél. 84 60 01 45 - M. Petit

♦ *Ouverture du 13 décembre au 10 juin et et du 28 juin au 18 novembre* ♦ *34 chambres avec tél. direct, s.d.b. ou douche, (31 avec w.c.) et t.v. - Prix des chambres doubles : 260 à 430 F - Petit déjeuner : 38 F - Prix de la demi-pension et de la pension : 305 à 450 F, 373 à 457 F (par pers., 2 j. min.)* ♦ *Cartes de crédit acceptées* ♦ *Chiens non admis* ♦ *Ski : à 200 m des remontées mécaniques - Golf du Rochat, 18 trous* ♦ *Restaurant : service de 12 h 15 à 14 h, 19 h 15 à 22 h - Menu : 120 à 360 F* ♦ *Renseignements pratiques sur la station p. 66.*

Voilà vingt-six ans que M. Petit, jurassien de pure souche à l'accent savoureux, tient cet hôtel ; ses talents de chef lui ont valu un macaron dans le Michelin. Située au centre de la station, c'est une construction un peu massive malgré les balcons en bois récemment ajoutés. C'est une fois le seuil franchi que la séduction opère. A droite, le grand salon avec ses murs recouverts de panneaux de bois et ses belles poutres invite à venir s'installer près de la grande cheminée en pierre. Sur la gauche, la salle de restaurant est claire et accueillante. Dans l'aile moderne perpendiculaire à la maison principale, huit chambres de plain-pied permettent de se tenir dehors ; quant à celles qui donnent sur la façade, elles ont un petit balcon. Toutes sont confortables et décorées simplement, évitant ainsi les teintes criardes qu'on rencontre dans beaucoup d'hôtels de montagne. Vous y trouverez tout l'agrément qu'on peut attendre après une rude journée de ski de fond ou alpin qui se pratiquent aux Rousses.

♦ *Itinéraire d'accès (voir carte n° 2) : à 85 km au sud-ouest de Pontarlier par D 72 jusqu'à Chaffrois, D 471 jusqu'à Champagnole et N 5 par Morez.*

Hostellerie des Bas-Rupts ★★★

88400 Gérardmer (Vosges)
Tél. 29 63 09 25 - Fax 29 63 00 40 - M. Philippe

♦ *Ouverture toute l'année* ♦ *32 chambres avec tél., 20 avec s.d.b., 12 avec douche, w.c., (27 avec t.v.) - Prix des chambres simples et doubles : 300 F, 400 à 600 F - Prix des suites: 800 F - Petit déjeuner : 60 F, servi de 7 h 30 à 10 h - Prix de la demi-pension et de la pension : 440 à 550 F, 590 à 700 F (par pers., 2 j. min.)* ♦ *Cartes de crédit acceptées* ♦ *Chiens admis avec 50 F de supplément - Tennis à l'hôtel* ♦ *Ski alpin : à 2 km des remontées mécaniques, à 14 km de La Bresse ; ski de fond : départ de l'hôtel - Golf 18 trous d'Epinal, 40 km* ♦ *Restaurant : service de 12 h à 14 h, 19 h à 21 h 30 - Menu : 140 à 400 F - Carte* ♦ *Renseignements pratiques sur la station p. 67.*

Gérardmer fut autrefois une villégiature cossue. Terriblement détruite à la fin de la dernière guerre, la ville a perdu son charme et ses palaces à grooms. La beauté du lac et des forêts alentour ne peut atténuer le côté nostalgique que la ville a désormais acquis. Un peu en dehors de celle-ci se trouve cet hôtel restaurant renommé et dûment "étoilé". Non content d'être une bonne table, cet établissement familial vous offre, ô surprise, un petit bout d'Autriche en plein cœur des Vosges, et son Chalet Fleuri vous transporte soudain au plus profond du Tyrol. Un nom qui n'est pas usurpé pour une fois car les fleurs sont ici chez elles : peintes sur les poutres, portes et têtes de lits, en bouquets, fraîches ou séchées sur les tables et les murs. Elles ajoutent beaucoup au charme et au grand confort des chambres de l'annexe. Dans l'hôtel même, des chambres plus ordinaires sont cédées à moindre prix. Le service allie au professionnalisme une grande gentillesse.

♦ *Itinéraire d'accès (voir carte n° 1) : à 56 km à l'ouest de Colmar par D 417 jusqu'à Gérardmer, puis D 486 direction La Bresse.*

1992

Chalets des Ayes

Chemin des Ayes
88160 Le Thillot (Vosges)
Tél. 29 25 00 09
M. Marsot

♦ *Ouverture toute l'année* ♦ *2 chambres et 7 chalets (4 à 10 pers.) avec s.d.b. ou douche, w.c. et t.v. ; Point-phone pour les hôtes - Prix des chambres doubles : 280 à 350 F - Petit déjeuner : 28 F, servi à toute heure* ♦ *Carte bleue et Visa* ♦ *Chiens admis dans les chalets - Piscine à l'hôtel* ♦ *Ski : départ de l'hôtel pour le ski de fond ; ski alpin à Ventron à 15 km* ♦ *Pas de restaurant à l'hôtel* ♦ *Renseignements pratiques sur la station p. 68.*

Si les Vosges sont d'une sauvage et séduisante beauté, les hôtels de charme y sont rares. Les Chalets des Ayes ne sont pas à proprement parler un hôtel, mais ils offrent deux formules : deux chambres d'hôtes dans la maison principale, idéales pour une étape, et cinq petits chalets, très bien équipés qui conviennent très bien pour des familles désirant faire un séjour plus prolongé et qui sont loués à la semaine. En hiver, c'est une région idéale pour faire surtout du ski de fond, en été, on peut faire de grandes balades dans la forêt, profiter du jardin et de la piscine. Ici, la vallée reste riante même par le plus triste des temps.

♦ *Itinéraire d'accès (voir carte n° 1) : à 51 km à l'ouest de Mulhouse par N 66 direction Remiremont.*

Auberge L'Atalaya ***

66800 Llo (Pyrénées-Orientales)
Tél. 68 04 70 04 - Fax 68 04 01 29
Mme G. Toussaint

♦ *Ouverture du 20 décembre au 5 novembre* ♦ *13 chambres avec tél. direct, s.d.b. ou douche, w.c., t.v. et minibar - Prix des chambres simples et doubles : 450 F, 490 F - Prix des suites : 530 F - Petit déjeuner : 46 F, servi de 7 h 30 à 10 h - Prix de la demi-pension et de la pension : 435 F, 575 F (par pers., 3 j. min.)* ♦ *Carte bleue, Eurocard, MasterCard et Visa* ♦ *Chiens admis dans les chambres - Piscine, solarium à l'hôtel* ♦ *Ski : à Eyne et Err Puigmal à 5 km - Golf 9 trous de Font-Romeu, à 12 km ; Real golf club Cerdana 18 trous* ♦ *Restaurant : service de 12 h 30 à 14 h 30, 19 h 30 à 21 h 30 - Fermeture le lundi et le mardi à midi en b.s. - Menu : 145 à 330 F - Carte - Spécialités : homard sauce basilic, magret de canard et son petit feuilleté de foie gras sauce aux mûres, gratin de fruits frais au sabayon de muscat* ♦ *Renseignements pratiques sur la station p. 68.*

Llo est un village pastoral, le plus typique de Cerdagne à la frontière espagnole et andorrane. Autour des ruines de son château du XIe et sa tour de guet dite atalaya en vieux castillan, le village surplombe les gorges du Sègre. C'est dans ce site enchanteur qu'est située l'auberge. La demeure n'en est pas moins ravissante : architecture traditionnelle de lauzes et schiste, chambres douillettes, confortables. Partout règne le bon goût. En été les repas sont servis sur une terrasse pleine de charme où fleurissent géraniums et roses trémières. Bonne table. A ne pas manquer.

♦ *Itinéraire d'accès (voir carte n° 7) : à 93 km au sud-ouest de Perpignan par N 116 jusqu'à Saillagouse, puis D 33.*

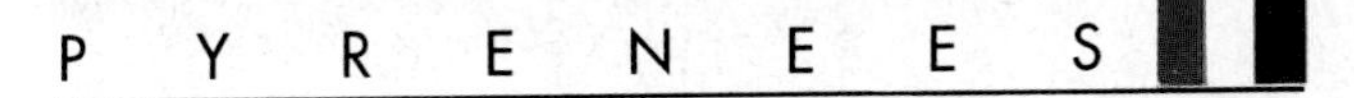

Hôtel du Sapin Fleuri **

Bourg-d'Oueil
31110 Bagnères-de-Luchon (Hte-Garonne)
Tél. 61 79 21 90 - M. Toucouère

♦ *Ouverture vacances scolaires hiver et du 10 octobre au 30 mai* ♦ *20 chambres avec tél. direct (10 avec douche et w.c.) - Prix des chambres doubles de 180 F à 220 F - Petit déjeuner : 35 F* ♦ *Cartes de crédit non acceptées* ♦ *Chiens admis dans les chambres seulement* ♦ *Ski : à 200 m des remontées mécaniques ; ski à Superbagnères 6 km - Golf de Luchon, 18 trous, à 2 km* ♦ *Restaurant : service de 12 h 30 à 13 h 30 ; 19 h 30 à 20 h 30 - Menu : 100 à 200 F - Carte - Spécialités : tortilla montagnarde, pistache luchonnaise, spécialités régionales* ♦ *Renseignements pratiques sur la station p. 69.*

Après avoir traversé quelques beaux villages montagnards, la route s'arrête à Bourg-d'Oueil. C'est le bout du monde et pourtant Luchon n'est qu'à quatorze kilomètres et l'Espagne très proche. L'hôtel se trouve à l'entrée du village, en contrebas, juste au-dessus de l'Oueil qui coule joyeusement en été. En hiver, sur l'autre versant partent une piste de ski de fond et trois remonte-pentes. Simple et accueillant, l'hôtel compte une vingtaine de petites chambres ; confort modeste car si toutes sont équipées de douches, dix seulement ont des toilettes privées. Parmi celles du premier étage, certaines jouissent d'un balcon plein sud. Bonne cuisine régionale servie dans une grande salle à manger, lambrissée de pin, gaie et conviviale avec une grande cheminée centrale. Le bar et le salon télévision sont aussi très accueillants. Atmosphère familiale et accueil très sympathique.

♦ *Itinéraire d'accès (voir carte n° 6) : à 60 km au sud-ouest de St-Gaudens par D8, N 125 Bagnères-de-Luchon, D 618 direction Arreau, D 51.*

Les Alpes italiennes se répartissent en quatre grandes régions : le Piémont, le Val d'Aoste, la Lombardie et les Dolomites (Trentin-Haut-Adige-Vénétie). Très ensoleillées, entourées de glaciers, ces régions sont très bien équipées pour recevoir des amateurs de montagne en toutes saisons ; skieurs en hiver et, en été, alpinistes ou randonneurs.

OFFICE NATIONAL ITALIEN DU TOURISME
23, rue de la Paix, 75002 Paris ; tél. (1) 42 66 66 68

ALITALIA
138 av. des Champs-Elysées, 75002 Paris ; tél. (1) 42 56 66 33

PIEMONT

Le Piémont présente un paysage très varié : larges rivières, forêts, la grande plaine du Pô quadrillée de peupliers qui délimitent les champs de blé et les rizières ; mais aussi des stations de montagne qui s'étalent au pied des monts entre les Alpes et les Appenins.

Sauze-d'Oulx 1392 / 2490 m

Renseignements pratiques

OFFICE DU TOURISME – Piazza Assietta 18, tél. (0122) 85009

ECOLE DE SKI – Sauze Sportinia, tél. (0122) 85218 / 85617 – Sauze-d'Oulx, tél. (0122) 85046

ACCES (VOIR CARTE N°8) – A 81 km de Turin, à 40 km de Briançon – AEROPORT : Turin à 81 km.

HIVER – Pistes de ski alpin : 130 km – Pistes de ski de fond : 8 km – Domaine skiable : liaison avec Sestriere (Ski Pass pour Sestriere) – 2 patinoires, bowling, randonnées – Cinéma.

ETE – Golf de clavière (9 trous), de juillet à octobre, tél (0122) 878917 – Tennis, équitation, randonnées à Clavière.

HOTEL – Il Capricorno, p. 149

RESTAURANT – *Villa Daniela*, tél. (0122) 85196

Sestriere 2035 / 2823 m

Station moderne et familiale qui fut longtemps fréquentée par une clientèle riche et chic. Elle vient de se doter du plus grand équipement de neige artificielle d'Europe (600 canons à neige), lui permettant d'ouvrir ses pistes en avant saison.

Renseignements pratiques

OFFICE DU TOURISME – Piazza Agnelli 10, tél. (0122) 76276

ECOLE DE SKI – Piazza Kandahar, tél. (0122) 77060

ACCES (VOIR CARTE N°8) – A 95 km de Turin – AEROPORT : Turin à 93 km.

HIVER – Pistes de ski alpin : 120 km – Pistes de ski de fond : 2,5 km – Domaine skiable : liaison avec Sansicario et avec Sauze-d'Oulx – Forfait commun : Ski Pass – Le Palais de la glace, Palais des sports avec squash, tennis – Cinéma.

ETE – Palais de la glace, Palais des sports avec squash, tennis – Golf (18 trous), tél. (0122) 76276 – Cinéma.

HOTEL – Hotel Principi di Piemonte, p. 150

RESTAURANT – *Last Tango*, 5 via La Glesia, tél. (0122) 76337, réservation souhaitable.

VAL D'AOSTE

Le Val d'Aoste, longtemps associé au Piémont, a acquis son autonomie régionale en 1948. La frontière entre l'Italie, la France et la Suisse est tracée naturellement par les plus hauts sommets d'Europe : le mont Blanc, le Matterhorn (le Cervin) et le monte Rosa (le mont Rose). D'où une série de vallées venant buter de part et d'autre sur ces montagnes sauf pour le mont Blanc. Le tunnel a permis la liaison entre Chamonix et Entrèves Courmayeur.

Breuil-Cervinia 1978 / 3488 m

Une des plus belles stations d'altitude des Alpes italiennes, dominée à l'ouest par les Jumeaux, au nord par le Cervin. Station familiale et mondaine à la fois.

Renseignements pratiques

OFFICE DU TOURISME – Via J.A. Carrel 23, tél. (0166) 949136 / 949086

ECOLE DE SKI – Cervino via Carrel, tél. (0166) 949034 / 948744 – Cielo alto, tél. (0166) 948451

ACCES (VOIR CARTE N° 8) – A 50 km d'Aoste – AEROPORT : Turin à 116 km.

HIVER – Pistes de ski alpin : 73 km – Domaine skiable : liaison avec Zermatt et Valtournenche – Forfait commun : Ski Pass – 1 patinoire, 2 piscines couvertes, bowling, pistes de monoski, de surf, parapente – Cinéma.

ETE – Ski d'été sur le versant italien et suisse du Plateau Rosa, ski d'alpinisme – Alpinisme, tennis, piscine – Golf (9 trous), tél. (0166) 94 9131

HOTELS – Hôtel Punta Maquignaz, p. 151 – Hôtel Cime Bianche, p. 152 – Hôtel Les Neiges d'Antan, p. 153 – Hôtel Mignon, p. 154

RESTAURANTS – *Les Neiges d'Antan*, à 4 km, tél. (0166) 948775, la meilleure table, la meilleure cave de Cervinia – *Cime Bianche*, sur les pistes, tél. (0166) 949046, ambiance typique – *Le Matterhorn*, tél. (0166) 948518 dans le centre, pizza, viandes grillées, poisson – *Hostellerie des guides*, ouvert de 7 heures à minuit, très fréquenté pour ses bons irish-coffee.

Champoluc 1568 / 2714 m

Champoluc se trouve dans le Val d'Ayas, une très belle vallée fermée par une spectaculaire paroi de glace, qui n'est autre que l'extrémité occidentale du mont Rose. Le centre de ski le plus important de cette vallée est sans nul doute Ayas, constitué de différentes fractions dont Champoluc et Frachey ; très fréquenté en été.

Renseignements pratiques

OFFICE DU TOURISME – Via Varasch, tél. (0125) 307128

ECOLE DE SKI – Via Guides à Champoluc, tél. (0125) 307194

ACCES (VOIR CARTE N° 8) – A 63 km d'Aoste – AEROPORT : Turin à 104 km.

HIVER – Pistes de ski alpin : 60 – Pistes de ski de fond : 20 km – Domaine skiable : liaison avec Gressoney-la-Trinité – Forfait commun : Ski Pass Monterosaski – Patinoire naturelle – Cinéma.

ETE – Cinéma – Nombreux sentiers de randonnées.

HOTEL – Villa Anna Maria, p. 155

RESTAURANTS – *Le Solitaire* à Barnasc

Cogne 1534 m

Cette station est située à l'entrée du Parc National du Grand Paradis, prolongée de l'autre côté de la frontière, par celui de la Vanoise. En hiver, elle est mieux équipée pour le ski de fond ; en été, elle attire de très nombreux randonneurs ; station familiale.

Renseignements pratiques

OFFICE DU TOURISME – Piazza Chanoux, tél. (0165) 74040

ACCES (VOIR CARTE N° 8) – A 27 km d'Aoste – A 52 km du tunnel du mont Blanc – AEROPORT : Turin à 165 km.

HIVER – Pistes de ski alpin : 9 km – Pistes de ski de fond : 70 km – Tremplin de saut, patinoire – Cinéma.

ETE – Tennis, équitation, pêche, randonnées – Cinéma.

HOTEL – Hôtel Bellevue, p. 156

RESTAURANTS – A Cogne : *Lou Ressignon*, 23 via Bourgeois, tél. (0165) 74034, très bonnes viandes, fonduta, carbonada (viande cuite à la bière) et aussi de délicieux fromages et desserts – A Cretaz à 1 km : *Notre Maison*, tél. (0165) 74104 – A Lillaz à 4 km : *Lou Tchappé*, tél. (0165) 74379

Courmayeur 1228 / 2624 m

Petite ville du Val d'Aoste reliée à Chamonix par le tunnel du mont Blanc. D'où un très grand taux de fréquentation de la station, été comme hiver. Station traditionnelle et familiale.

Renseignements pratiques

OFFICE DU TOURISME – Piazzale Monte Bianco, tél. (0165) 842060

ECOLE DE SKI – Monte Bianco Strada regionale 40, tél. (0165) 842477

ACCES (VOIR CARTE N° 8) – A 38 km d'Aoste – A 24 km de Chamonix – AEROPORT : Turin à 151 km.

HIVER – Pistes de ski alpin : 130 km – Pistes de ski de fond : 30 km – Ski sur glacier – Domaine skiable : liaison avec Entrèves et Chamonix.

ETE – Patinoire, ski d'alpinisme au col del Gigante (3 440 m), ski d'été, alpinisme, tennis, équitation – Golf (9 trous) à Planpincieux, à 6 km, tél. (0165) 89103

HOTELS – Palace Bron, p. 157 – La Grange, p. 158

RESTAURANTS – Courmayeur : *Le Vieux Pommier*, 25 piazzale Monte Bianco, tél. (0155) 842281, cuisine régionale savoureuse dans un cadre chaleureux – *Caffé Della Posta*, 41 via Roma, un bar centenaire où l'on boit des alcools ou des cocktails des Alpes bien installé dans de confortables sofas (Grappas, Genepi et aussi la Grolla dell' amicizia) – A Entrèves à 4 km : *La Maison de Filippo*, tél. (0165) 89968, célèbre taverne valdôtaine, réservation indispensable – Dans le Val Ferret à Planpincieux à 7 km : *La Clotze*, tél. (0165) 89 928 – A la Palud à 5 km : *La Palud-da-Pasquale*, tél. (0165) 89169 – Dans le Val Veny et Plan-de-Lognan à 12 km : *Le Chalet del Miage*.

Gressoney-la-Trinité 1635 / 2861 m

Petite station familiale et sportive, dominée par l'impressionnant mont Rose ; très fréquentée en été par les alpinistes.

Renseignements pratiques

OFFICE DU TOURISME – Piazza Tachen, tél. (0125) 366143

ECOLE DE SKI – Punta Jolanda, tél. (0125) 366265 – Staval, tél. (0125) 366017

ACCES (VOIR CARTE N° 8) – A 100 km d'Aoste – AEROPORT : Turin à 100 km.

HIVER – Pistes de ski alpin : 65 km – Pistes de ski de fond : 37 km – Domaine skiable : liaison avec Champoluc – Forfait commun : Ski Pass Monterosaski – Patinoire.

ETE – Promenades, alpinisme, escalades.

HOTEL – Hôtel Lo Scoiattolo, p. 159

DOLOMITES

Les Dolomites couvrent trois régions : Le Trentino, l'Alto Adige et le nord de la Vénétie – C'est un géologue français, Déodat de Gratet de Dolomieu, qui a donné son nom aux Dolomites : il expliqua en 1789 que c'est le carbonate des roches, attaqué par l'érosion, qui a sculpté la montagne, donnant cet aspect si particulier au relief (clochers, murs effondrés, tours...) – La beauté du paysage réside aussi dans la lumière qui passe du rose doré à l'orangé et au violet, selon les heures et les saisons. L'itinéraire classique, la Grande Route des Dolomites qui rejoint Bolzano à Cortina d'Ampezzo (109 km), est une des plus belles routes panoramiques des Alpes.

VAL DI BRENTA

Madonna di Campiglio 1522 / 2504 m

Madonna di Campiglio est une station sportive de haut niveau ; plus connue depuis qu'on y court certaines compétitions de la coupe du monde. Magnifique paysage dominé, à l'est par le massif de la Brenta et à l'ouest par le massif de la Presanella ; station traditionnelle soucieuse de conserver l'authenticité de son environnement superbe.

Renseignements pratiques

OFFICE DU TOURISME – tél. (0465) 42000

ECOLE DE SKI – Via Pradalago, tél. (0465) 41171

ACCES (VOIR CARTE N° 11) – A 74 km de Trento – AEROPORT : Venise à 96 km.

HIVER – Pistes de ski alpin : 90 km, 150 km avec la liaison Folgarida et Marilleva – Forfait commun : Ski Pass Skirama Dolomiti di Brenta – Pistes de ski de fond : 23 km, plus 20 km à Campo Carlo Magno – Patinoire, hockey, piscine, stade de slalom, tremplin de saut.

ETE – Equitation, tennis, alpinisme, sentiers balisés – Golf (9 trous) à Campo Carlo Magno, à 2 km, tél. (0465) 41003

HOTELS – Hôtel Saint Hubertus, p. 160 – Hôtel Posta, p. 161

RESTAURANTS – *Cerana*, tél. (0465) 41194 – *Artini*, tél. (0465) 40122 – *Refugio Malghette* à Pradalago, restaurant d'altitude à l'arrivée du funiculaire (2 150 m), spécialités de risotto aux champignons ou aux myrtilles, pâtes maison.

VAL D'ULTIMO

Merano 2000 1946 / 2360 m

Merano, qui fut cédée à l'Italie à la fin de la Première Guerre mondiale, est la capitale du Tyrol du Sud, (33 643 habitants). Située dans la vallée au pied du Küchelberg, Merano est une excellente base d'excursions notamment vers Avelengo – Merano 2 000 (15 km), annexe de Merano en ce qui concerne le ski (accès par funiculaire).

La douceur de son climat presque méditerranéen et la possibilité d'y pratiquer des sports d'hiver font de Merano une station très fréquentée toute l'année. La saison idéale est l'automne au moment des vendanges, (ne dit-on pas que le raisin de Merano a des vertus curatives ?).

Renseignements pratiques

OFFICE DU TOURISME – Corso della Libertá 45, tél. (0473) 35223

ACCES (VOIR CARTE N° 11) – A 30 km de Bolzano – AEROPORT : Milan à 326 km.

HIVER – Ski alpin, ski de fond à Merano 2 000

ETE – Piscine, tennis, équitation, promenades, visites touristiques.

HOTELS – Castel Freiberg, p. 162 – Castel Labers, p. 163 – Pünthof, p. 164

RESTAURANTS – *Andrea*, via Galiléi 44, tél. (0473) 37400, connu des deux côtés des Alpes des gastronomes, réservation indispensable – *Flora* via Portici 75, tél. (0473) 31484, cuisine italienne et tyrolienne sophistiquée – *Villa Mozart*, via San Marco 26, tél. (0473) 30630, merveilleuse maison décorée de meubles d'Hoffman qui ne fait plus que de la restauration et très bien, réservation indispensable – *Veneta*, via Monastero 2, a une agréable terrasse en été – *Terlaner Weinstube*, via Portici 231, tél. (0473) 35571, couverts limités, réservation souhaitée.

Lana / Monte San Vigilio 1487 m

Lana se trouve au tout début du Val d'Ultimo au sud de Merano. Accès par téléphérique jusqu'à San Vigilio. Beaucoup plus une station d'été que de sports d'hiver.

Renseignements pratiques

OFFICE DU TOURISME Via Hofer 7 Lana, tél. (0473) 51770

ACCES (VOIR CARTE N° 11) – A 9 km de Merano – AEROPORT : Milan à 322 km.

HIVER – Pistes de ski alpin : 7 km – Piste de ski de fond : 5 km.

ETE – Promenades et randonnées dans les alpages.

HOTEL – Monte San Vigilio, p. 166

VAL DELL'ISARCO

Bressanone / Plose 559 / 2447 m

Presque plus connue sous le nom de Brixen, c'est une des plus anciennes villes du Tyrol du Sud, qui attire beaucoup de touristes. Belle cathédrale du XIIIe siècle, transformée au XVIIIe. De Bressanone, on rejoint Sant' Andrea et les pistes au pied de la Plose (2500 m). Accès par téléphérique ou par une route panoramique (27 km).

Renseignements pratiques

OFFICE DU TOURISME – Viale Stazione 9, tél. (0472) 22401

ECOLE DE SKI – Plose, tél. (0472) 51390

ACCES (VOIR CARTE N° 11) – A 40 km de Bolzano – AEROPORT : Milan à 336 km.

HIVER – Pistes de ski alpin : 40 km – Pistes de ski de fond : 35 km, à Meluno et Caredo – Piscine, palais des glaces, curling, bowling.

ETE – Cinéma – Excursions au couvent de Novacella à 3 km.

HOTELS – Hôtel Dominik, p. 167 – Hôtel Elefant, p. 168

RESTAURANTS – *Fink*, via Portici Minori 4, tél. (0472) 34883, dans un vieux palais, Helmuth Fink sert de délicieuses spécialités montagnardes (prosciutto di cervo, il "vormas") – *Oste Scuro*, Finsterwirt, vicolo del Duomo 3, tél. (0472) 35343 ambiance typique – *Plose*, via Plose, tél. (0472) 34787

VAL GARDENA

Castelrotto, Siusi, Bad-Ratzes, Ortisei et Santa Cristina Valgardena sont des stations du Val Gardena, magnifique vallée alpestre qui descend du Passo di Gardena à Ponte di Gardena. Cette région est très attachée à ses coutumes, et il n'est pas rare de voir encore ses habitants porter le costume traditionnel. L'été, la région est très fréquentée pour les innombrables excursions et promenades que l'on peut y faire dans un magnifique décor. En hiver, les stations de ski sont nombreuses et bien équipées.

Castelrotto 1060 / 1481 m

Castelrotto est un très joli petit village très traditionnel dont les maisons ont encore de belles façades peintes. Station d'été, station d'hiver, on y pratique un ski alpin facile ; idéal pour les débutants et les enfants. Les skieurs plus avertis iront à Alpe di Siusi, à 10 km.

Renseignements pratiques

OFFICE DU TOURISME – tél. (0471) 71333

ECOLE DE SKI – tél. (0471) 71727 / 72818

ACCES (VOIR CARTE N° 11) – A 26 km de Bolzano – AEROPORT : Milan à 325 km.

HIVER – Ski alpin, un anneau de ski de fond qui rejoint Siusi.

ETE – Nombreuses randonnées.

HOTELS – Cavallino d'Oro, p. 170 – Hôtel Santa Anna, p. 171

Siusi 1000 m / Alpe Di Siusi 2009 / 2210 m

Siusi est une importante station d'été au pied du Sciliar. Bad Ratzes est une petite station thermale à 3 km de Siusi, point de départ de nombreuses promenades dans les forêts de conifères en été. En hiver, pour ces deux stations, le domaine skiable est à Alpe di Siusi à 12 km.

Renseignements pratiques

OFFICE DU TOURISME – Siusi, tél. (0471) 71124 – Alpe di Siusi, tél. (0471) 72904

ECOLE DE SKI – Alpe de Siusi près de l'Albergo Plaza, tél. (0471) 72909

ACCES (VOIR CARTE N° 11) – A 34 km de Bolzano – AEROPORT : Milan à 326 km.

HIVER – Pistes de ski alpin : 45 km. Domaine skiable : liaison avec Ortisei – Forfait commun : Ski Pass Val Gardena-Alpe di Siusi et superski Dolomiti – Pistes de ski de fond : 53 km – Patinoire – Cinéma.

ETE – Tennis, équitation, nombreuses excursions et randonnées dans les alpages – Cinéma à Siusi.

HOTELS – Hôtel Bad Ratzes, p. 172 – Schlosshotel Mirabell, p. 173 – Hôtel Turm, p. 174

Ortisei 1234 / 2450 m

Chef-lieu du Val Gardena fréquenté par un tourisme international surtout américain, japonais et australien. Son essor date de 1970, lorsqu'eurent lieu les championnats du monde de ski alpin. Relié aujourd'hui à Santa Cristina Valgardena et à Alpe di Siusi, son domaine skiable s'est considérablement agrandi. En été, Ortisei est fréquenté par une clientèle sportive et élégante aimant la montagne.

Renseignements pratiques

OFFICE DU TOURISME – Piazza Stettereck, tél. (0471) 76328

ECOLE DE SKI – Via Promenada, tél. (0471) 76153

ACCES (VOIR CARTE N° 11) – A 35 km de Bolzano – AEROPORT : Milan à 334 km.

HIVER – Pistes de ski alpin : 50 km – Domaine skiable : liaison avec Alpe di Siusi et Santa Cristina Valgardena – Forfait commun : Ski Pass Val Gardena-Alpe di Siusi et superski Dolomiti – Stade de glace, squash – Cinéma.

ETE – Piscine, tennis, squash – Cinéma.

HOTEL – Hôtel Aquila, p. 175

RESTAURANTS – *Ramoser*, tél. (0471) 76460, réservation souhaitable – *Orlo del Bosco-Waldrand*, à Oltretorrente à 1 km, tél. (0471) 76 385, réservation souhaitable.

Santa Cristina Valgardena Monte Pana 1428 / 2518 m

Village dominé par trois des plus belles aiguilles des Dolomites : le Sassolungo et Sassofiato, il Sella e le Odle, offrant un paysage unique. Point de départ de nombreuses excursions en été, Monte Pana à 3 km.

Renseignements pratiques

OFFICE DU TOURISME – Palazzo comunale, tél. (0471) 73046

ECOLE DE SKI – Via Dursan, Santa Cristina, tél. (0471) 76445

ACCES (VOIR CARTE N° 11) – A 40 km de Bolzano – AEROPORT : Milan à 338 km.

HIVER – Pistes de ski alpin : 30 km – Domaine skiable : liaison avec Ortisei et Selva di Val Gardena, ainsi qu'avec les pistes de Sella Ronda – Forfait commun : Ski Pass Valgardena-Alpe di Siusi et superski Dolomiti – Promenades en traîneau.

ETE – Piscine près de l'Hôtel Monte Pana.

HOTEL – Sporthotel Monte Pana, p. 176

VAL BADIA

Corvara, San Cassiano, Armentarola, Pedraces, tous ces villages se dispersent dans la très belle conque du Val Badia, au pied du Sassongher, avec en toile de fond les monts di Sella qui semblent fermer la vallée. Ce qui caractérise cette vallée, c'est l'attachement de la population à préserver l'habitat rural et à harmoniser les nouvelles constructions. Il faut y ajouter une grande gentillesse et hospitalité du peuple ladin.
Toutes ces stations étant bien reliées entre elles, été comme hiver, le Val Badia offre un grand champ d'excursions, de randonnées en été, et de ski en hiver.

Colfosco 1645 / 2300 m

Renseignements pratiques

OFFICE DU TOURISME – tél. (0471) 836145

ECOLE DE SKI – tél. (0476) 836218

ACCES (VOIR CARTE N° 11) – A 65 km de Bolzano – AEROPORT : Milan à 336 km.

HIVER – Pistes de ski alpin : 150 km dans l'Alta Badia – Domaine skiable : liaison avec Selva di Val Gardena et Corvara, possibilité d'accéder aux pistes de Sella Ronda – Pistes de ski de fond : 5 km – Forfait commun : Ski Pass Alta Badia et superski Dolomiti.

ETE – Squash au village à Corvara in Badia, à 3 km.

HOTEL – Hôtel Cappella, p. 177

Corvara in Badia 1568 / 2530 m

Renseignements pratiques

OFFICE DU TOURISME – Municipio, tél. (0471) 836176

ECOLE DE SKI – tél. (0471) 836126

ACCES (VOIR CARTE N° 11) – A 65 km de Bolzano – AEROPORT : Milan à 336 km.

HIVER – Pistes de ski alpin : 150 km dans l'Alta Badia – Domaine skiable : liaison avec Arabba, Badia et Colfosco, possibilité d'accéder aux pistes de Sella Ronda – Forfait commun : Ski Pass Alta Badia et superski Dolomiti. Patinoire, curling.

ETE – Piscine, tennis – Cinéma.

HOTEL – La Perla, p. 178

San Cassiano / Armentarola 1630 / 2077 m

Armentarola est le dernier petit village au nord-ouest du Val Badia, au-dessus de San Cassiano. Un téléski relie le hameau au domaine skiable de l'Alta Badia, très agréable en été.

Renseignements pratiques

OFFICE DU TOURISME – San Cassiano, tél. (0471) 849422

ECOLE DE SKI – tél. (0471) 849491

ACCES (VOIR CARTE N° 11) – A 71 km de Bolzano – AEROPORT : Milan à 336 km.

HIVER – Pistes de ski alpin : 150 km dans l'Alta Badia – Domaine skiable : liaison avec Corvara – Forfait commun : Ski Pass Alta Badia et superski Dolomiti.

ETE – Piscine, tennis – Cinéma à Corvara.

HOTEL – Hôtel Armentarola, p. 179

Badia / Pedraces 1315 / 2077 m

Pedraces est avec La Villa et San Cassiano l'une des communes qui forment le domaine skiable de La Badia. Deux zones : la partie occidentale du Sasso della Croce dont on rejoint la base (2043 m) à partir de Pedraces. Tandis que de La Villa, à 3 km, partent de plus nombreuses pistes avec notamment la liaison Piz La Villa / Piz Sorega qui permet de rejoindre San Cassiano.

Renseignements pratiques

OFFICE DU TOURISME – tél. (0471) 83695

ECOLE DE SKI – tél. (0471) 839648

ACCES (VOIR CARTE N° 11) – A 73 km à l'Est de Bolzano – AEROPORT : Milan à 336 km.

HIVER – Pistes de ski alpin : 150 km – Domaine skiable : liaison avec Corvara – Forfait commun : Ski Pass Alta Badia et superski Dolomiti – Pistes de ski de fond : 22 km
Patinoires, bowling, curling, sauna.

ETE – Randonnées – Piscine, tennis.

HOTEL – Sporthotel Teresa, p. 180

RESTAURANT – *L'Fana*, La Villa 3 km, tél. (0471) 847022, décor rustique et atmosphère chaleureuse.

VAL PUSTERIA

Riscone, Rasun di Sopra et San Candido se répartissent autour de Brunico, centre le plus important du Val Pusteria. Très animée, la vallée accueille de nombreux touristes : randonneurs en été, skieurs en hiver. Le centre de ski pour Brunico et Rasun di Sopra est Plan di Corones.

Riscone / Plan de Corones 960 / 2275 m

Riscone est le point de départ des remontées vers le Plan de Corones.

Renseignements pratiques

OFFICE DU TOURISME – Via Europa Brunico, tél. (0474) 85722

ECOLE DE SKI – tél. (0474) 84774

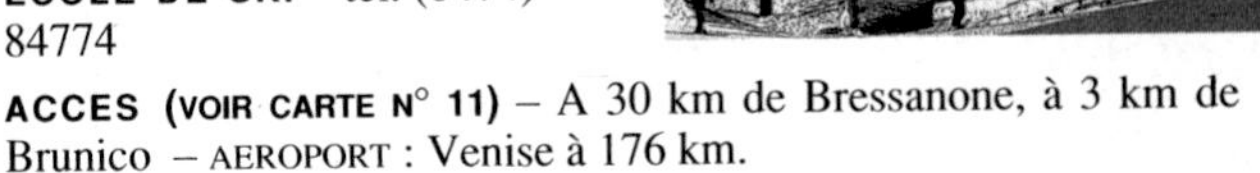

ACCES (VOIR CARTE N° 11) – A 30 km de Bressanone, à 3 km de Brunico – AEROPORT : Venise à 176 km.

HIVER – Pistes de ski alpin : 85 km – Domaine skiable : liaison avec San Vigilio di Marebbe et Valdaora – Forfait commun : Ski Pass Plan de Corones et superski Dolomiti – Pistes de ski de fond : 26 km – Stade de glace, bowling, palestre, patinoire naturelle, anneau de vitesse – Cinéma à Brunico.

ETE – Piscine, manège à Riscone, tennis – Cinéma à Brunico.

HOTELS – Royal Hotel Hinterhuber, à Brunico, p. 181 – Ansitz Heufler, à Rasun di Sopra, p. 182

RESTAURANT – *Castello-Ansitz Heufler*, tél. (474) 46288 – *Rasun di Sopra*, à 15 km de Brunico.

San Candido 1175 / 2043 m

Pour rejoindre San Candido, il convient de traverser tout le Val Pusteria, le village se trouvant à quelques kilomètres de la frontière autrichienne. Bien entendu, les randonnées en montagne sont nombreuses en été. En hiver on y fait un ski varié : ski alpin, ski de fond, ski d'alpinisme avec de nombreux refuges de haute montagne. Autre avantage, la proximité (même si la route est sinueuse), de Cortina d'Ampezzo à 38 km.

Renseignements pratiques

OFFICE DU TOURISME – Piazza del Magistrato, tél. (0474) 73149

ECOLE DE SKI – San Candido-Monte Elmo, via Tintori 4, tél. (0474) 73374

ACCES (VOIR CARTE N° 12) – A 65 km de Bressanone – AEROPORT : Venise à 210 km.

HIVER – Pistes de ski alpin : 25 km – Domaine skiable : liaison au Monte Elmo avec le domaine de Sesto – Forfait commun : Ski Pass Alta Pusteria et superski Dolomiti – Pistes de ski de fond : 60 km – Patinoire naturelle, curling.

ETE – Piscine, tennis, bowling.

HOTEL – Parkhotel Sole Paradiso p. 183

CADORE

Tai di Cadore 800 m

Tai di Cadore se trouve dans cette partie centrale du Cadore dominé par le groupe de Marmarole et arrosée par le Piave. Région touristique car d'une part c'est depuis toujours l'antichambre de Cortina d'Ampezzo et que Pieve di Cadore est le village natal du Titien.

Renseignements pratiques

OFFICE DU TOURISME – Via xx settembre 18, tél. (0435) 31644 / 3645

ACCES (VOIR CARTE N° 12) – A 34 km de Belluno – AEROPORT : Venise à 200 km.

HIVER – Pistes de ski alpin : 3 km (1 noire 1 verte) – Cortina d'Ampezzo à 30 km.

ETE – Randonnées – Tennis.

HOTEL – Villa Marinotti, p. 184

RESTAURANT – *La Pausa*, à Pozzale à 2 km, tél. (0435) 30080, bonne cuisine, jolie vue sur les montagnes et sur le lac. Réservation souhaitée.

Cortina d'Ampezzo 1224 / 3244 m

Reine des stations du Tyrol du Sud, en Vénétie ; quand en 1863 le grand alpiniste viennois Paul Grohmann découvrit Ampezzo, c'était une communauté de trente villages dispersés au pied du Cristallo, du Tofane et du Faloria, Cortina en étant le centre. C'est aujourd'hui l'une des stations alpines les plus chics et les plus renommées d'Europe, qui modernise sans cesse ses équipements sportifs haut de gamme. Station traditionnelle, mondaine et chic.

Renseignements pratiques

OFFICE DU TOURISME – Piazza Roma, tél. (0436) 3231

ECOLE DE SKI – Piazzetta San Francesco 2, tél. (0436) 2911 – Azzura Cortina, via Ria de Zeto, tél. (0436) 2694 – Ecole de ski de fond à Fiames à 4 km, tél. (0436) 867088

ACCES (VOIR CARTE N° 11) – A 133 km de Bolzano, à 60 km de Belluno – AEROPORT : Venise à 176 km.

HIVER – Pistes de ski alpin : 160 km – Forfait commun : Ski Pass Cortina-Valboite et superski Dolomiti – Pistes de ski de fond : 50 km – Tremplin de saut, piste de luge, golf, stade olympique de glace, piscine, tennis couvert, palestre, équitation – Cinéma.

ETE – Alpinisme, tennis, équitation, piscine – Cinéma – Excursions : Via Ferrata des Dolomites, excursion de 2 jours à partir de Cortina. Il existe dans les Dolomites des parcours entièrement équipés de mains courantes et d'échelles de fer, vestiges de la dernière guerre. On les appelle le Vie ferrate, les voies ferrées. Parcours pour des randonneurs-alpinistes.

HOTELS – Hôtel Cristallo, p. 185 – Hôtel de la Poste, p. 186 – Hôtel Menardi, p. 187

RESTAURANTS – *Meloncino*, via Gillardon 17, tel. (0436) 861043 – *Rachele*, via Salieto 20, tel. (0436) 860053, une institution qui se souvient encore d'Hemingway et où se presse encore le gotha mondain et intellectuel – *Il Melon al lago*, Lago Ghedina à 9 km, tél. (0436) 860376, chalet rustique au bord du lac, risotto, pâtes maison, grillades, réservation souhaitable – *Da Beppe Sello*, via Ranco 67, tél. (0436) 3236, cuisine régionale généreusement servie, service en terrasse l'été – *Baita Fraina* à Fraina, à 2 km dans un bois, ambiance rustique, spécialités de la famille Menardi les "Casunziei" (ravioli) et les "partaies" – Restaurants d'altitude : *Duca d'Aosta* (0436) 2780 au Tofane. *Miestres* (0436) 3245, en haut du télésiège de Miestres.

VAL DI ZOLDO

Zoldo Alto 1177 m

Peu connu encore du grand tourisme malgré la proximité des grandes voies de communication, le Val Zoldo mérite d'être découvert. La montagne y est sublime, la vallée étant protégée par deux des plus belles sentinelles des Dolomites, la Civetta à l'Ouest et le Pelmo à l'Est. Zoldo Alto est l'une des stations les mieux équipées du Val. Autre avantage, la proximité de Cortina (52 km).

Renseignements pratiques

OFFICE DU TOURISME – Frazione Mareson, tél. (0437) 789145

ECOLE DE SKI – Val di Zoldo via Pecol, tél. (0437) 789172

ACCES (VOIR CARTE N° 11) – A 52 km de Cortina d'Ampezzo – AEROPORT : Venise à 135 km.

HIVER – Pistes de ski alpin : 60 km – Domaine skiable : liaison avec Alleghe et Selva di Cadore – Forfait commun : Ski Pass de Civetta – Pistes de ski de fond : 9 km à Forno di Zoldo (11 km).

ETE – Piscine, stade de glace à Forno di Zoldo – Cinéma.

HOTELS – Sportinghotel, p. 188 – Hotel Valgranda, p. 189

Il Capricorno ★★★★

Le Clotes
I-10050 Sauze-d'Oulx (Torino)
Tél. (0122) 85273 - M. et Mme Sacchi

♦ *Ouverture du 1er novembre au 1er mai et du 8 juin au 15 septembre* ♦ *8 chambres avec tél. direct, s.d.b. et w.c. - Prix des chambres simples et doubles : 120 000 L, 160 000 L - Petit déjeuner : 15 000 L, servi de 8 h à 10 h 30 - Prix de la demi-pension et de la pension : 140 000 L, 155 000 L (par pers., 3 j. min.)* ♦ *Diners et Visa* ♦ *Chiens non admis* ♦ *Ski : départ de l'hôtel - Golf 18 trous de Sestrière à 27 km - Golf de Clavière, 9 trous à 20 km* ♦ *Restaurant : service de 12 h 30 à 14 h 30, 19 h 30 à 21 h - Carte - Spécialités : cuisine traditionnelle* ♦ *Renseignements pratiques sur la station p. 132.*

Sauze d'Oulx est une station de montagne située à 1500 mètres d'altitude, tout près de la frontière franco-italienne de Clavière-Montgenèvre. Le Capricorno se trouve encore plus haut, en pleine montagne, à 1800 mètres. Ce joli chalet ne compte que huit chambres, toutes avec de petites mais très fonctionnelles salles de bains. Le nombre restreint de pensionnaires permet à Maria-Rosa, la propriétaire, de choyer ses clients. Sa cuisine est absolument délicieuse. Aussi agréable l'été que l'hiver, le Capricorno est situé pour satisfaire aussi bien les randonneurs que les skieurs, puisqu'il se trouve à quelques kilomètres de Bardonecchia et de Sestrière et à 30 km de Montgenèvre. Réservation obligatoire.

♦ *Itinéraire d'accès (voir carte n° 8) : à 40 km au nord-est de Briançon par le col de Montgenèvre jusqu'à Oulx, puis direction Sauze-d'Oulx (Accès au Clotes en hiver par télésiège, en été par la route). A 81 km à l'ouest de Torino par autoroute E 70.*

Hotel Principi di Piemonte ★★★★

Via Sauze
I-10058 Sestrière (Torino)
Tél. (0122) 7941 - Fax (0122) 70270 - M. Clemente

♦ *Ouverture du 23 décembre à Pâques* ♦ *94 chambres avec tél. direct, s.d.b., w.c. , t.v. et minibar - Prix des chambres simples et doubles : 110 000 à 160 000 L, 220 000 à 320 000 L - Petit déjeuner : 20 000 L, servi de 7 h à 12 h - Prix de la demi-pension et de la pension : 130 000 à 160 000 L, 150 000 à 180 000 L (par pers., 7 j. min.)* ♦ *Cartes de crédit acceptées* ♦ *Chiens admis - Sauna, salon de beauté, garage (20 000 L) et parking à l'hôtel* ♦ *Ski : départ de l'hôtel - Golf 18 trous de Sestrière* ♦ *Restaurant : service de 12 h 30 à 14 h 30, 19 h 30 à 22 h 30 - Menu : 45 000 L - Carte - Spécialités : cuisine piémontaise* ♦ *Renseignements pratiques sur la station p. 133.*

Au milieu des célèbres tours de la station, le Principi di Piemonte était autrefois considéré comme le grand hôtel traditionnel de Sestrière. Les tours sont devenues des clubs et le Principi a subi des transformations pour mieux s'adapter à la nouvelle clientèle. Les chambres sont d'un grand confort et les suites luxueuses. En plus des salons et des salles à manger, on peut profiter sur place d'une discothèque, de boutiques et d'un coiffeur. Tout est prévu pour passer de bonnes vacances sportives et d'agréables soirées d'après-ski. Seul petit regret pour ceux qui l'ont connu il y a quelques années, la nostalgie d'une certaine atmosphère qui régnait dans cet hôtel inspiré du Suvretta de St. Moritz.

♦ *Itinéraire d'accès (voir carte n° 8) : à 32 km au nord-est de Briançon par le col de Montgenèvre jusqu'à Cesana Torinese, puis S 23. A 93 km à l'ouest de Torino par autoroute E 70.*

Hotel Punta Maquignaz ★★★★

Place des guides - Maquignaz, 4
I-11021 Breuil Cervinia (Aosta)
Tél. (0166) 949145 / 948290 - Fax (0166) 948055
M. Maquignaz

♦ *Ouverture du 1er décembre au 10 mai et du 1er juillet au 15 septembre* ♦ *32 chambres avec tél. direct, s.d.b., w.c., t.v. et minibar - Prix des chambres doubles : 140 000 à 200 000 L - Petit déjeuner : 25 000 L, servi de 7 h à 10 h - Demi-pension obligatoire en h.s. - Prix de la demi-pension et de la pension : 90 000 à 200 000 L, 110 000 à 220 000 L (par pers., 3 j. min.)* ♦ *Cartes de crédit acceptées* ♦ *Chiens non admis - Sauna, solarium, hydromassage, salle de gym ; parking et garage (10 000 L) à l'hôtel* ♦ *Ski : à 20 m des remontées mécaniques - Golf 9 trous de Cervino* ♦ *Restaurant : service de 12 h 30 à 14 h, 19 h 30 à 21 h - Menu : 40 000 L - Carte - Spécialités : cuisine régionale* ♦ *Renseignements pratiques sur la station p. 133.*

Le nouveau quatre étoiles de Cervinia ouvert seulement depuis un an, est au centre même du village. Décor de bon ton dans les grands salons meublés de jolis canapés et coin cheminée accueillant. Les chambres sont grandes, feutrées, décorées de meubles peints, avec des salles de bains bien équipées. Toutes ont des balcons, certaines même des vérandas. Au rez-de-chaussée, un sauna et une salle de gymnastique sont à la disposition des clients. L'hôtel est tenu par une vieille famille de Cervinia, celle-là même qui a donné son nom à la pointe Maquignaz conquise par le grand-père de l'actuel propriétaire. L'hôtel manque encore un peu de patine mais il a tout pour bien vieillir.

♦ *Itinéraire d'accès (voir carte n° 8) : à 50 km au nord-est d'Aoste par A 5 sortie Châtillon, puis S 406.*

Hotel Cime Bianche ★★★

La Vieille
I-11021 Breuil Cervinia (Aosta)
Tél. (0166) 949046 / 948061
Famille Hosquet

♦ *Ouverture toute l'année sauf en juin et en octobre* ♦ *15 chambres avec tél. direct, s.d.b. ou douche, w.c. et t.v. sur demande - Prix des chambres simples et doubles : 50 000 à 60 000 L, 90 000 à 100 000 L - Petit déjeuner : 15 000 L, servi de 8 h à 10 h - Prix de la demi-pension et de la pension : 70 000 à 100 000 L, 80 000 à 110 000 L (par pers., 3 j. min.)* ♦ *Visa* ♦ *Chiens non admis* ♦ *Ski : départ de l'hôtel - Golf 9 trous de Cervino* ♦ *Restaurant : service de 12 h 30 à 14 h, 19 h à 21 h - Menu : 35 000 à 40 000 L - Carte - Spécialités : cuisine régionale* ♦ *Renseignements pratiques sur la station p. 133.*

Seul hôtel sur les pistes, face au Cervin, d'où l'on part skis aux pieds, le Cime Bianche est un vieux chalet tenu par la même famille depuis de nombreuses années. A l'intérieur, un beau décor montagnard, tout en bois garni de meubles régionaux, où les dames de la maison vous reçoivent en costume traditionnel. Les chambres sont plus modernes, mais tout aussi agréables. Une grande terrasse bien ensoleillée surplombe les pistes. Son isolement (à l'écart du centre du village, mais d'un accès facile) plaira à ceux qui aiment à se retrouver au cœur de la montagne, mais gênera peut-être les amateurs d'après-ski dépendants d'un moyen de locomotion. Certainement plus adapté en hiver qu'en été.

♦ *Itinéraire d'accès (voir carte n° 8) : à 50 km au nord-est d'Aosta par A 5 sortie Châtillon, puis S 406.*

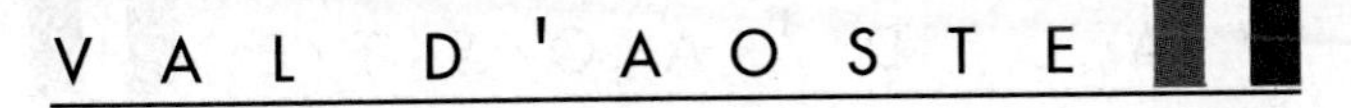

Les Neiges d'Antan ★★★

I-11021 Breuil Cervinia (Aosta)
Tél. (0166) 948775 / 948852 - Fax (0166) 948852
M. et Mme Bich

♦ *Ouverture du 4 décembre au 5 mai et du 29 juin au 15 septembre* ♦ *28 chambres avec tél. direct, s.d.b. ou douche, w.c. - Prix des chambres simples et doubles : 56 000 L, 91 000 L - Prix des suites : 168 000 L - Petit déjeuner : 18 000 L - Prix de la demi-pension et de la pension : 105 000 L, 120 000 L (par pers., 3 j. min.)* ♦ *Visa* ♦ *Chiens admis* ♦ *Ski : départ de l'hôtel - Golf 9 trous de Cervino, à 4 km* ♦ *Restaurant : service de 12 h 30 à 14 h 30, 19 h 30 à 21 h 30 - Menu : 50 000 L - Carte - Spécialités valdôtaines et méditerranéennes* ♦ *Renseignements pratiques sur la station p. 133.*

Isolé en pleine montagne, face au Cervin, Les Neiges d'Antan est le modèle des hôtels de charme, le reflet de l'âme et de la passion de toute une famille. Le décor est simple mais très chaleureux car très personnalisé : un bar aux murs lambrissés, tapissés d'une collection de photos souvenirs, un grand salon d'esprit plus moderne où l'on peut trouver des livres, des journaux, des revues et qui sert aussi de salle de musique. Dans la salle à manger, quelques beaux meubles anciens et de jolies tables où sont dressés les desserts et les corbeilles de fruits. Ici, le luxe c'est une grande qualité dans une grande simplicité ; c'est l'excellente cuisine surveillée de près par Mme Bich qui fait aussi les confitures que l'on vous servira au petit déjeuner ; c'est l'œnothèque sélectionnée par M. Bich aidé aujourd'hui par son fils sommelier ; c'est le petit napperon en dentelle ancienne que l'on met sous votre verre... Dans les chambres, même simplicité, même bon goût, même confort. Un hôtel de qualité, tenu par des gens de qualité.

♦ *Itinéraire d'accès (voir carte n° 8): à 50 km au nord-est d'Aosta par A 5 sortie Châtillon, puis S 406 ; à 4 km de Cervinia.*

Hotel Mignon **

Via Lumeaux, 50
I-11021 Breuil Cervinia (Aosta)
Tél. (0166) 948324 - Fax (0166) 949687
M. et Mme Pession

♦ *Ouverture du 1er novembre au 30 mai et du 1er juillet au 15 septembre ♦ 14 chambres avec tél. direct, s.d.b. et w.c. - Prix des chambres doubles : 60 000 à 80 000 L - Petit déjeuner compris, servi de 8 h à 9 h 30 - Prix de la demi-pension et de la pension : 65 000 à 95 000 L, 80 000 à 120 000 L (par pers., 3 j. min.) ♦ MasterCard et Visa ♦ Chiens admis avec supplément ♦ Ski : à 400 m des remontées mécaniques - Golf 9 trous de Cervino ♦ Restaurant : service de 12 h 30 à 13 h 30, 19 h 30 à 20 h 30 - Menu : 35 000 L - Carte - Spécialités : cuisine régionale ♦* *Renseignements pratiques sur la station p. 133.*

Situé au coeur même de la station, cet hôtel est à l'image de son nom car tout y est petit et “Mignon”. Au rez-de-chaussée, un bar, un petit salon (où il n’est guère possible de s’isoler) et une salle à manger très accueillante qui change régulièrement de couleur selon que les nappes sont rouges ou bleues et où l’on sert de bonnes spécialités valdôtaines. Tous les murs sont lambrissés de bois y compris ceux des chambres, petites comme il se doit, mais très charmantes et qui ont toutes leur salle de bains. L’hôtel est tenu par une famille de guides et de moniteurs de Cervinia, ce qui crée une ambiance de chaude hospitalité.

♦ *Itinéraire d’accès (voir carte n° 8) : à 50 km au nord-est d’Aosta par A 5 sortie Châtillon, puis S 406.*

Albergo Villa Anna Maria ★★★

5, rue Croues
I-11020 Champoluc Monte Rosa (Aosta)
Tél. (0125) 307128 - Fax (0125) 307984
M. Miki

♦ *Ouverture du 10 décembre au 15 avril et du 21 juin au 15 septembre* ♦ *20 chambres (14 avec s.d.b. ou douche, w.c.) - Prix des chambres simples et doubles : 50 000 à 60 000 L, 85 000 à 95 000 L - Petit déjeuner : 10 000 L, servi de 8 h à 11 h - Prix de la demi-pension et de la pension : 95 000 L, 110 000 L (par pers., 3 j. min.)* ♦ *Visa* ♦ *Chiens non admis* ♦ *Ski : à 500 m des remontées mécaniques* ♦ *Restaurant : service à 13 h et 20 h - Menu : 30 000 à 40 000 L* ♦ *Renseignements pratiques sur la station p. 134.*

Ce chalet, au charme sans conteste, est une de nos adresses préférées. Cachée derrière les sapins, envahie de fleurs en été, ensevelie sous la neige l'hiver, la Villa Anna Maria est réservée aux amateurs de calme et à ceux qui aiment les lieux "habités". Entièrement tapissée de boiseries cirées, décorée de cuivres, la salle à manger est d'une beauté rustique et naturelle, et la cuisine paraît sophistiquée à force d'être simple. Les chambres, basses de plafond et un peu sombres, évoquent les refuges de montagne. L'accueil est à l'avenant, chaleureux et authentique.

♦ *Itinéraire d'accès (voir carte n° 8) : à 63 km à l'est d'Aosta par A 5 sortie Châtillon, puis S 506.*

Hotel Bellevue ★★★★

20, rue Grand Paradis
I-11012 Cogne (Aosta)
Tél. (0165) 74825 - Fax (0165) 749192
Familles Jeantet et Roullet

♦ *Ouverture du 22 décembre au 7 avril et du 1er juin au 7 octobre* ♦ *45 chambres avec tél. direct et w.c., (21 avec douche, 28 avec s.d.b.) et 4 chalets avec tél. direct, s.d.b. ou douche, w.c., t.v. et minibar - Prix des chalets : 170 000 L - Prix des chambres simples et doubles : 100 000 L, 150 000 L - Petit déjeuner : 14 000 L, servi de 7 h 30 à 10 h - Prix de la demi-pension et de la pension : 90 000 à 100 000 L, 104 000 à 115 000 L (par pers.)* ♦ *Access, Carta Si, Eurocard, MasterCard et Visa* ♦ *Chiens admis avec 15 000 L de supplément - Piscine couverte, bain turc, whirlpool, sauna, parking et garage à l'hôtel* ♦ *Ski : départ de l'hôtel pour le ski de fond, à 100 m des remontées mécaniques* ♦ *Restaurant : service de 19 h 30 h à 21 h 30 - Menu : 40 000 à 50 000 L - Carte* ♦ *Renseignements pratiques sur la station p. 135.*

Au cœur du parc national du Grand Paradis, c'est à l'Hotel Bellevue que descendait la famille royale de Savoie pour ses séjours de chasse. A deux pas du centre de Cogne, dans un pré qui s'étend à perte de vue, l'hôtel réconciliera les amateurs de calme et les citadins. L'accueil est très chaleureux et le décor d'une lumineuse simplicité : bois blanc et tons pastel. Le personnel, habillé en costume traditionnel, est sympathique. La cuisine est recherchée et élaborée à partir d'excellents produits régionaux. Les chambres, qui bénéficient toutes d'une vue superbe, sont décorées avec beaucoup de sobriété et d'élégance. L'hôtel s'est récemment pourvu d'installations de détente modernes et propose des soirées musique ou cinéma. Vous pourrez participer aux cours de cuisine organisés pour distraire la clientèle.

♦ *Itinéraire d'accès (voir carte n° 8) : à 27 km au sud d'Aosta par S 26, puis S 507.*

Hotel Palace Bron ★★★★

Plan Gorret, 41
I-11013 Courmayeur (Aosta)
Tél. (0165) 842545 - Télex 215 871 - Fax (0165) 844015
M. Cavaliere

♦ *Ouverture de décembre à avril et de juillet à septembre ♦ 27 chambres avec tél. direct, s.d.b. ou douche, w.c. et t.v. - Prix des chambres simples et doubles : 120 000 à 160 000 L, 200 000 à 290 000 L - Prix des suites : 480 000 à 660 000 L - Petit déjeuner 18 000 L, servi de 7 h 30 à 10 h 30 - Prix de la demi-pension et de la pension : 176 000 à 230 000 L, 196 000 à 250 000 L (par pers., 3 j. min.) ♦ Diners et Visa ♦ Chiens non admis ♦ Ski : navette privée de l'hôtel jusqu'au départ des pistes - Golf 9 trous à Planpincieux à 6 km - Golf 18 trous de Chamonix à 24 km ♦ Restaurant : service de 12 h 30 à 14 h, 17 h 30 à 21 h - Menu : 65 000 L - Carte - Spécialités : cuisine internationale ♦ Renseignements pratiques sur la station* *p. 135.*

A l'écart de l'agitation du centre de Courmayeur, ce gros chalet construit dans les années 60 a été, il y a quelques années, remodelé pour offrir plus de confort à la clientèle. Eté comme hiver, sa situation privilégiée, dans une forêt de pins, face au Mont Blanc séduira les vrais amateurs de montagne. Le restaurant et sa terrasse panoramique permet en toute saison de profiter d'un paysage unique. La cuisine régionale est bonne, les menus variés. Le soir, un piano-bar vous fera agréablement finir la soirée. L'éloignement n'est jamais un handicap : un service de navette régulier sur votre simple demande relie l'hôtel aux pistes de ski.

♦ *Itinéraire d'accès (voir carte n° 8) : à 24 km à l'est de Chamonix par le tunnel du Mont Blanc. A 38 km à l'est d'Aosta.*

La Grange ★★★

Entrèves
I-11013 Courmayeur (Aosta)
Tél. (0165) 89274 / 89316 - Fax (0165) 89316
Mme Berthod

♦ *Ouverture du 1er décembre au 30 avril et du 1er juillet au 30 septembre ♦ 21 chambres avec tél. direct, s.d.b. et douche, w.c., minibar et t.v. - Prix des chambres simples et doubles : 58 000 L, 86 000 à 95 000 L - Prix des suites : 172 000 à 190 000 L - Petit déjeuner : 12 000 L, servi de 8 h à 10 h ♦ Cartes de crédit acceptées ♦ Chiens admis avec supplément - Sauna, salle de gym, parking à l'hôtel ♦ Ski : navette privée - Golf 9 trous à Plainpincieux à 6 km - Golf 18 trous de Chamonix à 24 km ♦ Pas de restaurant à l'hôtel ♦ Renseignements pratiques sur la station p. 135.*

Malgré son succès et son charme, ce petit hôtel est resté une adresse confidentielle. Caché dans ce qui fut autrefois le fin fond du Val d'Aoste, au pied du glacier de la Brenva et du Mont Blanc, il est aujourd'hui sur la route du tunnel qui relie Courmayeur à Chamonix. Heureusement, le village qui est tout de même à l'écart de la route n'a pas subi les mêmes agressions et Entrèves est resté un authentique village de montagne. Cet ancien grenier a été bien restauré et décoré. Des meubles anciens, des objets, des gravures décorent le salon et l'adorable salle du petit déjeuner. Les chambres sont aussi confortables, douillettes et intimes. Seul défaut, surtout pour un hôtel de montagne en hiver, le manque de restaurant dans l'hôtel. Ceci étant dit, Entrèves compte deux maisons réputées : Le Pilier d'Angle et la célèbre Maison de Filippo.

♦ *Itinéraire d'accès (voir carte n° 8) : à 24 km à l'est de Chamonix par le tunnel du Mont Blanc. A 38 km à l'est d'Aosta.*

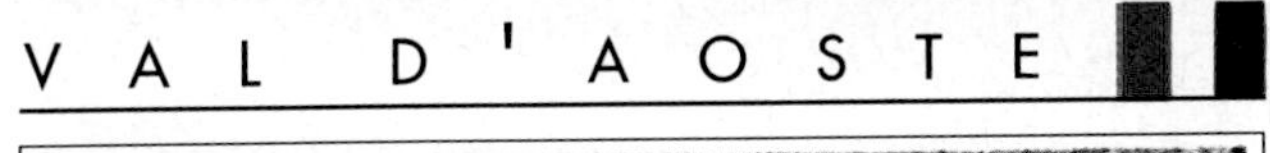

Hotel Lo Scoiattolo ★★

I-11020 Gressoney-la-Trinité (Aosta)
Tél. (0125) 366313
Mme Bethaz

♦ *Ouverture du 1er décembre au 30 avril et du 15 juin au 15 septembre ♦ 14 chambres avec tél. direct, s.d.b. et w.c. - Prix des chambres en demi-pension : 70 000 à 110 000 L (par pers.) - Petit déjeuner : 10 000 L, servi de 8 h à 10 h ♦ Visa ♦ Chiens non admis - Garage à l'hôtel ♦ Ski : à 500 m des remontées mécaniques ♦ Restaurant : service à 13 h et 19 h 30, réservé aux résidents - 2 menus au choix - Spécialités : cuisine régionale ♦ Renseignements pratiques sur la station* *p. 136.*

Gressoney-la-Trinité est le dernier village de ce Val d'Aoste qui vient ici buter contre le Mont Rose. Fréquenté essentiellement par des familles italiennes et des inconditionnels de la montagne, l'ambiance du village est très différente de celle que l'on rencontre dans les autres stations valdôtaines plus mondaines. Les hôtels se sont mis au diapason de la clientèle. Le plus agréable est ce petit hôtel, ouvert depuis seulement cinq ans, géré par Silvana et ses deux filles. Les chambres sont grandes et bien aménagées. Toutes les pièces sont recouvertes de bois clair, créant un vrai décor de montagne. Mme Bethaz, qui peut avoir un accueil un peu bourru, veille cependant avec beaucoup de soin à la bonne marche de l'hôtel et de la cuisine. Une adresse intéressante pour des vacances économiques.

♦ *Itinéraire d'accès (voir carte n° 8) : à 100 km à l'est d'Aosta par A 5 sortie Pont-Saint-Martin, puis S 505.*

Hotel Saint Hubertus ★★★

Viale Dolomiti di Brenta, 7
I-38084 Madonna di Campiglio (Trento)
Tél. (0465) 41144 - Télex 400 882 - Fax (0465) 40056
M. Ruppert

♦ *Ouverture du 3 décembre au 20 avril et du 1er juillet au 20 septembre ♦ 32 chambres avec tél. direct, s.d.b. ou douche, w.c. et t.v. - Prix des chambres simples et doubles : 61 700 à 87 000 L, 106 800 à 139 000 L - Petit déjeuner : 14 000 L, servi de 7 h 30 à 10 h - Prix de la demi-pension et de la pension : 110 000 à 170 000 L, 110 000 à 175 000 L, 195 000 L à Noël (par pers.) ♦ Cartes de crédit acceptées ♦ Chiens admis avec supplément - Piscine chauffée, parking et garage à l'hôtel (7 000 L) ♦ Ski : départ de l'hôtel pour téléski enfant ; remontées mécaniques à 200 m - Golf 9 trous à Campo Carlo Magno à 3 km ♦ Restaurant : service de 12 h 30 à 14 h 30, 19 h 30 à 21 h - Carte - Spécialités : cuisine de montagne ♦ Renseignements pratiques sur la station p. 137.*

Le Val Campiglio situé entre les monts de Brenta à l'est et de la Presanella à l'ouest a toujours eu une position géographique qui a fait de cette vallée la région la plus fréquentée des Dolomites occidentales, très appréciée par les amoureux de la neige et de la montagne. Fritz Ruppert, personnage accueillant reçoit avec beaucoup de sympathie ses clients dans son grand chalet de style trentino-tyrolien. L'intérieur est confortable et chaleureux : beaucoup de bois, meubles peints, harmonie de couleurs douces et chaudes. Une fois par semaine, été comme hiver, Fritz Ruppert organise un délicieux déjeuner dans son refuge près du lac de Maeghette, une agréable excursion qui permet d'apprécier la bonne cuisine de la maison.

♦ *Itinéraire d'accès (voir carte n° 11) : à 74 km au nord-ouest de Trento par A 22 sortie San Michele all'Adige, puis S 42 et S 43 jusqu'à Dimaro et S 239.*

Hotel Posta ★★★

Via Cime Tosa
Madonna di Campiglio (Trento)
Tél. (0465) 41006 - Télex 401365 - Fax (0465) 40186
M. Monevi

♦ *Ouverture du 15 juin au 5 mai ♦ 33 chambres avec tél. direct, s.d.b., w.c., t.v. - Prix des chambres doubles : 160 000 à 340 000 L ; Prix des appartements : 220 000 à 470 000 L (de 3 à 6 pers.) - Petit déjeuner : 10 000 L, servi de 8 h à 11 h ♦ Amex, Diners, Visa, MasterCard, Eurocard ♦ Chiens non admis - Piscine, sauna, parking et garage (15 000 L par jour) à l'hôtel ♦ Ski : départ des pistes à 50 mètres de l'hôtel - Golf 9 trous à Campo Carlo Magno à 3 km ♦ Restaurant : service de 12 h 30 à 15 h, 19 h 30 à 22 h - Menu : 40 000 L - Carte - Spécialités traditionnelles et régionales ♦ Renseignements pratiques sur la station p. 137.*

Bien situé dans le centre du village, l'hôtel occupe un ancien relais de poste. Ouvert récemment, les installations sont modernes, fonctionnelles et luxueuses. L'hôtel compte surtout des suites de une ou deux chambres avec salle de bains, salon et cuisine très confortablement équipés, loués de préférence à la semaine mais aussi pour un ou deux jours selon les disponibilités. Les plus calmes se trouvent sur l'arrière de l'hôtel. La décoration est cossue, parfois un peu trop, mais le bois crée un cadre chaleureux. Le restaurant, d'un très bon niveau propose une cuisine délicate. Associé à deux autres hôtels, le Posta offre une bonne structure sportive avec notamment une grande piscine. Le personnel est aimable et accueillant. Une bonne formule pour les familles souhaitant garder une certaine indépendance tout en bénéficiant des services d'un hôtel.

♦ *Itinéraire d'accès : (voir carte n°11) à 74 km au nord-ouest de Trento par A 22 sortie San Michele all'Adige, puis S 42 et S 43 jusqu'à Dimaro et S 239 .*

Hotel Castel Freiberg ★★★★

Via Labers
I-Freiberg 39012 Merano (Bolzano)
Tél. (0473) 244196 - Fax (0473) 244488
Mme Bortolotti

♦ *Ouverture du 20 avril au 31 octobre* ♦ *35 chambres avec tél. direct, s.d.b. , w.c., (t.v. sur demande) - Prix des chambres simples et doubles : 170 000 à 180 000 L, 280 000 à 290 000 L - Prix des suites : 320 000 à 350 000 L - Petit déjeuner : 20 000 L, servi de 8 h à 10 h 30 - Prix de la demi-pension et de la pension : 220 000 L, 240 000 L (par pers., 3 j. min.)* ♦ *Cartes de crédit acceptées* ♦ *Chiens admis - Piscines, tennis (12 000 L) , salle de gym, parking et garage (9 000 L) à l'hôtel* ♦ *Ski : à Merano 2000 (3 km), accès par téléphérique* ♦ *Restaurant : service de 12 h 30 à 14 h, 19 h 30 à 21 h - Menu : 65 000 à 95 000 L - Carte - Spécialités : cuisine italienne* ♦ *Renseignements pratiques sur la station* *p. 138.*

Ce château médiéval est situé au sommet d'une colline qui domine la vallée de Merano. Palmiers, pelouses et bosquets de fleurs décorent le jardin jusqu'au hall d'entrée. Castel Freiberg, restauré avec soin et amour par son propriétaire, est sans doute l'un des meilleurs hôtels d'Italie. Au milieu des boiseries de la salle à manger, on peut déguster une excellente cuisine, avant de se rendre dans un salon aux voûtes peintes et aux fauteuils confortables. Des chambres meublées d'ancien, sobres et élégantes, on peut admirer le superbe panorama donnant sur la vallée de Merano. Castel Freiberg est un lieu idéal pour les amoureux de calme, de nature et de montagne. A noter que Merano est davantage une station d'été.

♦ *Itinéraire d'accès (voir carte n° 11) : à 30 km au nord-ouest de Bolzano par S 38 (vers le nord-est de la ville via Scena et via Labers).*

Hotel Castel Labers ★★★

Via Labers, 25
I-39012 Merano (Bolzano)
Tél. (0473) 34484 - Fax (0473) 34146
M. Stapf-Neubert

♦ Ouverture du 11 avril au 11 novembre ♦ 32 chambres avec tél., s.d.b. ou douche, w.c. (t.v. et minibar sur demande avec supplément) - Prix des chambres simples et doubles : 90 000 à 100 000 L - Petit déjeuner compris, servi de 7 h 30 à 10 h - Prix de la demi-pension : 90 000 à 110 000 L (par pers.) + 20 000 L en août ♦ Cartes de crédit acceptées ♦ Chiens admis avec supplément - Piscine, tennis à l'hôtel, parking privé, garage (10 000 L par jour) à l'hôtel ♦ Ski à Merano 2000 (3 km), accès par téléphérique ♦ Restaurant : service de 12 h à 14 h, 19 h 30 à 20 h 30 - Menu : 25 000 à 35 000 L - Carte - Spécialités : cuisine italienne et tyrolienne. ♦ Renseignements pratiques sur la station *p. 138.*

Entouré de vignobles, dans un site où l'on bénéficie d'un calme absolu, Castel Labers est un de ces jolis châteaux des Dolomites. Ambiance intime et accueil d'une qualité rare attendent le voyageur. Des meubles et tableaux décorent les salons et le hall d'entrée, d'où l'on peut grimper jusqu'aux chambres par un charmant escalier ou un joli ascenseur. Les chambres, confortables, au charme un peu vieillot s'ouvrent sur un panorama unique et éblouissant. Le service est attentionné et efficace. Les propriétaires de Castel Labers, en véritables amoureux des arts et de la musique, organisent parfois quelques concerts pour les clients de l'hôtel. Recommandé surtout pour des vacances d'été.

♦ Itinéraire d'accès (voir carte n° 11) : à 30 km au nord-ouest de Bolzano par S 38 direction Merano, puis vers le nord-est via Scena et via Labers.

Hotel Pünthof

Steinachstrasse, 25
I-39022 Lagundo-Merano (Bolzano)
Tél. (0473) 48553 - Fax (0473) 48553
Mme Wolf

♦ *Ouverture du 1er mars au 30 novembre* ♦ *15 chambres avec tél. direct, s.d.b. ou douche, w.c., t.v. et minibar - Prix des chambres simples et doubles en demi-pension: 77 000 à 87 000 L, 85 000 à 95 000 L (par pers.) - Petit déjeuner compris* ♦ *Cartes de crédit acceptées* ♦ *Chiens non admis - Piscine, tennis, sauna, parking à l'hôtel* ♦ *Ski à Merano 2000 (3 km), accès par téléphérique* ♦ *Restaurant : service de 19 h à 22 h - Menu : 25 000 L - Carte - Spécialités : cuisine italienne et autrichienne* ♦ *Renseignements pratiques sur la station p. 138.*

L'Hotel Pünthof est situé sur la célèbre voie romaine Claudia Augusta et à quelques kilomètres seulement du centre de cure de Merano. Cette ancienne maison de campagne (appartenant à la même famille depuis le XVIIe siècle), située au milieu des vignes et des arbres fruitiers sur les hauteurs résidentielles de la ville est une merveille de bon goût, de tradition et de confort. Même si l'on peut en hiver skier à Merano 2000, Merano reste plutôt un lieu de séjour pour villégiature d'été dans le sud-Tyrol.

♦ *Itinéraire d'accès (voir carte n° 11) : à 30 km au nord ouest de Bolzano par A 22 sortie Bolzano sud, S 38 direction Merano ; à 2 km de Merano direction Naturno.*

1992

Hotel Salthauserhof ★★★

I - 39010 Saltusio (Bolzano)
Tél. (0473) 645403 - Fax (0473) 645515
Famille Pircher

♦ *Ouverture du 15 mars au 5 novembre* ♦ *25 chambres avec tél. direct, s.d.b.et t.v. - Prix des chambres : 28 000 à 60 000 L (par pers.) - Prix des suites : 80 000 L - Petit déjeuner compris, servi de 8 h à 9 h 30* ♦ *Visa, MasterCard, Eurocard, Carta Si* ♦ *Chiens admis avec 10 000 L de supplément - Piscine couverte et de plein air, tennis (10 000 L), sauna (15 000 L) et parking (10 000 L) à l'hôtel* ♦ *Restaurant : service de 12 h à 14 h, de 18 h à 20 h 30 - Fermeture le mardi - Menu : 19 000 à 25 000 L - Carte - Spécialités : truites, cuisine régionale*

La blancheur de la façade, les fenêtres fleuries ourlées de briques rouges avec en fond la montagne majestueuse, c'est le décor traditionnel d'une maison du Tyrol du sud et de l'Hotel Salthauserhof. De cette ancienne maison de village acquise par son père en 1936, l'actuel propriétaire a fait un lieu de séjour aux multiples activités. A l'intérieur, la maison est encore plus belle et certaines pièces ont conservé des peintures murales qui datent du siècle dernier, comme la *Ratsstube* qui témoigne de l'histoire du Tyrol. Pour les chambres, c'est le décor traditionnel tyrolien : du bois partout dont la bonne odeur imprègne les lieux. Si vous avez le choix, n'hésitez pas à retenir une chambre dans la maison principale et si possible avec vue sur la montagne, celles de l'annexe très correctes, sont plus petites et plus banales. Très bon petit déjeuner, cuisine familiale avec une spécialité : la truite qui vient du Passino, rivière qui a donné son nom à la vallée.

♦ *Itinéraire d'accès (voir carte n° 11) : à 39 km au nord de Bolzano par S 38 jusqu'à Merano, puis S 44.*

Hotel Monte San Vigilio ★★★

Pawigl 37
I-San vigilio 39011 Lana (Bolzano)
Tél. (0473) 51236 - Fax (0473) 51410
M. Gapp

♦ *Ouverture du 21 décembre au 8 novembre* ♦ *40 chambres avec tél., s.d.b. ou douche, w.c. - Prix des chambres en demi-pension et en pension : 55 000 à 80 000 L, 63 000 à 92 000 L - Petit déjeuner compris, servi de 8 h à 10 h* ♦ *Cartes de crédit non acceptées* ♦ *Chiens non admis - Piscine chauffée, équitation, boccia à l'hôtel* ♦ *Ski : au départ de l'hôtel* ♦ *Restaurant : service de 12 h à 14 h, 19 h à 20 h 30 - Menu : 26 000 à 36 000 L - Carte - Spécialités : filet au champignons, truite* ♦ *Renseignements pratiques sur la station p. 139.*

A recommander absolument aux amoureux de la montagne. L'accès obligatoire par funiculaire rassurera le plus méfiant des inconditionnels du repos et du grand air. Ce chalet tout de lambris et décoré de peintures naïves est sans conteste une des adresses les plus charmantes de ce guide. Ambiance très familiale, chaleureusement entretenue par le gérant, qui sert volontiers de guide aux clients désireux de découvrir un des très nombreux circuits de randonnée. Des télésièges fonctionnant aussi en été permettent l'approche de sites sauvages d'une grande beauté et de refuges où il est agréable de se reposer. Les chambres bénéficient toutes de ce superbe panorama. La cuisine est simple mais bonne. Idéal pour les vacances familiales.

♦ *Itinéraire d'accès (voir carte n° 11) : à 30 km au nord-ouest de Bolzano par S 38 direction Merano jusqu'à Postal, puis Lana ; à Lana prendre le funiculaire (l'été de 8 h à 19 h, l'hiver de 8 h à 18 h).*

Hotel Dominik ★★★★

I-39042 Bressanone (Bolzano)
Tél. (0472) 30144 - Télex 401 524 - Fax (0472) 36554
M. et Mme Demetz

♦ *Ouverture de Pâques au 4 novembre* ♦ *29 chambres avec tél. direct, s.d.b. ou douche, w.c., t.v. et minibar - Prix des chambres simples et doubles : 95 000 à 130 000 L - Prix des suites : 170 000 à 230 000 L - Petit déjeuner : 15 000 L, servi de 7 h à 10 h - Prix de la demi-pension et de la pension : + 45 000 L, + 60 000 L (par pers., 3 j. min.)* ♦ *Amex, Eurocard, MasterCard et Visa* ♦ *Chiens admis avec supplément - Piscine couverte, parking et garage (10 000 L) à l'hôtel* ♦ *Ski à la Plose-Pancios à 18 km* ♦ *Restaurant : service de 12 h à 14 h, 19 h à 21 h - Menu : 35 000 à 45 000 L - Carte - Spécialités : truite, cuisine régionale* ♦ *Renseignements pratiques sur la station* *p. 139.*

Construit en 1970, l'Hotel Dominik a très vite imposé sa longue façade jaune soulignée de tentes et de stores orangés. Il fut aussi très vite apprécié par la qualité des services que Monika et Dominique Demetz offrent à leur clientèle. Les salons sont meublés de belles antiquités. Les chambres sont grandes, décorées dans un camaïeu de brun qui s'harmonise bien aux meubles modernes et fonctionnels. Un petit coin salon accentue encore l'atmosphère confortable. Toutes ont de grandes loggias sur le jardin, avec vue sur la montagne. Un bon restaurant sert en été en terrasse. La cuisine est essentiellement italienne avec, à la carte, des spécialités du sud-Tyrol. Bonne cave. Excellent accueil.

♦ *Itinéraire d'accès (voir carte n° 11) : à 40 km au nord-est de Bolzano par A 22 sortie Bressanone nord ou sud, (dans la vieille ville).*

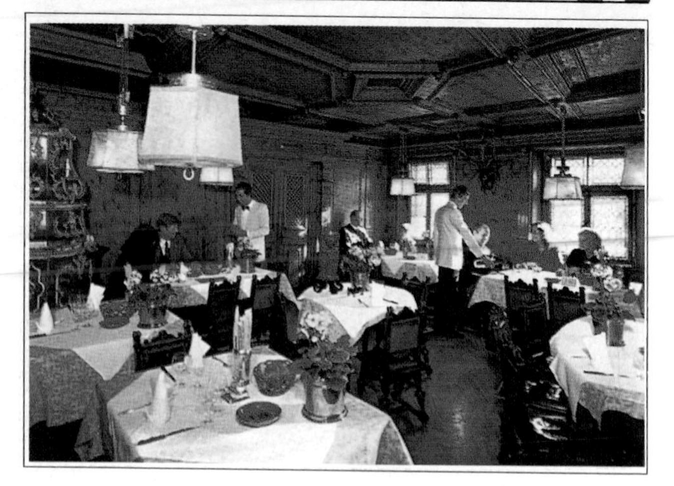

Hotel Elefant ★★★★

Via Rio Bianco, 4
I-39042 Bressanone (Bolzano)
Tél. (0472) 32750 - Fax (0472) 36579
M. Falk

♦ *Ouverture du 1er mars au 10 novembre et du 25 décembre au 7 janvier* ♦ *44 chambres avec tél., s.d.b. , w.c. et t.v. - Prix des chambres simples et doubles : 85 000 L, 170 000 L - Petit déjeuner : 17 000 L - Prix de la demi-pension et de la pension : 150 000 L, 180 000 L (par pers., 3 j. min.)* ♦ *Visa* ♦ *Chiens admis avec supplément - Piscine à l'hôtel* ♦ *Ski : à la Plose-Pancios à 18 km* ♦ *Restaurant : service de 12 h à 14 h 30, de 19 h à 21 h 30 - Fermeture le lundi - Menu : 50 000 L - Carte* ♦ *Renseignements pratiques sur la station p. 139.*

Les nombreux couvents et châteaux épiscopaux des proches alentours de Bressanone témoignent encore du rayonnement artistique, culturel et spirituel de cette ville du XVIIIe siècle. Pour découvrir ce passé prestigieux, l'Hotel Elefant est l'étape idéale tant tout y est soigné. Meubles anciens, tapisseries, tapis, lambris, décorent les pièces de réception. Les chambres toutes très confortables ouvrent pour la plupart sur le parc et la piscine ou sur la montagne (seules quelques-unes sont au nord). La cuisine, quant à elle, y est remarquable et l'on apprécie le beurre, le lait, les œufs et les légumes qui proviennent de la ferme de la propriété. Le tout servi par un personnel très stylé. Un hôtel qui n'a jamais failli à sa réputation depuis le temps, où en 1550, il hébergea le convoi et l'éléphant lui-même que le roi du Portugal offrait à l'empereur Ferdinand de Habsburg.

♦ *Itinéraire d'accès (voir carte n° 11) : à 40 km au nord de Bolzano par A 22 sortie Bressanone nord ou sud.*

1992

Hotel Stafler ★★★

I - 39040 Mules (Bolzano)
Tél. (0472) 67136 - Fax (0472) 67194 - M. Stafler

♦ *Ouverture toute l'année* ♦ *40 chambres avec tél. direct, s.d.b., w.c, t.v. et minibar - Prix des chambres simples et doubles : 50 000 L, 78 000 L - Prix des suites : 100 000 L - Petit déjeuner : 13 000 L, servi de 7 h 15 à 10 h 15 - Prix de la demi-pension et pension : 95 000 L, 105 000 L (par pers., 3 j. min.).* ♦ *Visa, MasterCard, Eurocard* ♦ *Chiens admis sans supplément - Piscine , tennis (8 000 L), sauna, garage (5 000 L par jour) et parking à l'hôtel* ♦ *Ski : à Vitipeno à 10 km et à Bressanone à 20 km* ♦ *Restaurant : service de 11 h 30 à 14 h 30, de 18 h 45 à 21 h 30 - Fermeture le mercredi en hiver - Menu : 32 000 L - Carte - Spécialités : cuisine régionale* ♦ *Renseignements pratiques sur la station* *p. 139.*

Bien représentatif de cette région du Tyrol du sud, l'Hotel Stafler est une imposante maison de village. Sans avoir lui même des équipements de ski, le village de Mules se trouve néanmoins bien entouré par plusieurs stations du val dell'Isarco : Plose-Bressanone à une vingtaine de kilomètres, Racines à dix-sept kilomètres et Vitipeno la plus proche à neuf kilomètres. Par contre, en été, la région est riche en possibilités de promenades et d'excursions. L'intérieur est à l'image de la bâtisse imposante et cossue. La partie ancienne est la plus jolie avec certaines pièces qui possèdent des peintures murales datant du siècle dernier. Les chambres situées dans cette partie de la maison sont celles ayant le plus de charme (les n° 41 et n° 52 sont nos préférées) même si toutes sont très confortables. La gestion et l'accueil sont d'un grand professionnalisme, la famille Stafler étant elle même propriétaire de l'hôtel depuis 250 ans ! La cuisine, sans être exceptionnelle est de qualité et le service discret.

♦ *Itinéraire d'accès (voir carte n° 11) : à 50 km au nord de Bolzano par A 22 sortie Vitipeno puis S 12 en direction de Bressanone.*

Hotel Cavallino d'Oro ★★★

Piazza Kraus
I-39040 Castelrotto- Kastelruth (Bolzano)
Tél. (0471) 706337 - Fax (0471) 707172
M. et Mme Urthaler

♦ *Ouverture toute l'année - Fermeture le mardi* ♦ *25 chambres avec tél. direct, s.d.b. ou douche, w.c. et t.v. - Prix des chambres simples et doubles : 45 000 à 60 000 L, 80 000 à 110 000 L - Petit déjeuner compris, servi de 7 h 30 à 11 h - Prix de la demi-pension et de la pension : 50 000 à 65 000 L, 85 000 à 115 000 L - Prix des suites : 125 000 à 175 000 L (par pers.)* ♦ *Amex, Diners, Visa, Eurocard, MasterCard, Carta Si* ♦ *Chiens admis avec supplément - Garage (5 000 L par jour) et parking à l'hôtel* ♦ *Ski : à Noël à Castelrotto, autres saisons à Alpe di Siusi* ♦ *Restaurant : service de 11 h 30 à 15 h, 18 h 30 à 21 h - Fermeture le mardi - Menu : 18 000 à 35 000 L - Carte - Spécialités : buffet tyrolien, cuisine italienne et régionale, semaine gastronomique en mai-juin* ♦ *Renseignements pratiques sur la station* *p. 140.*

Castelrotto est un des villages du Val Gardena où les habitants aiment encore porter le costume traditionnel, et où les maisons ont de jolies façades peintes. Le Cavallino d'Oro, situé dans le centre du petit village est l'auberge traditionnelle du sud-Tyrol : le Bauerstube où les paysans du village viennent jouer aux cartes le dimanche matin est le cadre idéal pour goûter les spécialités régionales arrosées du vin rouge du pays, servi à la pression. En été, une petite terrasse est installée sur la place qui est l'endroit le plus joli du village. En hiver, l'Alpe di Siusi, à quelques kilomètres, offre un vaste domaine skiable. L'hôtel qui vient de changer de propriétaire a rénové toutes les chambres accentuant encore le côté traditionnel. Le salon et la salle à manger sont aussi très confortables. Les prix méritent en plus, que l'on parte à la découverte d'une région peu fréquentée par le tourisme français.

♦ *Itinéraire d'accès (voir carte n° 11) : à 26 km au nord-est de Bolzano par A 22, puis direction Siusi.*

1992

Hotel Santa Anna ***

Oswald Von Wolkenstein, 51
I - 39040 Castelrotto (Bolzano)
Tél. (0471) 706314 - Fax (0471) 705215
M. et Mme Schaller

♦ *Ouverture toute l'année sauf en novembre et 3 semaines après Pâques* ♦ *21 chambres avec tél. direct, s.d.b. ou douche, w.c. et t.v. sur demande - Prix des chambres simples ou doubles : 50 000 à 95 000 L, 40 000 à 85 000 L - Petit déjeuner-buffet compris - Prix de la demi-pension et pension : 50 000 à 60 000 L, 65 000 à 110 000 L (par pers. avec forfait ski)* ♦ *Visa, Eurocard* ♦ *Chiens admis avec 5 000 à 10 000 L de supplément - Parking et garage (6 000 L par jour) à l'hôtel* ♦ *Ski à Noël à Castelrotto, autres saisons à Alpe di Siusi* ♦ *Restaurant : service de 12 h à 13 h, 19h à 20 h - Menu - Spécialités régionales, cuisine tyrolienne* ♦ *Renseignements pratiques sur la station* *p. 140.*

Après avoir dirigé pendant dix-huit ans le Cavallino d'Oro, Mme Schaller s'est rendue compte qu'une petite structure lui permettrait de s'occuper avec plus d'attention de sa clientèle. Aussi a-t-elle repris un hôtel déjà existant pour y exercer un métier que, de toute évidence, elle aime profondément. Le Santa Anna est à 500 mètres du centre de Castelrotto. Certes, l'architecture n'a pas le cachet de son ancien établissement mais qu'importe puisque l'accueil est chaleureux et que les gens s'y sentent bien. Toutes les pièces sont agréables. Le confort des chambres est à l'image du reste : simple et douillet ; certaines donnent sur la route, mais celle-ci n'est pas très passante, d'autres sur le jardin, havre de calme et de fraîcheur, très prisé pour les journées d'été. Un accueil personnalisé qui incite à la fidélité.

♦ *Itinéraire d'accès (voir carte n° 11) : à 26 km au nord-est de Bolzano par A 22, puis direction Siusi.*

Hotel Bad Ratzes ★★★

I-Bad Ratzes 39040 Siusi (Bolzano)
Tél. (0471) 706031
Famille Scherlin

♦ *Ouverture du 18 décembre au 1er avril et du 18 mai au 30 septembre ♦ 48 chambres avec tél. direct, s.d.b. et w.c. - Prix des chambres simples et doubles : 43 000 à 55 000 L, 82 000 à 110 000 L - Petit déjeuner : 18 000 L, servi de 7 h 15 à 10 h 15 - Prix de la demi-pension et de la pension : 70 000 à 110 000 L, 85 000 à 130 000 L (par pers., 3 j. min.) ♦ Cartes de crédit non acceptées ♦ Chiens non admis - Piscine à l'hôtel ♦ Ski : à Alpe di Siusi (15 mn en voiture) ♦ Restaurant : service de 12 h à 14 h - Carte ♦* *Renseignements pratiques sur la station p. 141.*

L'Hotel Bad Ratzes se trouve à quatre kilomètres de Siusi, dans un de ces petits vallons du Val Gardena, si verdoyant, si sinueux où les pentes sont couvertes de forêts et de cascades. Dans la journée, la terrasse de l'hôtel ne désemplit pas des nombreux marcheurs qui rentrent d'excursions. Le soir, tout redevient calme. Il règne dans l'hôtel une atmosphère familiale et cordiale. Tous les aménagements sont confortables. Ici, les enfants sont les rois : la nature accueillante, la piscine est couverte, et de nombreux jeux sont installés dans le champ avoisinant l'hôtel. Pour une cure de plein air et le plaisir de se retrouver en pleine nature.

♦ *Itinéraire d'accès (voir carte n° 11): à 28 km au nord-est de Bolzano par A 22, puis direction Siusi, (à 4 km du village).*

Schlosshotel Mirabell ★★★

Via Laranz, 1
I-39040 Siusi (Bolzano)
Tél. (0471) 71134 - Fax (0471) 706249
M. et Mme Egger

♦ *Ouverture du 15 décembre au 15 avril et du 15 mai au 15 octobre* ♦ *36 chambres avec tél., s.d.b. et w.c. - Prix des chambres en demi-pension et pension : 50 000 à 90 000 L, 70 000 à 110 000 L (par pers. 3 j. min.) - Petit déjeuner compris, servi de 8 h à 10 h* ♦ *Eurochèques* ♦ *Chiens admis avec supplément* ♦ *Ski : à Alpe di Siusi à 2 km* ♦ *Restaurant : service de 12 h à 13 h 30, 19 h à 20 h 30, réservé aux résidents - Spécialités : cuisine régionale et italienne* ♦ *Renseignements pratiques sur la station p. 141.*

Cette ancienne villa fut construite par le comte russe Bobrinsky. Son propriétaire lui a donné aujourd'hui un décor typiquement tyrolien : les petits rideaux fleuris, les gros poêles en faïence, les lustres hollandais ornent aujourd'hui les salons lambrissés. Une grande terrasse et un jardin fleuri surplombent le village et la vallée de Siusi face à l'éblouissant paysage qu'offrent les pics du Mont Sciliar. Les meilleures chambres sont celles qui donnent sur cet étonnant paysage et qui ont en plus de grands balcons.

♦ *Itinéraire d'accès (voir carte n° 11) : à 24 km au nord-est de Bolzano par A 22, puis direction Siusi.*

Hotel Turm ****

I - 39050 Fié Allo Sciliar (Bolzano)
Tél. (0471) 725014 - Fax (0471) 725474
M. Pramstrahler

♦ *Ouverture du 20 décembre au 15 novembre ♦ 23 chambres avec tél. direct, s.d.b., w.c. et t.v. - Prix des chambres simples et doubles : 62 000 à 87 000 L, de 124 000 à 164 000 L - Prix des suites : 154 000 à 204 000 L - Petit déjeuner compris, servi de 8 h à 10 h - Prix de la demi-pension et pension : 72 000 L, 95 000 L (par pers). ♦ Visa, MasterCard, Eurocard ♦ Chiens admis avec 10 000 L de supplément - Piscine, sauna, garage (4 000 L par jour) à l'hôtel. ♦ Ski : à Alpe di Siusi à 8 km ♦ Restaurant : service de 12 h à 14 h, de 19 h à 21 h - Fermeture le jeudi - Menu : 35 000 à 50 000 L - Carte - Spécialités : soupe d'orties, chevreuil, parfait à la rose ♦ Renseignements pratiques sur la station p. 141.*

Fié est un petit village du Val Gardena situé dans cette superbe région dominée par l'impressionant et spectaculaire mont Sciliar. L'hôtel est l'ancien palais public, situé au coeur même du village, dirigé depuis trois générations par la même famille. L'intérieur remodelé au fil des années est très confortable et bien décoré de meubles anciens et d'une importante collection de tableaux. La plupart des chambres douillettes et meublées avec goût, offrent une vue superbe sur les montagnes. C'est le fils Stefano, excellent cuisinier qui a repris la direction du restaurant ; sa cuisine raffinée est pleine d'inventions. Il associe avec goût les particularités de la cuisine régionale et la sophistication de quelques recettes de grands cuisiniers français. En été, c'est un lieu merveilleux pour les randonnées autour du lac ; en hiver, on y fait du ski de fond, du patinage, et du ski de piste à Alpe di Siusi, à vingt minutes de Fié.

♦ *Itinéraire d'accès (voir carte n° 11) : à 16 km à l'est de Bolzano (sur A 22 sortie Bolzano nord) par S 49 jusqu'à Prato all'Isarco, puis Fié.*

Hotel Aquila-Adler ★★★★

Via Rezia, 7
I-39046 Ortisei (Bolzano)
Tél. (0471) 796203 - Fax (0471) 796210
MM. Sanoner

♦ *Ouverture du 20 décembre au 15 avril et du 15 mai au 30 octobre* ♦ *100 chambres avec tél., s.d.b., w.c., t.v. et minibar - Prix des chambres simples et doubles : 102 000 à 188 000 L, 180 000 à 350 000 L - Petit déjeuner compris, servi de 7 h à 10 h - Prix de la demi-pension et de la pension : + 18 000 L, + 36 000 L (par pers.)* ♦ *Cartes de crédit acceptées* ♦ *Chiens admis - Piscine couverte, tennis, sauna, centre de beauté, fitness à l'hôtel* ♦ *Ski : départ de l'hôtel* ♦ *Restaurant : service de 12 h à 14 h 15, 19 h à 21 h 30 - Menu : 24 000 à 35 000 L - Carte - Spécialités : cuisine tyrolienne* ♦ *Renseignements pratiques sur la station p. 141.*

Situé en plein centre d'Ortisei, cet hôtel est né de la fusion de deux bâtiments très différents sur le plan architectural. C'est un îlot de verdure et de calme qui est le lieu de rendez-vous obligatoire des touristes, pour la plupart d'origine allemande, qui séjournent dans la région. La piscine chauffée ouvre de plain-pied sur la pelouse. L'hôtel est fréquenté hiver comme été par une clientèle d'habitués pour laquelle isolement et proximité des pistes ne sont pas des atouts indispensables et qui aiment l'ambiance animée du petit village d'Ortisei. C'est un hôtel confortable où les chambres viennent d'être rénovées.

♦ *Itinéraire d'accès (voir carte n° 11) : à 35 km au nord-est de Bolzano par S 12, puis S 242d et S 242 direction Selva di Valgardena.*

Sporthotel Monte Pana ★★★

Monte Pana
I-39047 Santa Cristina Valgardena (Bolzano)
Tél. (0471) 793600 - Fax (0471) 793527
Famille Kerschbaumer

♦ *Ouverture du 20 décembre au 15 avril et du 30 juin au 20 septembre ♦ 81 chambres avec tél., s.d.b. et w.c. - Prix des chambres en demi-pension et pension : 120 000 à 130 000 L, 170 000 à 180 000 L (par pers.) - Petit déjeuner : 11 000 L, servi de 8 h à 10 h ♦ Cartes de crédit acceptées ♦ Chiens admis - Piscine (20 000 L), sauna (15 000 L), parking et garage (15 000 L) à l'hôtel ♦ Ski : départ de l'hôtel ♦ Restaurant : service de 11 h 30 à 14 h 30, 19 h à 21 h - Menu : 25 000 à 45 000 L - Carte ♦ Renseignements pratiques sur la station* *p. 142.*

Hiver comme été, le Sporthotel est un endroit très animé. L'ambiance qui y règne est celle des croisières, et l'architecture du bâtiment isolé au milieu d'un pré gigantesque rappelle celle d'un paquebot. Face aux remontées mécaniques et au très impressionnant panorama des Dolomites, il occupe une position de choix indéniable. Champs de neige ou prés sont un terrain de jeux et de sports permanent, avantages pour un hôtel un peu difficile d'accès. A côté, une annexe plus traditionnelle est divisée en appartements pour des familles. L'ambiance est très jeune, très sympathique. Un hôtel pour des vacances familiales où le décor intérieur manque de chaleur.

♦ *Itinéraire d'accès (voir carte n° 11): à 40 km au nord-est de Bolzano par S 12, puis S 242d et S 242 direction Selva di Valgardena.*

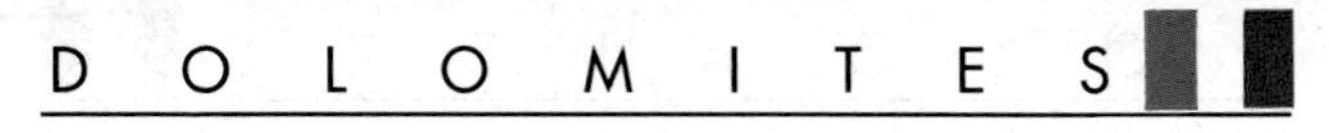

Hotel Cappella ★★★★

I-39030 Colfosco (Bolzano)
Tél. (0471) 836183 / 836168 - Fax (0471) 836561
M. et Mme Pizzinini

♦ *Ouverture du 20 décembre au 10 avril et du 20 juin au 1er octobre* ♦ *40 chambres avec tél., s.d.b. ou douche, w.c. et t.v. - Prix des chambres simples et doubles : 60 000 à 80 000 L, 110 000 à 160 000 L - Prix des suites: 140 000 à 200 000 L - Prix de la demi-pension et pension : 100 000 à 170 000 L, 100 000 à 180 000 L (par pers.) - Petit déjeuner compris* ♦ *Cartes de crédit acceptées* ♦ *Petits chiens admis avec 5 000 L de supplément - Piscine, solarium, fitness, massage, boutiques à l'hôtel* ♦ *Ski : à 200 m des remontées mécaniques* ♦ *Pas de restaurant à l'hôtel.* ♦ *Renseignements pratiques sur la station p. 143.*

Le Val Badia est en train de s'imposer comme l'une des vallées les plus appréciées dans les Dolomites. Pour son paysage, beaucoup mieux respecté par l'architecture touristique, pour sa population soucieuse de conserver la vie du village et ses coutumes. L'Hotel Cappella est un de ces chalets récemment construits. Mais ce que ces nouveaux hôtels gagnent en confort et en installations modernes, ils le perdent un peu en charme. Le bois est cependant le matériau le plus utilisé ; quelquefois de manière un peu baroque comme dans la salle à manger, mais créant toujours une chaude ambiance. Situé en bordure de route, il est préférable de choisir les chambres donnant sur l'arrière. Grandes, avec beaucoup de rangements, elles sont très confortables à vivre. Le coin cheminée dans le salon est l'un des endroits les plus agréables de l'hôtel. Des salles de jeux pour enfants et adolescents permettent une détente sans souci.

♦ *Itinéraire d'accès (voir carte n° 11) : à 65 km à l'est de Bolzano par S 12, S 242d et S 242 direction Selva di Valgardena, puis S 243.*

Hotel La Perla ★★★★

Via Centro, 44
I-39033 Corvara in Badia (Bolzano)
Tél. (0471) 836132/3 - Telex 401685 - Fax (0471) 836568
Famille Costa

♦ *Ouverture du 15 décembre au 25 avril et du 27 juin au 20 septembre* ♦ *50 chambres avec tél. direct, s.d.b., w.c. et t.v. - Prix des chambres simples et doubles : 70 000 à 170 000 L, 120 000 à 320 000 L - Prix des suites: 200 000 à 400 000 L - Petit déjeuner : 18 000 L, servi de 7 h 30 à 12 h - Prix de la demi-pension : 98 000 à 200 000 L (par pers., 3 j. min.)* ♦ *Diners, Eurocard, MasterCard et Visa* ♦ *Chiens admis avec 15 000 L de supplément - Piscine chauffée, sauna, whirlpool, massage, fitness à l'hôtel* ♦ *Ski : départ de l'hôtel* ♦ *Restaurant : service de 19 h 30 à 22 h - Menu : 48 000 à 68 000 L - Carte - Spécialités : tutres con spinaci et ricotta o crauti, petto d'oca con aspic di mela e moussi e miele d'abete* ♦ *Renseignements pratiques sur la station p. 143.*

Cet hôtel mérite bien son nom. En effet, ce beau chalet, situé dans une zone tranquille du centre de Corvara, est en tous points parfait. Décoration et atmosphère de montagne plus raffinées que rustiques. L'aménagement intérieur préserve une grande intimité malgré les nombreuses prestations dignes d'un grand hôtel (sauna, coiffeur, cave de dégustation, piscine chauffée). Les chambres sont spacieuses et confortablement aménagées.
A 45 kilomètres de Cortina d'Ampezzo, cet hôtel est à recommander en toute saison.

♦ *Itinéraire d'accès (voir carte n° 11) : à 65 km à l'est de Bolzano par S 12, S 242d et S 242 direction Selva di Valgardena, puis S 243.*

Hotel Armentarola ★★★

Via Prè de Vi, 78
I-39030 San Cassiano (Bolzano)
Tél. (0471) 849522 - Fax (0471) 849389 - Famille Wieser

♦ *Ouverture du 15 décembre au 15 avril et du 15 juin au 15 octobre* ♦ *50 chambres avec tél., s.d.b. ou douche, w.c., (20 avec t.v.) - Prix des chambres simples et doubles : 70 000 à 110 000 L, 170 000 à 200 000 L - Prix des suites : 180 000 à 240 000 L - Petit déjeuner : 15 000 L, servi de 7 h 30 à 11 h - Prix de la demi-pension et pension : 90 000 à 140 000 L, 110 000 à 160 000 L (par pers.)* ♦ *Visa* ♦ *Chiens admis avec 15 000 L de supplément - Piscine couverte, tennis, équitation, sauna, solarium, garage (8 000 à 10 000 L) à l'hôtel* ♦ *Ski : téléski privé de l'hôtel relié aux pistes de la haute vallée de la Badia* ♦ *Restaurant : service de 12 h 30 à 13 h 30, 19 h à 20 h 30 - Menu : 20 000 à 40 000 L - Carte - Spécialités : cuisine régionale* ♦ *Renseignements pratiques sur la station p. 143.*

L'histoire de l'Armentarola commence avec l'histoire de la famille Wieser en 1938, quand Paolo et Emma transforment le chalet familial en auberge. Isolé, à 1600 mètres d'altitude dans un paysage enchanteur fait de pâturages et de bois avec les Dolomites pour horizon, l'Armentarola, qui n'a cessé de s'adapter au confort moderne n'a rien perdu de son charme. Le bois est la décoration de base, patiné dans les parties anciennes, coloré dans les parties plus récentes et dans la grande salle à manger. En toutes saisons les loisirs sont bien organisés ; en été, outre le tennis et le cheval, un grand terrain de jeux est à la disposition des enfants. En hiver, on peut également profiter de la piscine couverte, sans compter le remonte-pente de l'hôtel, relié au grand caroussel de ski de la haute vallée de Badia. A seulement quelques kilomètres de Cortina d'Ampezzo, un hôtel grand confort qui permet de profiter de la nature grandiose.

♦ *Itinéraire d'accès (voir carte n° 11) : à 75 km à l'est de Bolzano par S 12, S 242 d et S 242 direction Selva di Valgardena, puis S 243 jusqu'à Corvara et S 244 sur 11 km.*

Sporthotel Teresa

I - 39036 Predaces (Bolzano)
Tél. (0471) 839623 - Fax (0471) 839823

♦ *Ouverture du 1er novembre au 30 avril ♦ 40 chambres avec tél. direct, s.d.b., w.c et t.v. - Prix des chambres doubles : 80 000 à 140 000 L - Petit déjeuner : 17 000 L, servi de 7 h 30 à 10 h 30 - Prix de la demi-pension : 90 000 à 150 000 L (par pers.) ♦ Amex ♦ Chiens non admis - Piscine, tennis, sauna, parking et garage à l'hôtel ♦ Ski : départ de l'hôtel pour le ski de fond, à 300 m des remontées mécaniques ♦ Restaurant : service de 12 h à 13 h 30, 19 h à 20 h 30 - Fermeture le lundi - Menu et carte - Spécialités : cuisine italienne et régionale ♦ Renseignements pratiques sur la station* *p. 144.*

Le Val Badia est en train de s'imposer comme le centre touristique le plus important des Dolomites. Et si Corvara et Colfosco sont les deux villages les plus fréquentés, l'intérêt s'étend d'année en année aux villages voisins qui profitent aussi de l'important complexe sportif de leurs aînés. Predaces est de ceux-là. On raconte que c'est la sérénité de ce paysage qui inspira l'adagio de la dernière symphonie inachevée de Malher. Le Sporthotel Teresa est confortable, bien équipé pour recevoir une clientèle aujourd'hui encore en grande partie italienne et autrichienne mais de plus en plus fréquenté par des Français, à la recherche de nouveaux paysages et attirés par des prix souvent très attrayants. Le bois a ici été utilisé en abondance dans la décoration des salons et des chambres créant une confortable atmosphère. Toutes les pièces, la piscine y compris privilégient la vue superbe. Bonne cuisine, bon petit déjeuner, accueil simple et cordial.

♦ *Itinéraire (voir carte n° 11) : à 73 km à l'est de Bolzano par S 12, S 242 d, S 242 direction Selva di Valgardena, puis S 243 jusqu'à Corvara et S 244 sur 8 km.*

Royal Hotel Hinterhuber ★★★★

I-Riscone 39031 Brunico (Bolzano)
Tél. (0474) 21221 - Fax (0474) 20848
M. Hinterhuber

♦ *Ouverture du 20 décembre au 7 avril et du 1er juin au 5 octobre* ♦ *58 chambres et 10 appartements avec tél. direct, s.d.b. ou douche, w.c. et t.v. - Prix des chambres doubles en demi-pension et pension : 85 000 à 120 000 L, 90 000 à 140 000 L - Petit déjeuner compris* ♦ *Amex, Eurocard, MasterCard et Visa* ♦ *Chiens admis avec 10 000 L de supplément - Piscines (couverte et découverte), tennis, fitness, solarium, sauna, garage (10 000 L par jour), parking à l'hôtel* ♦ *Ski : navette privée de l'hôtel jusqu'au départ des pistes de Plan de Corones* ♦ *Restaurant : service de 12 h à 13 h 30, 19 h à 20 h 30 - Menu : 25 000 L - Carte - Spécialités : cuisine tyrolienne* ♦ *Renseignements pratiques sur la station p. 145.*

Riche d'une expérience de six générations, ce jeune couple gère depuis une dizaine d'années le Royal Hotel qui offre tout le confort et les services d'un grand hôtel. Malgré sa construction récente, la décoration des salons et de la salle à manger a déjà pris la patine des bonnes maisons. Les chambres ont toutes beaucoup de cachet et sont très agréables à vivre. L'hôtel propose un grand nombre de distractions et l'hiver une navette rejoint régulièrement les pistes de ski. Les prix en pension complète sont particulièrement intéressants compte tenu de la qualité de l'établissement.

♦ *Itinéraire d'accès (voir carte n° 11) : à 3 km au sud de Brunico.*

Hotel Ansitz Heufler ★★★

I-39030 Rasun di Sopra (Bolzano)
Tél. (0474) 46288 - Fax (0474) 48199 - M. Pallhuber

♦ *Ouverture du 5 décembre au 15 mai et du 20 juin au 5 novembre* ♦ *8 chambres avec tél., s.d.b. ou douche, w.c. - Prix des chambres doubles : 100 000 à 160 000 L - Petit déjeuner compris, servi de 8 h à 11 h - Prix de la demi-pension et pension : 65 000 à 125 000 L, 85 000 à 145 000 L (par pers., 3 j. min.)*♦ *Amex, Carta Si, Diners et Visa* ♦ *Chiens admis avec supplément* ♦ *Ski : au Plan de Corones (10 km), arrêt du skibus devant l'hôtel* ♦ *Restaurant : service de 12 h à 14 h, 19 h à 21 h 30 - Fermeture le mercredi - Menu : 40 000 à 45 000 L - Carte* ♦ *Renseignements pratiques sur la station p. 145.*

Un des plus beaux hôtels de ce guide. S'il est courant de trouver dans cette région, sur les bords d'une route, un petit château du XIVe siècle, il est par contre très étonnant de trouver à l'intérieur des aménagements qui, au cours des siècles, ont été aussi bien conservés. Les pièces ne sont pas très grandes, les plafonds pas très hauts, les chambres intimes et douillettes. Au rez-de-chaussée se trouvent les pièces de réception. Un salon entièrement lambrissé de bois blond dans lequel le très grand canapé et le poêle en faïence créent une très agréable atmosphère de détente. Le bar, plus rustique, est typique du sud-Tyrol. Du rez-de-chaussée on découvre la très belle charpente du toit, les étages se répartissant comme de grandes mezzanines. Les chambres sont spacieuses, souvent avec un coin salon et décorées de meubles anciens en bois clair, de tentures et de couvre-lits blancs. En hiver, une navette régulière assure la liaison avec les pistes de Plan de Corones. Une très jolie adresse.

♦ *Itinéraire d'accès (voir carte n° 11) : à 15 km à l'est de Brunico par S 49, puis route du Val di Anterselva.*

Parkhotel Sole Paradiso ★★★★

Via Sesto, 13
I-39038 San Candido (Bolzano)
Tél. (0474) 73120 - Fax (0474) 73193
Famille Ortner

♦ *Ouverture du 20 décembre au 30 avril et du 29 mai au 4 octobre* ♦ *41 chambres avec tél. direct, s.d.b. ou douche, w.c. et t.v. - Prix des chambres doubles : 70 000 à 140 000 L - Petit déjeuner compris, servi de 8 h à 10 h - Prix de la demi-pension et de la pension : 75 000 à 160 000 L, 90 000 à 180 000 L (par pers., 3 j. min.)* ♦ *Visa, MasterCard, Eurocard, Bankamerica* ♦ *Chiens non admis - Piscine couverte, tennis (20 000 L en été), sauna (15 000 L) et garage à l'hôtel* ♦ *Ski : départ de l'hôtel pour ski de fond ; skibus jusqu'au départ des pistes (300m Baranic, 5 km Monte Elmo)* ♦ *Restaurant : service de 12 h 30 à 13 h 30, 19 h 30 à 20 h 30 - Menu : 35 000 à 45 000 L - Carte - Spécialités : Pustertaler, Schlutzkrapfer, truite, porc, pâtisseries tyroliennes* ♦ *Renseignements pratiques sur la station p. 145.*

L'architecture et les couleurs jaune et rouge de ce grand chalet nous rappellent, si besoin en était, que nous sommes à quelques kilomètres de la frontière autrichienne. Dans toute la maison règne la chaleureuse ambiance des intérieurs de montagne : les murs sont recouverts de bois blond, les lustres et les lampadaires ont d'étonnantes sculptures en bois, les chambres ont toutes de grands lits à baldaquin et de lourdes tentures. Toutes ont de jolis balcons fleuris et une belle vue sur le Val Pusteria. L'hôtel est très bien équipé pour les divertissements : un tennis, une piscine chauffée été comme hiver, des pistes de ski de fond et un skibus qui passent juste devant l'hôtel.

♦ *Itinéraire d'accès (voir carte n° 12) : à 33 km à l'est de Brunico par S 49 .*

1992

Villa Marinotti

Via Manzago, 21
I - 32040 Tai di Cadore (Belluno)
Tél. (0435) 33335 / 32231 - Fax (0435) 33335
M. et Mme Marinotti

♦ *Ouverture toute l'année* ♦ *4 chambres avec tél. direct, s.d.b., w.c. et t.v. - Prix des chambres doubles : 82 000 à 110 000 L - Petit déjeuner compris, servi de 8 h à 10 h* ♦ *Amex, Visa* ♦ *Chiens non admis - Parking, tennis (14 000 L) et sauna (18 000 L) à l'hôtel* ♦ *Ski : à Pieve di Cadone, 2 km et à Cortina d'Ampezzo, 25 km* ♦ *Pas de restaurant à l'hôtel* ♦ *Renseignements pratiques sur la station p. 146.*

Laura Marinotti et son frère Giorgio ont eu l'heureuse idée de transformer le chalet familial en un petit hôtel qui est encore une adresse confidentielle et précieuse. La maison abrite seulement quatre chambres ou plutôt quatre suites puisque chacune dispose d'un petit salon particulier. Simplicité et bon goût président à la décoration (la suite "Rosa" est la plus charmante). Un grand parc entoure la maison et abrite aussi tennis et sauna. Excellent petit déjeuner mais pas de restaurant, ce qui tout de même est un inconvénient, même s'il y a quelques bonnes adresses au village. L'accueil est charmant et chaleureux.

♦ *Itinéraire d'accès (voir carte n° 12) : à 34 km au nord de Belluno par la S 51.*

Hotel Cristallo *****

Via Menardi, 42
I-32043 Cortina d'Ampezzo (Belluno)
Tél. (0436) 4281 - Télex 440 090 - Fax (0436) 868058
Mme Fabiani

♦ *Ouverture du 20 décembre au 5 avril et du 4 juillet au 6 septembre* ♦ *83 chambres avec tél. direct, s.d.b., w.c., t.v. et minibar - Prix des chambres simples et doubles : 172 550 à 291 500 L, 285 600 à 487 900 L - Petit déjeuner compris, servi de 7 h 30 à 12 h - Prix de la demi-pension et pension : 214 200 à 339 150 L, 232 050 à 357 000 L (par pers.)* ♦ *Cartes de crédit acceptées* ♦ *Chiens admis avec 18 000 L de supplément - Piscine, tennis (15 000 L), garage (22 000 à 30 000 L par jour) et parking à l'hôtel* ♦ *Ski ; départ des pistes à 500 m de l'hôtel* ♦ *Restaurant : service de 13 h à 14 h 30, 20 h à 21 h 30 - Menu : 77 850 L - Carte - Spécialités : cuisine régionale et méditerranéenne* ♦ *Renseignements pratiques sur la station* *p. 147.*

Le Cristallo était déjà au début du siècle fréquenté par une clientèle internationale. Il offre encore aujourd'hui un confort et des services de grand luxe. Les chambres sont spacieuses, décorées avec goût. Toutes sont confortables, mais essayez d'obtenir les quelques chambres qui, sur la façade principale ont des loggias en bois. Sa situation exceptionnelle permet d'avoir de la terrasse et de la salle à manger (où l'on dresse le matin un délicieux buffet pour le petit déjeuner) une vue somptueuse. Seul reproche, la piscine, qui n'est pas très grande et ses abords moins soignés que le reste de l'hôtel. Il est important de savoir que le palace propose en été une demi-pension à des prix très intéressants, à régler directement avec l'hôtel. L'hôtel a changé de direction ; mais il conserve le charme qui au-delà du luxe en fait un endroit tout à fait exceptionnel.

♦ *Itinéraire d'accès (voir carte n° 11): à 60 km au nord de Belluno par S 51.*

Hotel de la Poste ★★★★

Piazza Roma, 14
I-32043 Cortina d'Ampezzo (Belluno)
Tél. (0436) 4271 - Télex 440 044 - Fax (0436) 868435
M. Manaigo

♦ *Ouverture du 20 décembre au 9 octobre* ♦ *80 chambres avec tél. direct, s.d.b., w.c., t.v. et minibar - Prix des chambres simples et doubles : 114 000 à 360 000 L, 140 000 à 400 000 L - Prix des suites : 200 000 à 500 000 L - Petit déjeuner : 18 000 à 25 000 L, servi à partir de 7 h 30 - Prix de la demi-pension et de la pension : 88 000 à 320 000 L, 108 000 à 340 000 L (par pers.)* ♦ *Amex* ♦ *Chiens non admis - Jacuzzi à l'hôtel* ♦ *Ski : skibus devant l'hôtel* ♦ *Restaurant : service de 12 h 30 à 15 h , 19 h 30 à 23 h - Menu : 45 000 à 80 000 L - Carte - Spécialités : cuisine régionale et internationale*
♦ *Renseignements pratiques sur la station p. 147.*

Au cœur de Cortina, *Il Posto* comme il convient de l'appeler ici, est un peu le cœur de la station. Son histoire remonte dans les années 1800, au moment où l'on a ouvert la route vers l'Autriche et où il ne reste cependant plus grand-chose des anciens bâtiments, un incendie l'ayant en 1975 grandement endommagé. Il fut néanmoins reconstruit dans l'esprit de l'époque et il est à présent un des hôtels les plus branchés de Cortina. Son restaurant et surtout son bar sont le rendez-vous privilégié des personnalités ou des coutumiers de la station. Un très grand souci du confort règne dans les chambres. Les plus tranquilles sont celles donnant sur la grand-rue piétonne. Il n'empêche que l'hôtel, situé en plein centre, vit tout de même au rythme de la ville.

♦ *Itinéraire d'accès (voir carte n° 11) : à 60 km au nord de Belluno par S 51.*

Hotel Menardi ★★★

Via Majon, 110
I-32043 Cortina d'Ampezzo (Belluno)
Tél. (0436) 2400/2480 - Fax (0436) 862183
Famille Menardi

♦ *Ouverture du 22 décembre au 10 avril et du 20 juin au 20 septembre* ♦ *48 chambres avec tél. direct, s.d.b. ou douche, w.c. - Prix des chambres simples et doubles : 50 000 à 110 000 L, 75 000 à 180 000 L - Petit déjeuner : 15 000 L, servi de 7 h 30 à 10 h - Prix de la demi-pension et de la pension : 85 000 à 140 000 L, 90 000 à 160 000 L (par pers., 3 j. min.)* ♦ *Visa, MasterCard, Eurocard, Bankamerica, Carta Si* ♦ *Chiens non admis - Garage (15 000 L) et parking à l'hôtel* ♦ *Ski : départ des pistes à 1 km de l'hôtel (skibus)* ♦ *Restaurant : service de 12 h 30 à 14 h, 19 h 30 à 21 h - Menu : 30 000 à 40 000 L* ♦ *Renseignements pratiques sur la station* *p. 147.*

L'Hotel Menardi fait aussi partie de l'histoire de Cortina. Il est l'ancien relais de poste reconverti en hôtel depuis le succès de la station. La maison elle-même a du charme et, en été du moins, à l'entrée du village, on remarque cette jolie bâtisse aux balcons de bois vert tendre abondamment fleuris. A l'intérieur, même charme, même chaleur donnés par une décoration qui privilégie le bois et le style ampezzan. Ne vous laissez pas abuser par sa situation en bordure de la route, l'hôtel possède en fait un grand parc sur l'arrière. Les chambres les plus tranquilles donnent sur ce jardin, bénéficiant aussi d'une belle vue sur les Dolomites. La gentillesse et le souci de la famille Menardi à bien gérer leur hôtel a séduit une clientèle de fidèles. Il faut dire aussi que les prix sont particulièrement séduisants, compte tenu de la qualité des services.

♦ *Itinéraire d'accès (voir carte n° 11) : à 60 km au nord de Belluno par S 51.*

Sportinghotel ★★★

Via Pecol, 37
I-32010 Zoldo Alto (Belluno)
Tél. (0437) 789219 - M. d'Isep

♦ *Ouverture du 6 décembre au 15 avril et du 1er juillet au 20 septembre* ♦ *28 chambres avec tél. direct, s.d.b. et w.c. - Prix des chambres simples et doubles : 40 000 à 75 000 L, 50 000 à 90 000 L - Prix du petit déjeuner : 10 000 L, servi de 8 h à 9 h 30 - Prix de la demi-pension et de la pension : 55 000 à 85 000 L, 65 000 à 105 000 L* ♦ *Visa, Diners* ♦ *Chiens non admis - Piscine, sauna, garage à l'hôtel* ♦ *Ski : à 300 m des remontées mécaniques* ♦ *Restaurant : service de 12 h à 13 h 30, 19 h 30 à 21 h - Menu : 25 000 L - Carte - Spécialités : cuisine régionale et internationale* ♦ *Renseignements pratiques sur la station* *p. 148.*

Le Sporting est un des bons hôtels de Zoldo Alto, nouvelle région qui mérite d'être mieux connue du tourisme et plus particulièrement du tourisme français. Près de Cortina d'Ampezzo que l'on peut rejoindre en été par une jolie route de montagne, on profite avec beaucoup de confort et à moindres frais de l'environnement exceptionnel des Dolomites. Le bois, utilisé en abondance, crée ici un décor un peu lourd dans les parties communes, plus simple dans les chambres, toutes avec balcon. Au restaurant, on vous fera goûter les spécialités de la région. Une grande terrasse solarium, une piscine, un sauna sont les compléments traditionnels d'un bon hôtel dans le sud-Tyrol. Le Sporting n'y a pas manqué. Accueil agréable.

♦ *Itinéraire d'accès (voir carte n° 11) : à 30 km au nord-ouest de Belluno par S 51 jusqu'à Longarone, puis S 251 jusqu'à Zoldo Alto.*

Hotel Valgranda ★★

Pecol
I-32010 Zoldo Alto (Belluno)
Tél. (0437) 789142 - Mme Trevisan

♦ *Ouverture du 1er décembre au 10 avril et du 10 juillet au 10 septembre* ♦ *28 chambres avec tél., s.d.b. ou douche - Prix des chambres simples et doubles : 55 000, 85 000 L - Prix des suites: 110 000 L - Petit déjeuner 15 000 L - Prix de la demi-pension et de la pension : 54 000 à 95 000 L, 71 000 à 120 000 L (par pers., 3 j. min.)* ♦ *Cartes de crédit non acceptées* ♦ *Chiens non admis - Piscine à l'hôtel* ♦ *Ski : à 300 m des remontées mécaniques* ♦ *Restaurant : service de 13 h à 14 h, 19 h à 20 h 30 - Menu : 19 500 à 25 000 L - Carte - Spécialités : gnocchi, soupe de poisson* ♦ *Renseignements pratiques sur la station* *p. 148.*

Moins connu et moins fréquenté que les autres vallées des Dolomites, le Val di Zoldo s'est récemment pourvu de tout un complexe hôtelier pour recevoir les amoureux d'une nature encore sauvage et bien préservée. L'Hotel Valgranda est un chalet moderne, construit dans le style traditionnel avec de longs balcons fleuris qui courent sur la façade. A l'intérieur, le bois est très présent : sur les murs, au plafond... Le résultat est confortable et chaleureux. Les chambres sont spacieuses pour la plupart ; les plus grandes, avec salon et salle de bains complète sont les suites qui, compte tenu du prix, valent la peine de faire une "folie". La salle à manger est gaie et l'on y sert une cuisine *casalinga* (maison). Les éclairages tamisés de la taverne sont très agréables à l'heure de l'apéritif à moins que vous ne préfériez vous détendre à la piscine.

♦ *Itinéraire d'accès (voir carte n° 11) : à 30 km au nord-ouest de Belluno par S 51 jusqu'à Longarone, puis S 251 jusqu'à Zoldo Alto.*

Les hôtels suisses que nous avons retenus sont situés dans l'Appenzell, le Valais, l'Oberland bernois, l'Engadine, les Grisons. Ces stations se sont souvent développées autour de petits villages. Quelquefois difficiles d'accès, il faut emprunter alors un chemin de fer à crémaillère ou un téléphérique. Les autocars postaux, très utilisés en Suisse, relient facilement des domaines skiables voisins, parfois inaccessibles à ski.

OFFICE NATIONAL DU TOURISME SUISSE
11, bis rue Scribe, 75009 Paris ; tél.(1) 47 42 45 45

SWISSAIR
38, av. de l'Opéra, 75002 Paris ; tél.(1) 47 42 15 96

APPENZELL

L' Appenzell est un des cantons suisses où les traditions sont encore très vivaces et où les habitants portent encore volontiers le costume traditionnel.

Située au pied de l'Alpstein, c'est une région de collines verdoyantes entre le Bodan (396 m) et le Säntis (2 502 m) parsemées de fermes très caractéristiques : tous les corps de ferme sont attenants les uns aux autres, recouverts d'écailles en bois, façade peinte et pignon sur la maison d'habitation toujours face à la vallée.

Appenzell 775 m

Appenzell est un bon point de départ pour découvrir cette région longtemps méconnue. Ce peut être aussi une étape agréable vers l'Autriche toute proche. La ville elle-même a du caractère avec ses nombreuses maisons anciennes aux facades peintes de la Hauptgasse. On découvrira aussi l'artisanat local : la broderie et les dentelles.

Renseignements pratiques

OFFICE DU TOURISME – Hauptgasse 19, tél. (071) 874111 / 871693

ACCES (VOIR CARTE N°15) – A 83 km au Nord de Chur – AEROPORT : Zürich à 97 km.

ETE – Randonnées et excursions : les chemins de fer appenzellois et les nombreux téléphériques permettent facilement de sillonner la région – Ebenalp (1640 m) à 7 km, vue superbe sur l'Appenzell, la chaîne de l'Alpstein et le lac de Constance. Si vous êtes suffisamment entraîné, vous pourrez rejoindre la chapelle troglodyte de Wirldkirchli. La principale attraction de la région est le mont Säntis (2502 m) : on y accède par la vallée de l'Ürnasch, le col d'Ürnasch et par un téléphérique. Un belvédère permet de profiter d'un exceptionnel panorama sur les Grisons, les Alpes bernoises, le Voralberg, le lac de Constance. D'ici on peut descendre en 5 h 30 vers Wasserauen au pied de l'Ebenalp.

HOTEL – Hôtel Säntis, p. 209

RESTAURANT – Restaurant de l'hôtel Hecht, tél. (071) 871027, le plus vieux restaurant de la ville, apprécié pour ses truites (au bleu ou meunière) et sa bonne cave.

GRISONS ET ENGADINE

Les Grisons et L'Engadine sont les régions les plus à l'est des cantons suisses. Forêts, glaciers et villages d'altitude créent un paysage différent. L'air y est très pur et de nombreux centres de santé se sont depuis longtemps installés dans la région. La plus grande partie de la population vit aujourd'hui de l'afflux des touristes attirés par de nombreuses stations de sport d'hiver souvent prestigieuses.

La vallée de l'Inn (ou de l'En, comme l'appellent les Romanches) s'étend du plateau de Maloja à Finstermünz avec des villages la plupart du temps situés très haut avec de nombreux lacs. Les maisons souvent peintes en blanc ont leurs façades couvertes de "sgraffito". Dans la Haute-Engadine on trouve les stations de ski et de cure ; la Basse-Engadine est très boisée avec notamment le Parc National Suisse. Deux fêtes folkloriques intéressantes : Le Chalande Marz le 1er mars, le Schlittede en janvier. En été, l'office du tourisme de la Haute-Engadine organise un peu partout des semaines de concert.

Arosa 1 775 / 2 653 m

Fréquentée depuis le début du siècle par une clientèle familiale chic, Arosa est l'une des plus anciennes stations des Grisons. Très bien située, sur un plateau parsemé de petits lacs surplombant une vallée boisée entourée de montagnes, Arosa offre, été comme hiver, de nombreuses distractions.

Renseignements pratiques

OFFICE DU TOURISME – tél. (081) 311621

ECOLE DE SKI – tél. (081) 311150

ACCES(VOIR CARTE N° 15) – A 31 km au Sud-Est de Chur – AEROPORT : Zürich à 131 km.

HIVER – Pistes de ski alpin : 70 km – Pistes de ski de fond : 30 km – Patinoire, piscine, ski-bob, piste de luge, hockey, curling, conduite sur glace, deltaplane, équitation, squash, bowling, courses de chevaux sur le lac.

ETE – Tennis, équitation, piscine, patinoire, deltaplane, pêche, golf.

HOTEL – Hôtel Alpina, p. 210

RESTAURANTS – *Chez André*, Hôtel Central, tél. (081) 311513, très apprécié pour aller dîner – *Stüva* ou *Trattoria Toscana*, tél. (081) 310331, tenu par un ancien chef de l'Aga Khan qui sait contenter aussi bien sa clientèle en robe du soir qu'en après-ski.

Davos 1560 / 2844 m

L'une des grandes stations suisses "mode" et mondaine, bien protégée par les massifs de la Weissflush sur Parsenn. Elle est constituée de deux villages, Davos-Platz et Davos-Dorf qui s'étirent sur 4 kilomètres. La principale artère est la Promenade, rue qui relie les deux Davos.

Renseignements pratiques

OFFICE DU TOURISME – Davos Platz, tél. (081) 435135

ECOLE DE SKI – tél. (081) 43717

GARDERIES – tél. (081) 437171, de 9 h à 17 h, à partir de 2 ans.

ACCES (VOIR CARTE N° 15) – A 70 km au Sud-Est de Chur – AEROPORT : Zürich à 170 km.

HIVER – Pistes de ski alpin : 320 km – Pistes de ski de fond : 75 km – Domaine skiable : liaison avec Klosters – Patinoire, hockey, curling, piste de luge, piscine, équitation, squash, bowling – Cinéma.

ETE – Patinoire, piscine, tennis, alpinisme, équitation, deltaplane, ski sur herbe, golf, pêche – Concerts.

HOTEL – Hôtel Davoserhof, p. 211

RESTAURANTS – *Trattoria Toscana*, Hôtel des Alpes, Davos-Dorf, tél. (083) 61261 : pâtes, carpaccio, antipasti - *Bündnerstübli*, 8 Dischmastrasse, Davos-Dorf, tél. (083) 53393, un tout petit res-

taurant avec beaucoup d'ambiance qui sert des spécialités locales – *Restaurant Gentiana*, 53 Promenade, Davos-Platz, un des rares bistros de Davos où l'on sert au rez-de-chaussée 8 fondues différentes – *Gasthaus Islen*, tél. (083) 35856 à Islen, très fréquenté en été, en hiver c'est le rendez-vous des skieurs, ambiance rustique – *Gasthof Landhaus* à Frauenkirche, tél. (083) 36335, décor alpin, vous pouvez prendre le menu ou le plat du jour.

Lenzerheide 1476 m

Station estivale et de sports d'hiver. Excellent point de départ pour des randonnées.

Renseignements pratiques

OFFICE DU TOURISME
tél. (081) 341588

ACCES (VOIR CARTE N° 15)
A 18 km au Sud de Chur – AEROPORT : Zürich à 118 km.

HIVER – Téléphérique pour le Parpaner Rothorn – Patinoire.

ETE – Vita parcours, piscine, tennis, golf miniature, équitation – Excursions : Parpaner Rothorn, accès par sentier de randonnées ou téléphérique. Lenzerhorn (2906 m). Piz Scalottas (2324 m), accès par sentier de randonnées de Tgantieni ou par télésiège. Stätzethorn (2574 m).

HOTEL – Hotel Guarda Val, p. 213

Klosters 1206 m

Sur Klosters plane l'ombre de la Montagne magique, de Thomas Mann. Beaucoup d'autres noms célèbres ont fait connaître ce village plus hospitalier, par sa taille et son architecture traditionnelle, que Davos et Saint-Moritz. Gore Vidal, Gene Kelly, Kirk Douglas et le Prince Charles ont fait la réputation de Klosters.

Renseignements pratiques

OFFICE DU TOURISME – tél. (081) 691877

ECOLE DE SKI – tél. (081) 691380

GARDERIE – Ecole de ski, tél. (081) 691380, à partir de 4 ans.

ACCES (VOIR CARTE N° 15) – A 55 km à l'Est de Chur – AEROPORT : Zürich à 155 km.

HIVER – Pistes de ski alpin : 113 km –Ski de fond – Domaine skiable : liaison avec Davos – Patinoire, curling.

ETE – Thermalisme, piscine ; tennis, mini-golf ; alpinisme, équitation – Excursions : Gotschnagrat (2 285 m) par téléphérique, superbe belvédère. Albeina (4 km) par télécabine de Klosters-Dorf. Schlappin (1 658 m), on y arrive en 2 h 30 environ depuis Klosters-Dorf, en remontant le Schlappintobel.

HOTEL – Hôtel Chesa Grischuna, p. 212

RESTAURANTS – *Chesa Grischuna*, tél. (083) 42222, à ne pas manquer si vous n'êtes pas à l'hôtel, réservation indispensable – *Hôtel Rufinis* à Klosters-Dorf, tél. (083) 41371, restaurant, salon de thé, délicieuses glaces et pâtisseries, terrasse – *Alte Post* à Klosters-Auja, tél. (083) 41716, dans un hameau en dehors de la ville, délicieux restaurant, grill, ambiance informelle, très fréquenté – *Hôtel Wynegg Restaurant*, tél. (083) 41340, la cuisine de ce petit hôtel a une très bonne réputation (fermé en été) – *Le Black Bird Bar* de l'Hôtel Vereina et le Bar de l'Hôtel Chesa Grischuna sont aussi très fréquentés à l'après-ski.

Bad Scuol 1244 / 2800 m

Scuol est une de ces stations où se concentrent les fermes de beauté. Bad Scuol est l'une de ces villes d'eaux les plus connues. Située sur la rive gauche de l'Inn entourée de bois, très ensoleillée, elle est sur l'axe Saint-Moritz - col de Landeck.

Renseignements pratiques

OFFICE DU TOURISME – Scuol, tél. (084) 99494

ECOLE DE SKI – tél. (084) 99494

ACCES (VOIR CARTE N° 15) – A 113 km à l'Est de Chur – AEROPORT : Zürich à 185 km.

HIVER – Pistes de ski alpin : 80 km – Pistes de ski de fond : 60 km – Patinoire, promenades en traîneau, curling, luge.

ETE – Thermalisme, piscine, tennis, golf, alpinisme, patinoire.

HOTEL – Hôtel Guardaval, p. 214

Guarda 1693 m

Le petit village de Guarda a été classé monument historique ; c'est ainsi que pour l'épargner de la trop grande circulation, on a dévié la route Milan-Munich et qu'on a mis les peintures des façades, dont certaines datent du XVIIe, sous la protection des Monuments Nationaux. Guarda est surtout une station d'été. Si l'on veut skier, on doit aller à Scuol ou à Ftan (20 à 30 mn).

Renseignements pratiques

OFFICE DU TOURISME – Guarda, tél. (084) 92342

ACCES (VOIR CARTE N° 15) – A 100 km à l'Est de Chur – AEROPORT : Zürich à 170 km.

HIVER – Pistes de ski de fond : 5 km – Promenades en traîneau.

ETE – Alpinisme, équitation – Excursions : Cabane du Tuoi (2 h 30), départ des ascensions du Piz Fliana (3 281 m) et du Piz Buin (3 312 m). Guarda-Ardez, accès par chemin balisé, on traverse Bos-Cha (voir maison Viletta) avant d'arriver à Ardez (1 464 m) village engadinois, avec de belles maisons du XVIe au XVIIIe siècles, aux façades ornées de graffitis – Eglise du XVIe.

HOTEL – Hôtel Meisser, p. 215

Pontresina 1805 m

Ce petit village s'étend sur plus d'un kilomètre. La station, qui est connue comme un grand centre d'excursions et d'alpinisme dans le massif de la Bernina, a rallié aujourd'hui les skieurs en aménageant un important domaine skiable. Station familiale traditionnelle et distinguée.

Renseignements pratiques

OFFICE DU TOURISME – tél. (082) 66488

ECOLE DE SKI – tél. (082) 67610

ACCES (VOIR CARTE N°15) – A 8 km à l'Est de Saint-Moritz – AEROPORT : Zürich à 188 km.

HIVER – Ski : funiculaire de Punt Muralg à Muottas Muralg – Liaison par car-navette avec Saint-Moritz à 8 km – Patinoire.

ETE – Alpinisme, piscine, golf, golf miniature – Très nombreuses randonnées et excursions.

HOTEL – Hôtel Rosatsch, p. 87

RESTAURANTS – *Hôtel Schweizerhof*, tél. (082) 66412, salle à manger charmante, grillades au feu de bois – *Kronenstübli*, tél. (082) 60111, deux salles, un restaurant nouvelle cuisine, un restaurant typique – *Sarazena DDC Club*, apéritif, snack pour l'après-ski – *Restaurant Locanda*, Hôtel Bernina, tél. (082) 66221, raclette, fondue, terrasse très ensoleillée, été comme hiver.

Santa-Maria 1375 m

Chef-lieu du Val Münstair, Santa-Maria possède encore quelques belles maisons anciennes comme la Casa Capol. Grand centre d'alpinisme et de randonnées.

Renseignements pratiques

ACCES (VOIR CARTE N°15) – A 85 km au Nord-Est de Saint-Moritz – AEROPORT : Zürich à 201 km.

curling, golf sur neige, conduite sur glace, promenades en traîneau, école de pilotage, équitation, squash, bowling, courses de chevaux.

ETE – Tennis, piscine, équitation, patinoire, deltaplane, voile, planche à voile, pêche, golf, ball-trap – Excursions (départ des cars et téléphérique de la gare de Saint-Moritz ou Sankt Moritz Bad). Tour du lac de Saint-Moritz (1 h). Champfér et Silvaplana en car (6 km) ou à pied (1 h 30). Le Signal et L'Alpe Giop (téléphérique) ; on peut ensuite redescendre vers Suvretta et Champfér par un sentier balisé. Corviglia et Piz Nair (5 km, funiculaire) ; de Corvaglia l'ascension du Piz Nair peut se réaliser en 1 h 30. Celerina (7 km), un chemin pédestre relie aussi Saint-Moritz à Celerina en 45 mn, soit par le bois de Kulm soit par les gorges de l'Inn ou de Charnadüra ; à Celerina, on peut voir quelques maisons anciennes (Maison Monsch du XVIIe).

HOTELS – Suvretta House, p. 225 – Hotel Chesa sur l'Ern, p. 226 – Hotel Meierei, p. 227

RESTAURANTS – *Restaurant Acla* ou "*Chez Molly*", Hôtel Schweizerhof, tél. (082) 22171, cuisine internationale avec spécialités suisses – *Grotto*, Hôtel Crystal, 1 via Traunter Piazzas, tél. (082) 21165, le meilleur endroit pour déguster la cuisine du Ticino, "Fondue piémontaise" – *Al Réduit*, Piazza Mauritius, tél. (082) 36657, trattoria typique, pizza, ouvert tard le soir, en été terrasse – *Landgasthof Meierei*, tél. (082) 33242, anciens bâtiments des Postes Suisses, y aller en taxi, ou déposer votre voiture au bout du lac près de l'hôtel Waldhaus am See et marcher 20 mn le long du lac jusqu'au restaurant – *Hanselman,* 8 via Maistra, tél. (082) 33864, très fréquenté à l'après-ski, salon de thé, brunch, snack – *La Marmite*, Corviglia Bergstation, tél. (082) 363 55, le meilleur restaurant d'altitude de la région, sophistiqué et rustique à la fois.

Parc National Suisse / Il Fuorn

Le Parc National Suisse fut créé en 1909. Il s'étend sur 143 km², couvert de forêts, avec quelquefois de belles échappées sur les chaînes montagneuses dont le groupe de Pisoc qui dresse son plus haut pic à 3 174 m. On y rencontre presque toutes les formations alpines de végétation : conifères variés, buissons de genévriers, rhododendrons, des pensées, des renoncules, des primevères... Quant à la faune, il faut se lever très tôt pour apercevoir les chamois, chevreuils et autres.

Renseignements pratiques

OFFICE DU TOURISME – tél (082) 81300

ACCES (VOIR CARTE N° 15) – A 100 km à l'Est de Chur – AEROPORT : Zürich à 170 km.

HIVER – Pistes de ski de fond : 5 km – Promenades en traîneau.

ETE – Alpinisme, équitation – Excursions : Cabane du Tuoi (2 h 30), départ des ascensions du Piz Fliana (3 281 m) et du Piz Buin (3 312 m). Guarda-Ardez, accès par chemin balisé, on traverse Bos-Cha (voir maison Viletta) avant d'arriver à Ardez (1 464 m) village engadinois, avec de belles maisons du XVIe au XVIIIe siècles, aux façades ornées de graffitis – Eglise du XVIe.

HOTEL – Hôtel Meisser, p. 215

Pontresina 1805 m

Ce petit village s'étend sur plus d'un kilomètre. La station, qui est connue comme un grand centre d'excursions et d'alpinisme dans le massif de la Bernina, a rallié aujourd'hui les skieurs en aménageant un important domaine skiable. Station familiale traditionnelle et distinguée.

Renseignements pratiques

OFFICE DU TOURISME – tél. (082) 66488

ECOLE DE SKI – tél. (082) 67610

ACCES (VOIR CARTE N°15) – A 8 km à l'Est de Saint-Moritz – AEROPORT : Zürich à 188 km.

HIVER – Ski : funiculaire de Punt Muralg à Muottas Muralg – Liaison par car-navette avec Saint-Moritz à 8 km – Patinoire.

ETE – Alpinisme, piscine, golf, golf miniature – Très nombreuses randonnées et excursions.

HOTEL – Hôtel Rosatsch, p. 87

RESTAURANTS – *Hôtel Schweizerhof*, tél. (082) 66412, salle à manger charmante, grillades au feu de bois – *Kronenstübli*, tél. (082) 60111, deux salles, un restaurant nouvelle cuisine, un restaurant typique – *Sarazena DDC Club*, apéritif, snack pour l'après-ski – *Restaurant Locanda*, Hôtel Bernina, tél. (082) 66221, raclette, fondue, terrasse très ensoleillée, été comme hiver.

Santa-Maria 1375 m

Chef-lieu du Val Münstair, Santa-Maria possède encore quelques belles maisons anciennes comme la Casa Capol. Grand centre d'alpinisme et de randonnées.

Renseignements pratiques

ACCES (VOIR CARTE N°15) – A 85 km au Nord-Est de Saint-Moritz – AEROPORT : Zürich à 201 km.

ETE – Alpinisme – Excursions : ascensions du Piz-Lad (2 882 m), du Piz Umbrail (3 033 m), Piz Terza (2 910 m) – Randonnées dans le Val Vau vers Tschuccai et le lac de Rims.

HOTEL – Hotel Chasa Capol, p. 217

Sils-Baselgia / Sils-Maria 1810 m

Sils-Maria et Sils-Baselgia se trouvent à l'ouverture de la vallée de l'Inn, à une dizaine de kilomètres de Saint-Moritz. Beaucoup préfèrent séjourner ici et profiter ainsi, à moindres frais, de leur célèbre voisine (sans compter qu'il y a de très bons hôtels dans ces deux villages). Ne manquez pas d'aller visiter à Sils-Maria, derrière l'hôtel Edelweiss, la maison où Nietzsche vécut entre 1881 et 1888, et à Grevasalvas (10 km), quelques jolies fermes anciennes dans le célèbre paysage où fut tourné "Heidi".

Renseignements pratiques

OFFICE DU TOURISME – tél. (082) 45237

ECOLE DE SKI – tél. (082) 45302

GARDERIE – tél. (082) 45302, de 10 h 30 à 16 h, à partir de 4 ans.

ACCES (VOIR CARTE N°15) – A 11 km au Sud de Saint-Moritz – AEROPORT : Zürich à 180 km.

HIVER – Pistes de ski alpin : 30 km – Pistes de ski de fond : 150 km – Patinoire, promenades en traîneau.

ETE – Ski d'été, piscine, tennis, golf-miniature, alpinisme.

HOTELS – Hôtel Margna, p. 218 – Hôtel Chesa Randolina à Sils-Baselgia, p. 219– Hôtel Edelweiss, p. 220 – Hotel Privata, p. 221

RESTAURANTS – *Chesa Marchetta*, tél. (082) 45232, Sils-Maria, très bonne cuisine, maison de Christina et Maria Godly – *Waldhaus Restaurant*, tél. (082) 45331 – *Sils-Maria*, très belle vue sur la forêt, le samedi, spécialités de la Suisse et du Ticino.

Silvaplana 1815 m

Situé entre le lac de Silvaplana et le lac Champfer, le petit village de Silvaplana est une station estivale et de sports d'hiver appréciée. A 6 km seulement de St-Moritz, Silvaplana bénéficie ainsi de tous les équipements et loisirs de la prestigieuse station.

Renseignements pratiques

OFFICE DU TOURISME – tél. (082) 48151

ACCES (VOIR CARTE N°15) – A 6 km au Sud de Saint-Moritz – AEROPORT : Zürich à 176 km.

HIVER – Ski alpin, accès aux pistes par le téléphérique de Surlej au Piz Corvatsch –

Patinoire – Randonnées et excursions. Si vous êtes un amoureux de la nature et de la montagne, ne manquer pas la visite au Corvatsch (3303 m) belvédère d'où l'on a une vue extraordinaire sur la vallée de la Haute Engadine, les lacs, le massif de la Bernina et les glaciers.

ETE – Ski d'été, piscine, tennis, équitation, alpinisme.

HOTELS – Hôtel La Staila, p.222

RESTAURANTS – *Restaurant Albana*, tél. (082) 49292, cuisine engadine dans un décor chaleureux.

Soglio 1090 m

En amont des lacs de Saint-Moritz, de Silvaplana et de Sils, on arrive par le col de Maloja dans le Val Bregaglia. Cascades, lacs, collines verdoyantes sont le décor de cette jolie vallée où l'on sent déjà l'influence italienne. Soglio occupe un site grandiose, face au cirque qui ferme le Val Bondasca.

Renseignements pratiques

ACCES (VOIR CARTE N°15) – A 35 km au S.O. de Saint-Moritz – AEROPORT : Zürich à 206 km.

ETE – A Soglio ne pas manquer de visiter la Casa Battista, où logea Rainer Maria Rilke – Randonnées et excursions : de Soglio à Saint-Moritz par le col de la Maloja visitez Sils, les lacs de Silvaplana et Sils, Piz Corvatsch et Saint-Moritz, 34 km environ.

HOTELS

Palazzo Salis, p. 223 – La Soligna p.224

Saint-Moritz 1522 / 3303 m

L'une des plus célèbres stations du tourisme helvétique. Sa situation remarquable dans la haute vallée de l'Engadine, son enneigement abondant, son ensoleillement, son air pur et sec en font une station très fréquentée depuis le XVIIIe *siècle. Station traditionnelle, mondaine et aristocratique.*

Renseignements pratiques

OFFICE DU TOURISME – Saint-Moritz-Dorf – tél. (082) 33147

ECOLE DE SKI – tél. (082) 38090

GARDERIE – tél. (082) 38090, de 3 à 4 ans.

ACCES (VOIR CARTE N°15) – A 180 km au Sud-Est de Zurich – AEROPORT : Zürich à 180 km.

HIVER – Pistes de ski alpin : 80 km – Pistes de ski de fond : 150 km – Domaine skiable : liaison par navette au domaine de Diavolezza – Patinoire, piscine, tennis, piste de luge, bobsleigh, curling, golf sur neige, conduite sur glace, promenades en traîneau, école de pilotage, équitation, squash, bowling, courses de chevaux.

ETE – Tennis, piscine, équitation, patinoire, deltaplane, voile, planche à voile, pêche, golf, ball-trap – Excursions (départ des cars et téléphérique de la gare de Saint-Moritz ou Sankt Moritz Bad). Tour du lac de Saint-Moritz (1 h). Champfér et Silvaplana en car (6 km) ou à pied (1 h 30). Le Signal et L'Alpe Giop (téléphérique) ; on peut ensuite redescendre vers Suvretta et Champfér par un sentier balisé. Corviglia et Piz Nair (5 km, funiculaire) ; de Corvaglia l'ascension du Piz Nair peut se réaliser en 1 h 30. Celerina (7 km), un chemin pédestre relie aussi Saint-Moritz à Celerina en 45 mn, soit par le bois de Kulm soit par les gorges de l'Inn ou de Charnadüra ; à Celerina, on peut voir quelques maisons anciennes (Maison Monsch du XVIIe).

HOTELS – Suvretta House, p. 225 – Hotel Chesa sur l'Ern, p. 226 – Hotel Meierei, p. 227

RESTAURANTS – *Restaurant Acla* ou "*Chez Molly*", Hôtel Schweizerhof, tél. (082) 22171, cuisine internationale avec spécialités suisses – *Grotto*, Hôtel Crystal, 1 via Traunter Piazzas, tél. (082) 21165, le meilleur endroit pour déguster la cuisine du Ticino, "Fondue piémontaise" – *Al Réduit*, Piazza Mauritius, tél. (082) 36657, trattoria typique, pizza, ouvert tard le soir, en été terrasse – *Landgasthof Meierei*, tél. (082) 33242, anciens bâtiments des Postes Suisses, y aller en taxi, ou déposer votre voiture au bout du lac près de l'hôtel Waldhaus am See et marcher 20 mn le long du lac jusqu'au restaurant – *Hanselman,* 8 via Maistra, tél. (082) 33864, très fréquenté à l'après-ski, salon de thé, brunch, snack – *La Marmite*, Corviglia Bergstation, tél. (082) 363 55, le meilleur restaurant d'altitude de la région, sophistiqué et rustique à la fois.

Parc National Suisse / Il Fuorn

Le Parc National Suisse fut créé en 1909. Il s'étend sur 143 km^2, couvert de forêts, avec quelquefois de belles échappées sur les chaînes montagneuses dont le groupe de Pisoc qui dresse son plus haut pic à 3 174 m. On y rencontre presque toutes les formations alpines de végétation : conifères variés, buissons de genévriers, rhododendrons, des pensées, des renoncules, des primevères... Quant à la faune, il faut se lever très tôt pour apercevoir les chamois, chevreuils et autres.

Renseignements pratiques

OFFICE DU TOURISME – tél (082) 81300

ACCES (VOIR CARTE N°15) – A 34 km au Nord Ouest de St-Moritz – AEROPORT : Zürich à 166 km.

ETE – Il Fuorn est le principal point de départ des randonnées pédestres à travers le parc. On peut atteindre le Pass dal Fuorn en 5 h, Munt La Schera (2 586 m) en 5 h – Scuol-Tarasp-Vulpera en 9 h par la Fuorcla Val da Botsch (2 678 m), on arrive à Sur-a-Foss (2 317 m) où s'embranche le chemin de l'Alpe Plavna, de là on descend par le Val Plavna jusqu'à Tarasp-Fontana – A Celerina, l'office du tourisme, tél. (082) 33966, organise des excursions botaniques, géologiques et minéralogiques dans le Parc National Suisse. Consulter le Petit Guide du Parc National Suisse, publié par l'Office du tourisme des Grisons-Engadine.

HOTEL – Hôtel Park Naziunal Il Fuorn, p. 228

OBERLAND BERNOIS

Très à la mode depuis le XIXe siècle, l'Oberland Bernois attire toujours le tourisme international. Pour la beauté de ses paysages chantés par Jean-Jacques Rousseau et Goethe, Byron et Shelley... Pour aussi son domaine skiable, un des mieux équipés du monde. La région d'Interlaken est très fréquentée en été mais les stations du Saanenland, Grindelwald, Kandersteg et Mürren attirent les touristes en toute saison. Région idéale pour les sportifs et les amoureux de la nature. Un ticket de vacances régional valable pour tous les transports de l'Oberland (ou presque) pendant 15 jours est en vente auprès de l'Office du tourisme.

Grindelwald 1034 / 2468 m

Appuyé contre la barrière rocheuse du Wetterhorn et la face nord de l'Eiger, Grindelwald est surnommé le village des glaciers. On y skie, comme à Wengen et Mürren toute l'année sur le Jungfraujoch, que l'on atteint par le chemin de fer à crémaillère le plus haut d'Europe (3 454 m). Station familiale et sportive.

Renseignements pratiques

OFFICE DU TOURISME – Sportzentrum, Hauptstrasse, tél. (036)531212

ECOLE DE SKI – tél. (036) 532021

GARDERIE – Ecole de ski, tél. (036) 531212

ACCES (VOIR CARTE N°14) – A 70 km au Sud-Est de Bern – AEROPORT : Bern à 70 km.

HIVER – Pistes de ski alpin : 113 km – Domaine skiable : liaison avec les domaines de First, de Kleine-Schneidegg, du Männlicher par crémaillère, avec le Jungfraujoch – Dépose en hélicoptère – Pistes de ski de fond : 32 km – Patinage, piscine, pistes éclairées, ski, bobsleigh, stade de slalom, piste de luge, hockey, curling, bowling, centre sportif.

ETE – Alpinisme, piscine, patinoire, deltaplane, pêche dans la Lütschine et le Bachalpsee – golf, poney, promenades aériennes, centre sportif. Nombreuses randonnées (carte de la région disponible à l'Office du tourisme) – Cinéma – Excursions : La Grotte Bleue, Forêt de Burglauenen, Grindelwald Faulhorn (2 681 m), accessible à pied par Bussalp ou First (2 h 30) ou Schynize Platte (4 h), point de vue superbe First (2 168 m), accès par le train à crémaillère, mais vous pouvez vous arrêter aux stations intermédiaires de Bort et de Egg pour rejoindre le sommet. Promenade au lac Bachalp – Grosse Schneidegg (1 961 m), accessible en bus (40 mn) ou à pied (3 h) Jungfraujoch (3 454 m), accessible en train de Kleine-Schneidegg. C'est là que prend sa source le plus grand fleuve de glace du monde.

HOTELS – Chalet-Hôtel Gletschergarten, p. 229 – Hotel Wetterhorn, p. 230

RESTAURANTS – *Grill Room*, Grand Hôtel Regina, tél. (036) 545455, le restaurant le plus chic de Grindelwald – *Ristorante Mercato*, Hôtel Spinne, tél. (036) 532341, spécialités italiennes – *Steakhouse*, Hostellerie Eiger, tél. (036) 532121, le meilleur steak de la ville – *Restaurant Weisses Kreuz*, tél. (036) 545492, fondue chinoise, fondue, rösti.

Gstaad 1050 / 1950 m

Au carrefour de plusieurs vallées, Gstaad était autrefois un relais pour les chevaux. Puis ce fut le lieu de villégiature d'été des Russes blancs et des familles hongroises. Le Palace qui représentait alors le summum du luxe ouvrit en 1912. La Rosey School, qui ouvrit à Tolle en 1916, fut répertoriée par le Guinness Book of World Record comme l'école la plus chère du monde... Très fréquenté encore par la Jet Society, on trouve à Gstaad un grand nombre d'hôtels de luxe. Il est aussi possible de se loger dans des auberges et des chalets-hôtels tout à fait abordables, surtout dans les petits villages environnants du Saanenland.

Renseignements pratiques

OFFICE DU TOURISME – Gstaad, tél. (030) 41055 / 44993

ECOLE DE SKI – tél. (030) 41865

ACCES (VOIR CARTE N°13) – A 90 km à l'Est de Lausanne – AEROPORT : Genève à 146 km.

HIVER – Pistes de ski alpin : 250 km – Pistes de ski de fond : 60 km – Forfait commun : un super abonnement de ski permet l'accès à toutes les pistes du Saanenland – Patinoire, piscine, tennis, tremplin de saut, ski, bobsleigh, piste de luge, curling, dépose en hélicoptère, survol en montgolfière, promenades en traîneau, manège couvert, squash, bowling, centre sportif.

ETE – Ski d'été aux Diablerets, dépose sur glacier – Alpinisme, piscine, tennis, équitation, (le centre équestre tél. (030) 42460) – ski sur herbe – Golf (18 trous), tél. (030) 42636 – Tir aux pigeons à Saanen, tél. (030) 43239 – Cinéma – Tournoi Open suisse de tennis – Festival Menuhin (août).

HOTELS – A Gstaad : Le Grand Chalet, p. 231 – Hôtel Alphorn, p. 232 – Hôtel Olden, p. 233 – Posthotel Rössli, p. 234 – A Gsteig : Hôtel Bären, p. 235 – A Feutersœy : Gasthaus Rössli, p. 236 – A Lauenen : Hôtel Alpenland, p. 237 – Hôtel Wildhorn, p. 238 – A Saanen : Hôtel Boo, p. 239 – A Saanenmöser : Hôtel Hornberg, p. 240 – A Schönried : Hôtel Ermitage Golf, p. 241 – Hostellerie Alpenrose, p. 242 – A Turbach : Gasthaus Gifferhorn Turbach, p. 243

RESTAURANTS – A Gstaad : *La Pinte*, Hôtel Olden, tél. (030) 43444, restaurant d'atmosphère, cuisine très correcte, très fréquenté à toute heure, les stars, les moniteurs, les gens du pays s'y côtoient, l'endroit le plus connu et le plus couru de Gstaad, le soir, chic, cher, incontournable – *Posthotel Rössli restaurant*, tél. (030) 43412, cuisine honnête, bonne fondue – *Le Grand Chalet* , trés bonne nouvelle cuisine – *Hotel Bernerhof restaurant*, tél. (030) 83366, carte variée, pas très cher mais aussi un très bon restaurant chinois – *L'Arc-en-ciel*, tél. (030) 83191, pizzas, grillades, ambiance familiale – *Restaurant Chlösterli*, route de Gsteig, beau décor de chalet, bonne cuisine régionale, musique – A Saanen : *Hotel Boo restaurant*, tél. (030) 41441, très bonnes grillades dans un décor sympathique – A Schönried : *Hostellerie Alpenrose restaurant*, tél. (030) 41238, très bonne nouvelle cuisine – A Feutersœy : Le Rössli, cuisine traditionnelle, d'excellentes truites de rivière – A Rougemont : *Café du Cerf*, très beau décor, la meilleure fondue, raclette – Restaurants d'altitude : *Berghaus Eggli*, tél.(030) 43069 – *Berghaus Wispile*, tél. (030) 43398 – Le très privé et très chic *Eagle club,* en haut du Waasengrat.

Kandersteg 1176 m

Kandersteg est un tranquille petit village de montagne, entre Grindelwald et Gstaad, avec encore de vieilles fermes et une jolie petite église du XVIe siècle. L'hiver, Kandersteg est surtout connu pour être le siège du ski nordique. Station traditionnelle et familiale.

Renseignements pratiques

OFFICE DU TOURISME – tél. (033) 751234

ECOLE DE SKI – tél. (033) 751352

ACCES (VOIR CARTE N°13) – A 65 km au Sud de Bern – AEROPORT : Bern à 65 km.

HIVER – Pistes de ski alpin : 13 km – Pistes de ski de fond : 75 km – Patinoire.

ETE – Baignades, tennis, mini-golf, alpinisme, équitation, patinoire – Excursions : lac Oeschinen (1 578 m) 1 h, Klus et cascades de la rivière Kander.

HOTELS – Waldhotel Doldenhorn, p. 244 – Chalet Hôtel Adler, p. 245 – Landgasthof Ruedihus, p 246

Mürren 1645 / 2971 m

Station construite sur une terrasse plein sud face aux trois grands, Eiger, Mönch et Jungfrau. Cet ancien alpage est aujourd'hui le principal accès à l'un des plus beaux panoramas de l'Oberland : le Schilthorn (2 971 m). Station sportive, sans voiture.

Renseignements pratiques

OFFICE DU TOURISME – Au Sportzentrum, tél. (036) 551616

GARDERIES – Au Sportzentrum, tél. (036) 551247, à partir de 3 ans.

ACCES (VOIR CARTE N°14) – A 65 km au Sud Est de Berne – AEROPORT : Bern à 65 km.

HIVER – Pistes de ski alpin : 50 km – Domaine skiable : liaison vers Grimmelwald – Pistes de ski de fond : 2 km – Patinoire, curling, piscine, ski, bobsleigh, squash, dépose sur glacier, salle omnisports.

ETE – Alpinisme, dépose sur glace, tennis, piscine, survol en montgolfière, pêche, squash, salle omnisports (très bien équipée, restaurant) – Excursions : Mürren-Allmendhubel (téléphérique), très beau panorama sur la vallée du Lauterbrunnen, Wengen et Kleine Schneidegg et départ de très belles randonnées – Schilthorn

(2 971 m) appelé aussi "Piz Gloria" depuis le célèbre film de James Bond (départ toutes les demi-heures en été de Grimmelwald, tél. (036) 23144) ; restaurant tournant le "Piz Gloria".

HOTEL – Hôtel Alpenruh, p. 247

RESTAURANTS – Vous trouverez les meilleures fondues et raclettes dans les nombreux restaurants d'altitude.

VAUD

Château-d'Œx 958 m

Le village de Château-d'Œx a beaucoup de caractère et beaucoup de charme. Situé dans une large vallée ensoleillée, c'était surtout une station d'été. A seulement 15 minutes de Gstaad, elle est aujourd'hui reliée au grand domaine skiable du Saanenland.

Renseignements pratiques

OFFICE DU TOURISME – tél. (029) 47788.

ECOLE DE SKI – tél. (029) 46848.

GARDERIE – Ecole de ski, tél. (029) 46848, à partir de 2 ans.

ACCES (VOIR CARTE N°13) – A 77 km à l'Est de Lausanne – AEROPORT : Genève à 133 km.

HIVER – Pistes de ski alpin : 50 km – Pistes de ski de fond : 31 km reliant Château-d'Œx à Gstaad. Domaine skiable : liaison avec le domaine skiable du Saanenland – Patinoire.

ETE – Piscine chauffée, tennis, équitation, pêche, minigolf – Excursions : Col des Mosses (13 km), Le Pra Perron, La Braye (1 780 m) accès par téléphérique, le Chalet de la Pierreuse (1 520 m) au cœur du parc naturel de la Pierreuse, accès par les Granges et Gerignoz, (2 h).

HOTEL – Hostellerie de Bon Accueil, p. 112.

RESTAURANTS – *Bon Accueil*, tél. (029) 46320, délicieux restaurant dans un cadre rustique raffiné, carte et menu dégustation – *Le Café de Bossons*, Hôtel Résidence La Rocaille, tél. (029) 46215, fromagerie, ambiance informelle – *La Taverne*, Hôtel Beau Séjour, tél. (029) 47423, fondues, crêpes dans la salle des Chevaliers – *Cellar Bar*, bar de l'hôtel Bon Accueil ouvert de 21 heures à 2 heures, détour indispensable.

Villars-sur-Ollon 1300 m

Au cœur des Alpes vaudoises, adossée aux pentes boisées du Chamossaire, la station s'étend sur 3 villages : Villars, le plus animé, Chesières et Arveyes. Station familiale et traditionnelle, très fréquentée par les Genevois.

Renseignements pratiques

OFFICE DU TOURISME – tél. (025) 353232

ECOLE DE SKI – tél. (025) 352210

GARDERIE – Ecole de ski, tél. (025) 353907, de 3 à 12 ans, enfants skieurs – Club de vacances Pré Fleuri, tél. (025) 352348, de 3 à 12 ans, skieurs et non-skieurs.

ACCES (VOIR CARTE N°13) – A 55 km au S.E. de Lausanne – AEROPORT : Genève à 111 km.

HIVER – Pistes de ski alpin : 130 km – Domaine skiable : liaison avec les Diablerets – Pistes de ski de fond : 20 km – Patinoire, piscine, tennis, stade de slalom, ski, bobsleigh, curling, manège couvert, bowling – Cinéma à partir de mars.

ETE – Ski sur glacier aux Diablerets – Alpinisme, tennis, équitation, piscine, patinoire, deltaplane, pêche, ball-trap, curling, golf, bowling.

HOTEL – Hôtel du Golf et Marie-Louise, p. 249

RESTAURANTS – *Chez Pepino*, Eurotel, route des Layeux, bonne cuisine dans une ambiance sympathique – *La Taverne*, Grand Hôtel du Parc, tél. (025) 352121, connue pour la fondue et la raclette.

VALAIS

Cette haute vallée du Rhône bien protégée par les montagnes est très ensoleillée avec un climat très égal toute l'année. Les cols du Grand-Saint-Bernard et du Simplon en font le passage privilégié vers l'Italie et la vallée du Rhône. On y parle le français entre Genève et Sierre tandis que plus à l'est on parle un dialecte allemand. Très bien desservie par les vols internationaux à l'aéroport de Genève.

Crans-Montana 1500 / 3000 m

Station artificielle, une des plus grandes du Valais, dans une région de lacs au-dessus de Sierre. La station est formée de Montana, la plus ancienne, et de Crans, la plus mondaine.

Renseignements pratiques

OFFICE DU TOURISME – tél. (027) 412132

ECOLE DE SKI – Crans, tél. (027) 411320 - Montana, tél. (027) 411480

GARDERIES – Bibi Land, tél. (027) 418142, à partir de 2 ans – Fleur des Champs, tél. (027) 412367, de 2 mois à 12 ans.

ACCES (VOIR CARTE N°13) – A 20 km, de Sion – AEROPORT : Genève à 195 km.

HIVER – Pistes de ski alpin : 150 km – Domaine skiable : liaison avec Aminona 1 500 – Pistes de ski de fond : 52 km – Patinoire, tennis, piscine, ski, bobsleigh, piste de luge, pilotage en montagne, deltaplane, parachutisme, vol en montgolfière, curling, manège couvert – Cinéma, casino-Kursaal.

ETE – Ski sur glacier, alpinisme, tennis, équitation, piscine, patinoire, vol en montgolfière, pêche, baignade, voile, bowling, golf – Cinéma, casino-Kursaal.

HOTEL – Les Hauts de Crans, p. 250

RESTAURANTS – *Restaurant de la Côte*, Corin-Sur-Sierre, tél. (027) 551351, le restaurant gastronomique de la région – *Auberge de la Diligence*, Montana, tél. (027) 411328, taverne rustique, spécialités du Valais et de l'Italie - *La Trappe*, Hôtel Cisalpin, tél. (027) 412425, décor de montagne, spécialités valaisannes, fondue Bacchus, raclette - *Le Pavillon Montana*, tél. (027) 412469, snack toute la journée, bonne cuisine du marché, terrasse en été - *Restaurant du Cervin*, Vermala, tél. (027) 112180, tous les soirs raclette, très bonnes viandes au feu de bois, terrasse ensoleillée, agréable en toute saison.

Grimentz 1570 / 2900 m

Village traditionnel du Val d'Anniviers, situé précisément à l'entrée du Val Moiry, Grimentz est connu pour son hospitalité, ses vieux chalets fleuris et un sympathique petit vin d'altitude le "vin des glaciers".

Renseignements pratiques

OFFICE DU TOURISME – tél. (027) 651493

ACCES (VOIR CARTE N°13) – A 32 km au Sud-Est de Sion – AEROPORT : Genève à 219 km.

HIVER – Ski de fond – Ski alpin télécabine à 2 km pour Bendola (2 100 m) et de là, remontées mécaniques pour les Becs des Bosson (2 900) – Piscine, curling, patinoire.

ETE – Piscine, tennis, minigolf – Randonnées et excursions : Lac et cabane de Moiry, Pas de Lona, Col de Torrent, Zinal et le glacier de Zinal.

HOTEL – Hotel de Moiry, p. 251

Riederalp 1930 m

On est dans cette région au cœur même de la montagne. On trouve ici de nombreux villages montagnards d'où partent d'admirables excursions. On accède à Riederalp par téléphérique à partir de Mörel. Le site est admirable. C'est ici que se trouve le Centre écologique du pays d'Aletsch.

Renseignements pratiques

ACCES (VOIR CARTE N°14) – A 61 km à l'Est de Sion – AEROPORT : Genève à 236 km.

HIVER – Ski à Bettmeralp (1 950 m), 3 km.

ETE – Alpinisme : ascension du Riederhorn (2 233 m), à partir de Riederfurka – Excursions : Fieschertal (1 100m) à 3 km, accès en car, Eggihorn (2 927 m) à 3 km, accès en téléphérique à partir de Kuhboden, ascension en 5 h, de là très belle vue sur le glacier d'Aletsch, le plus grand de la Suisse.

HOTEL – Hotel Riederhof, p. 252

Saas Fee 1790 m

Au pied du glacier de Fee et accroché à la chaîne des Mischabel, cet ancien village est communément appelé "la perle des Alpes". Cette région offre toute l'année de nombreuses ressources aux touristes qui aiment la montagne. Village piéton.

Renseignements pratiques

OFFICE DU TOURISME – tél. (028) 571457

ECOLE DE SKI – tél. (028) 572348

ACCES (VOIR CARTE N°14) – A 56 km au Sud Est de Sion – AEROPORT : Genève à 231 km.

HIVER – Pistes de ski de fond : 8 km – Pistes de ski alpin : téléphérique pour Felskinn (3 000 m) et de

Spielboden à Längfluh (2 870 m) – Télécabine pour Hannig, Plattjen (2 567 m) et Spielboden – Randonnées : 20 km de sentiers balisés – Patinoire, curling, luge, palais des glaces sur le Mittelallalin, tennis.

ETE – Alpinisme, tél. (028) 572348, ski d'été, tél. (028) 571414, tennis, minigolf, mountain-bike, piscine – Randonnées et excursions : 280 km de sentiers balisés – Mellig (2 700 m), accès par télécabine, promenade en forêt par l'Alpenblick et Hannig. Cabane des Mischabel. Längfluh (2 870 m) et la grotte du glacier. Felskinn (3 000 m), 3 téleskis fonctionnent toute l'année, ski d'été. Plattjen (2 567 m), d'où l'on a une vue superbe sur la vallée de Saas-Fee.

HOTEL – Waldhotel Fletschhorn, p. 253

RESTAURANT – *Waldhotel Fletschhorn*, le meilleur restaurant de Saas-Fee – *Sans Souci*, taverne rustique du Gran Hotel, musique – Bar de l'hôtel Beau Site, ambiance intime.

Zermatt 1620 / 3820 m

Zermatt est un petit village, devenu célèbre quand Edward Whymper, alpiniste anglais entreprit, entre 1861 et 1865, plusieurs ascensions du Cervin (Matterhorn). Le 14 juillet 1865, il devint le premier homme à vaincre le sommet, par la face suisse. Trois jours plus tard, un guide italien, Jean- Antoine Carrel, réussissait l'ascension, côté italien. Zermatt se divise en deux, une rue commerçante proche de la gare, jalonnée d'hôtels. Au-delà de l'église se trouvent les vieux chalets et leurs mazots. Station sportive, traditionnelle, chic, sans voitures.

Renseignements pratiques

OFFICE DU TOURISME – Bahnhofplatz, tél. (028) 661181

ECOLE DE SKI – tél. (028) 672451 – Ecole de ski d'été : "Haus Lerjen", tél. (028) 675444, de 17 h à 19 h.

GARDERIES – Kinderheim Theresia, tél. (028) 672096, Seiler's Kindergarten, tél. (028) 661121.

ACCES (VOIR CARTE N°13) – A 77 km au Sud-Est de Sion – Route jusqu'à Täseh – Parking (2000 places) – Trains-navette pour rejoindre Zermatt – AEROPORT : Genève à 252 km.

HIVER – Pistes de ski alpin : 130 km (260 ha de pistes) – Trois domaines skiables : Gornergrat-Stockhorn ; le Blauherd-Unter Rothorn, accès par le métro des neiges ; le Schwarzsee-Theodul, accès par Furi ; c'est par le col Theodul (Testa Grigia) que vous pourrez rejoindre Cervinia pour le déjeuner – Haute route Chamonix-Zermatt-Saas Fee (4/5 jours), passage par le Pigne d'Arolla (3 796 m). Nuitées possibles au refuge d'Argentière, à la Cabane Montfort (Suisse), à la Cabane des Dix, à la Cabane des Vignettes gardée à partir de Pâques. Superbe dernière étape avec vue insolite sur le Cervin – Patinoire, piscine, tennis, dépose sur glacier, curling, squash, bowling, salle omnisports – Cinéma, le musée alpin.

ETE – Alpinisme, ski sur glacier (stages et cours de ski d'été), dépose sur glacier – Piscine, tennis, équitation, squash, golf – Cinéma, le musée alpin – Excursions : Le Gornergrat, à Riffelberg, on a une vue spectaculaire sur le Mont Cervin. Schwarzsee (le lac Noir). Klein Matterhorn, terrasse panoramique d'où l'on aperçoit le mont Blanc par temps clair. "Autour du Cervin", vol en hélicoptère de 20 mn – Dépose pour les skieurs sur le glacier Théodul (Testa Grigia) Air Zermatt, Heliport Zermatt, tél. (028) 67 34 87

HOTELS – Seiler Hôtel Mont Cervin, p. 254 – Hôtel Julen, p. 255 – Hôtel Romantica, p. 256

RESTAURANTS – *Le Mazot*, tél. (028) 672777, considéré comme le meilleur restaurant de Zermatt – *Otto Furrer Stube*, tél. (028) 633520, cuisine régionale "de grand-mère", fondue, raclette – *Le Gitan*, Hôtel Darioli, tél, (028) 671098, restaurant rustique, viandes, fondue – *Spaghetti Factory*, Hôtel Post, tél. (028) 671932, le restaurant le plus couru de Zermatt, même pour un en-cas après le ski, réservation. Bar.

ZURICH

Regensberg 1930 m

A 17 km de Zürich, ce petit village médiéval est resté pratiquement tel qu'il était. Dominant le hameau, le château construit en 1245, appartint d'abord aux Habsbourg avant de devenir la propriété des barons de Regensberg. Belle vue sur les vignobles et les collines de Lägern.

ACCES (VOIR CARTE N°14) – A 17 km de Zurich – AEROPORT : Zürich à 17 km.

HOTEL – Hotel Rote Rose, p. 257

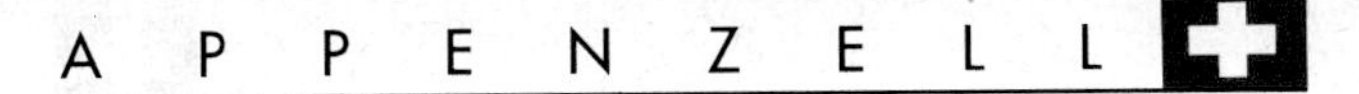

1992

Hôtel Säntis ***

Landsgemeindeflatz
CH - 9050 Appenzell
Tél. 071 878722 - Fax 071 874842
Famille J. Heeb

♦ *Ouverture du 1er mars au 31 décembre* ♦ *30 chambres avec tél. direct, s.d.b. ou douche, w.c., t.v et minibar* ♦ *Prix des chambres simples et doubles : de 90 à 140 FRS, 140 à 220 FRS - Petit déjeuner compris, servi de 7 h à 10 h* ♦ *Prix de la demi-pension et pension : + 30 FRS, + 50 FRS (par pers., 3 jours min.)* ♦ *Amex, Visa* ♦ *Chiens admis avec 5 et 10 FRS de supplément - Parking à l'hôtel* ♦ *Restaurant : service de 11 h 30 à 14 h, de 18 h 30 à 22 h - Menu : 52 FRS - Carte - Spécialités : cuisine française et régionale* ♦ *Renseignements pratiques sur la station p. 190.*

Dans un décor de pastorale fait de collines verdoyantes et de fermes cossues, Appenzell est le canton traditionnel de la Suisse "primitive" de l'est où l'on peut encore assister aux fameuses cérémonies où les citoyens votent à mains levées. Impossible de manquer l'hôtel Säntis, sur la place principale, sa façade aux couleurs vives attire immédiatement l'attention. A l'intérieur, vous trouverez de belles poutres peintes, de lourdes portes en bois, de grandes épées, symboles traditionnels de dignité. Les chambres bien que très confortables ne sont pas toutes décorées avec goût ; on préfèrera celles au cachet typique, comme la n° 224. Pour les repas il y a le choix entre la classique et intime *Stube* aux panneaux et plafond recouverts de bois ou une salle à manger plus formelle. Même si la cuisine se veut plus française (à part quelques spécialités du pays) que régionale, elle vous satisfera.

♦ *Itinéraire d'accès : (voir carte n° 15) : à 83 km au nord de Chur.*

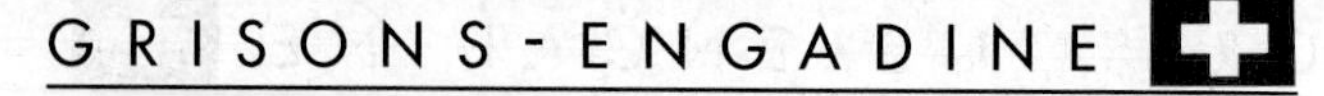

Hotel Alpina ★★★

CH-7050 Arosa
Tél. 081-311658 - Fax 081-313752
M. Eberhard

♦ *Ouverture du 15 décembre au 25 avril et du 15 juin au 5 octobre* ♦ *35 chambres avec tél., s.d.b., douche ou lavabo, w.c. et t.v. - Prix des chambres simples et doubles en demi-pension : 85 à 130 FRS, 95 à 130 FRS (par pers., 3 j. min.) - Prix des suites : 95 à 140 FRS - Petit déjeuner : 15 FRS* ♦ *Amex, Diners, Visa, Eurocard* ♦ *Chiens admis avec 8 FRS de supplément - Sauna, solarium, garage (9 FRS) à l'hôtel* ♦ *Ski : départ de l'hôtel - Golf de Maran, 9 trous* ♦ *Pas de restaurant à l'hôtel* ♦ *Renseignements pratiques sur la station p. 191.*

A Arosa, on trouve surtout des hôtels modernes aux façades tristes et uniformes. L'hôtel Alpina est quant à lui un vrai chalet situé très près du centre, mais très tranquille. Des meubles achetés dans la vallée décorent les pièces communes de l'hôtel où se marient heureusement le bois et le revêtement clair des murs. Un mobilier plus conventionnel se trouve dans les chambres. Celles en façade ont des loggias et une vue magnifique sur le lac d'Untersee, celles de l'annexe ont la vue sur les sapins. Le restaurant sert une cuisine bourgeoise et savoureuse. Point de départ d'innombrables randonnées à travers les forêts romantiques et les descentes de ski.

♦ *Itinéraire d'accès (voir carte n° 15) : à 31 km au sud-est de Chur.*

Hotel Davoserhof ★★★

CH-7270 Davos-Platz
Tél. 081-436817 - Fax 081-431614
M. Petzold

♦ *Ouverture du 15 juin au 15 avril* ♦ *24 chambres avec tél. direct, s.d.b. ou douche, w.c., t.v. et minibar - Prix des chambres simples et doubles : 95 à 130 FRS, 264 à 330 FRS (en hiver) - 72 à 78 FRS, 134 à 146 FRS (en été) - Petit déjeuner compris, servi de 7 h 30 à 10 h 30 - Prix de la demi-pension et de la pension : + 40 FRS, + 30 FRS (par pers., 3 j. min.)* ♦ *Amex, Visa, Diners* ♦ *Chiens non admis - garage à l'hôtel (10 FRS)* ♦ *Ski : skibus devant l'hôtel - Golf club de Davos, 18 trous* ♦ *Restaurant : service de 12 h à 14 h, 18 h à 22 h - Fermeture le lundi en été - Spécialités : cuisine du marché et cuisine italienne* ♦ *Renseignements pratiques sur la station p. 192.*

L'hôtel Davoserhof est une grande bâtisse rectangulaire vieille de deux cent cinquante ans dont les couleurs sont celles du drapeau suisse : murs blancs et balcons aux géraniums rouges. Il est situé au cœur de Davos, à deux minutes à peine des remontées mécaniques et jouit d'une belle vue sur les montagnes. A l'intérieur règne une atmosphère montagnarde où le bois est partout présent. Les chambres et les salles de bains sont tout à fait accueillantes et offrent tout le confort qu'on peut attendre d'un bon hôtel suisse. Deux d'entre elles bénéficient d'un petit balcon plein sud. L'endroit est très réputé pour sa cuisine et il est considéré comme une des meilleures tables des Grisons. Un bar ouvert tard permet d'agréables moments d'après-ski.

♦ *Itinéraire d'accès (voir carte n° 15) : à 70 km à l'est de Chur par Klosters.*

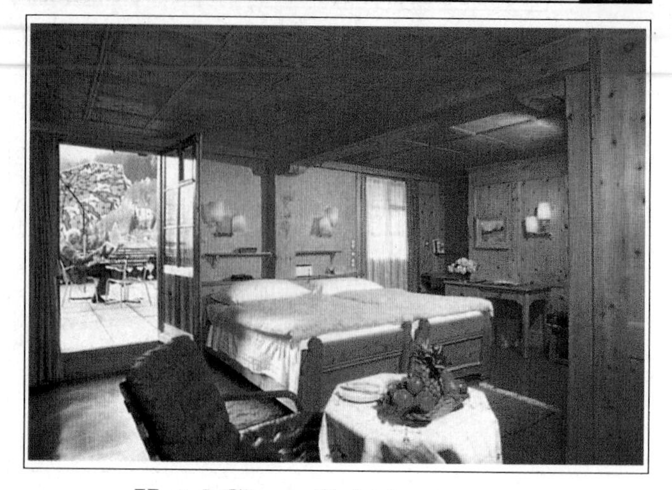

Hotel Chesa Grischuna ★★★★

Bahnhofstrasse
CH-7250 Klosters
Tél. 081-692222 - Fax 081-692225
Famille Guler

♦ *Ouverture de juin à avril* ♦ *26 chambres avec tél.direct, (17 avec s.d.b. ou douche, w.c.), t.v. sur demande - Prix des chambres simples et doubles : 95 à 210 FRS, 170 à 390 FRS - Petit déjeuner compris, servi de 7 h à 10 h - Prix de la demi-pension et de la pension : + 30 FRS, (par pers.)* ♦ *Amex, Visa, Eurocard, Mastercard, Diners* ♦ *Chiens admis avec 8 à 12 FRS de supplément* ♦ *Ski : à 300 m du téléphérique - Golf club de Davos, 18 trous* ♦ *Restaurant : service de 12 h à 14 h, 19 h à 22 h 30 - Menu : de 15 à 31 FRS (déjeuner), 45 à 58 FRS (dîner) - Spécialités : salade Chesa, carré d'agneau, truite du pays* ♦ *Renseignements pratiques sur la station p.193.*

Chesa Grischuna est l'hôtel de charme de Klosters. Charme d'une authentique auberge de village qui n'en accueille pas moins des personnalités et des célébrités. La simplicité n'affecte en rien le confort et la distinction de l'hôtel. Les chambres sont de taille et de confort différents mais toutes ont beaucoup d'atmosphère. La salle à manger, toute lambrissée sert une délicieuse cuisine. Le soir, on peut prendre un verre au bar où viennent encore les gens du village, ou se régaler d'une raclette dans les caves du bowling. L'accueil de surcroît très chaleureux, fait de cette auberge une des meilleures adresses en Suisse.

♦ *Itinéraire d'accès (voir carte n° 15) : à 55 km à l'est de Chur.*

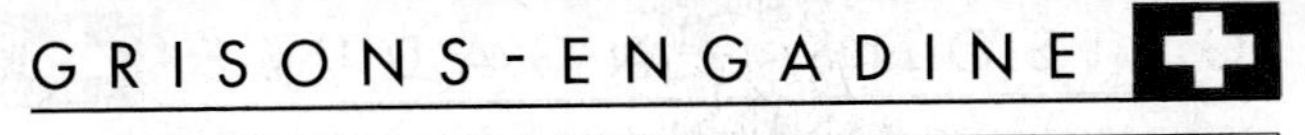

Hotel Guarda Val ★★★★

Sporz
CH-7078 Lenzerheide
Tél. 081-342214 - Fax 081-344645 - M. Wehrle

♦ *Ouverture du 20 décembre au 21 avril et du 20 juin au 20 octobre* ♦ *34 chambres avec tél. direct, s.d.b. ou douche, w.c. t.v. et minibar- Prix des chambres simples et doubles : 130 à 190 FRS, 260 à 320 FRS - Prix des suites : 350 à 410 FRS - Petit déjeuner compris, servi de 7 h 30 à 10 h 30 - Prix de la demi-pension : + 48 FRS (par pers., 3 j. min.)* ♦ *Cartes de crédit acceptées* ♦ *Chiens admis avec supplément - Tennis, sauna, solarium, massage à l'hôtel* ♦ *Ski : départ de l'hôtel - Golf de Lenzerheide, 18 trous* ♦ *Restaurant : service de 12 h à 14 h, 18 h 30 à 21 h - Fermeture le lundi - Carte* ♦ *Renseignements pratiques sur la station p.193.*

Sporz est un charmant petit village qui domine la station de ski de Lenzerheide. Ancienne halte pour les paysans qui menaient leur troupeau aux alpages d'été, il était menacé d'abandon. Le Guarda Val lui a insufflé une vie nouvelle en s'installant en 1971 dans une des fermes en bois et en s'agrandissant au fur et à mesure des maisons désertées. L'hôtel occupe maintenant dix des habitations typiques de la région ; il y règne une ambiance luxueuse dans un cadre rustique. Les chambres, toutes différentes, sont extrêmement confortables et douillettes, et bien sûr, le bois y est roi. Pour la plus grande joie des skieurs qui rentrent affamés des pistes, un restaurant sert, sans interruption, des spécialités régionales. Un second restaurant, plus formel, propose une cuisine française très "nouvelle". Les petits déjeuners sont un véritable régal et on peut s'installer sur la terrasse face aux pics enneigés. Cet hôtel est un endroit unique où le luxe et le confort n'ont en rien gâché l'authenticité.

♦ *Itinéraire d'accès (voir carte n° 15) : à 18 km au sud de Chur.*

Hotel Guardaval ★★★★

CH-7550 Bad Scuol
Tél. 084-91321 - Fax 084-99767
M. Regi

♦ Ouverture du 15 décembre au 15 avril et du 1er juin à fin octobre ♦ 50 chambres avec s.d.b., douche ou lavabos, t.v. sur demande (5 FRS) - Prix des chambres avec lavabo : 70 à 95 FRS - Prix des chambres simples et doubles : 110 à 160 FRS, 100 à 150 FRS - Petit déjeuner 9 FRS, servi de 7 h à 10 h - Prix de la demi-pension : 90 à 150 FRS (par pers., 3 j. min.) ♦ Amex, Eurocard et Visa ♦ Chiens admis avec 5 FRS de supplément - Bain turc, sauna, solarium à l'hôtel ♦ Ski : à 500 m des remontées mécaniques - Golf 9 trous ♦ Restaurant : service de 11 h 30 à 14 h, 18 h 45 à 20 h - Menu : 25 FRS - Carte ♦ *Renseignements pratiques sur la station p. 194.*

Bad Scuol faisait partie de ces villes d'eau d'Engadine très fréquentées au siècle dernier par une clientèle européenne. Aujourd'hui encore c'est une région très appréciée pour des vacances d'été et d'hiver. Situé un peu à l'écart du village, le Guardaval occupe une maison datant de 1691. L'intérieur a complètement été remodelé : dans une architecture très dépouillée, on a gardé les voûtes, les poutres d'origine et les portes en bois sculpté. Un joli mobilier ancien en bois peint décore les différents petits salons qui se succèdent sur les différents niveaux. Partout de jolis bibelots en cuivre, des trophées, des bouquets de fleurs fraîches. Les chambres se répartissent entre la maison principale et une annexe. Décorées simplement mais néanmoins confortables, la plupart ont une belle vue sur la vallée.

♦ Itinéraire d'accès (voir carte n° 15) : à 113 km à l'est de Chur par Klosters.

Hotel Meisser ★★★

CH-7545 Guarda
Tél. 084-92132 - Fax 084-92480
M. Meisser

♦ *Ouverture du 1er juin au 31 octobre* ♦ *22 chambres , (19 avec tél. direct, s.d.b. ou douche, w.c.) - Prix des chambres simples et doubles : 65 à 95 FRS, 125 à 185 FRS - Petit déjeuner compris - Prix de la demi-pension : de 95 à 120 FRS (par pers., 3 j. min.)* ♦ *Cartes de crédit acceptées* ♦ *Chiens admis avec supplément* ♦ *Ski : ski de fond* ♦ *Restaurant : service de 11 h 30 à 21 h - Menu : 26 FRS - Spécialités : cuisine engadine* ♦ *Renseignements pratiques sur la station* *p. 194.*

Sur la route de Klosters, on aperçoit sur la pente sud de la montagne un petit village perché ; en faisant un détour, on découvre avec émerveillement les maisons blanches engadines bordant une petite rue centrale. Les portes sont sculptées en trompe-l'œil, les murs sont ornés de fresques et d'inscriptions gothiques, des fontaines en bois ruissellent, entourées de géraniums... Là, un charmant petit hôtel, le Meisser, attend les promeneurs. Sa terrasse ombragée domine toute la vallée et les montagnes. Des repas froids ou chauds peuvent être servis sur la terrasse, mais vous trouverez à l'intérieur tout le confort et une décoration coquette. Pas de bruit de voitures : le silence s'accorde avec la majesté du paysage. A proximité, Scuol (quinze kilomètres) et Ftan (dix kilomètres) et tous les avantages d'une grande station de ski.

♦ *Itinéraire d'accès (voir carte n° 15) : à 100 km à l'est de Chur.*

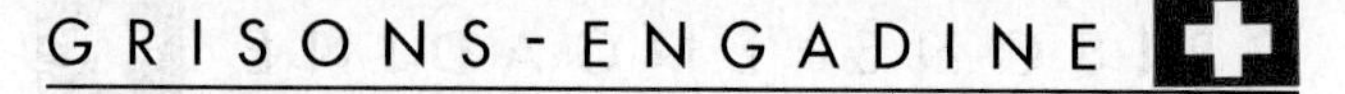

Hotel Rosatsch ★★★

CH-7504 Pontresina
Tél. 082-67777 - Télex 852 562 - Fax 082-67836
M. et Mme Albrecht

♦ *Ouverture du 1er décembre au 30 avril et du 1er juin au 30 octobre* ♦ *35 chambres avec tél. direct, s.d.b. ou douche, w.c. et t.v. - Prix des chambres en demi-pension : 112 à 142 FRS (par pers.) - Petit déjeuner compris* ♦ *Cartes de crédit acceptées - Piscine couverte, sauna, whirlpool à l'hôtel* ♦ *Ski : à 3 mn des remontées mécaniques - Golf de Pontresina* ♦ *Pas de restaurant à l'hôtel* ♦ *Renseignements pratiques sur la station* *p. 195.*

A quelques kilomètres de la station internationale de St. Moritz, Pontresina bénéficie de cette proximité tout en gardant une ambiance plus familiale et décontractée. Le Rosatsch, situé au cœur du village, est une grande bâtisse, mi-hôtel, mi-résidence. Les chambres sont très conventionnelles, mais très confortables. De nombreux salons et plusieurs restaurants sont là pour satisfaire tous les goûts. Club de jeunes, club d'enfants permettent aussi aux familles de passer un séjour plus reposant. Espace détente, espace esthétique et piscine offrent encore la possibilité de vivre d'agréables vacances.

♦ *Itinéraire d'accès (voir carte n°15) : à 8 km à l'est de St. Moritz.*

Hotel Chasa Capòl ★★★★

CH-7536 Santa Maria
Tél. 082-85728
M. Schweizer

♦ *Ouverture toute l'année* ♦ *20 chambres , (15 avec s.d.b. ou douche, w.c.) - Prix des chambres simples et doubles : 50 à 113 FRS, 85 à 197 FRS - Prix des suites: 105 à 225 FRS - Petit déjeuner compris - Prix de la demi-pension : + 30 FRS (par pers., 3 j. min.)* ♦ *Cartes de crédit non acceptées* ♦ *Chiens admis avec supplément - Piscine extérieure chauffée, boccia ; théâtre privé à l'hôtel* ♦ *Ski : à Müstair (4 km)* ♦ *Restaurant : service de 12 h à 14 h 30, 19 h à 21 h 30 - Menu : 35 à 70 FRS - Carte - Spécialités : Chaina dals Chavallers, Giantar da las Ursulinas* ♦ *Renseignements pratiques sur la station p. 195.*

Dans une belle vallée de l'Engadine, on découvre avec bonheur le village de Santa Maria. Chasa Capòl se trouve dans la rue principale. La façade de cette maison, ancienne résidence officielle du comte Capòl, administrateur de la vallée, est austère avec une belle porte sculptée en pin simho. Aujourd'hui, M. et Mme Schweizer prennent soin de ce patrimoine. Le mot n'est pas trop fort compte tenu des meubles, lampes, tableaux et autres armures qui décorent tout l'hôtel. Les chambres sont toutes différentes et donnent pour la plupart sur le jardin. Le décor n'est pas grandiose, mais très chaleureux. Le restaurant se trouve dans la salle des Chevaliers, les spécialités engadines sont délicieuses. Une petite chapelle renferme quelques icônes précieuses et le théâtre est un véritable petit musée : sur la scène, un des plus grands pianos du monde et sur les gradins, des fauteuils Louis-Philippe en velours vert pâle avec quelques noms célèbres, Geza Anda, Willy Burgel, Charlie Chaplin, Romy Schneider qui résidèrent à l'hôtel.

♦ *Itinéraire d'accès (voir carte n° 15) : à 85 km au nord-est de St. Moritz par Zernez.*

Hotel Margna ★★★★

CH-7515 Sils-Balsegia
Tél. 082-45306 - Télex 852 296 - Fax 082-45470
M. Müssgens

♦ *Ouverture de décembre à avril et de juin à octobre* ♦ *75 chambres avec tél., s.d.b., w.c. t.v. et minibar - Prix des chambres simples et doubles : 135 à 185 FRS, 250 à 310 FRS - Prix des suites : 400 FRS - Petit déjeuner compris, servi à partir de 7 h - Prix de la demi-pension et de la pension : + 30 FRS, + 60 FRS (par pers.)* ♦ *Cartes de crédit non acceptées* ♦ *Chiens admis avec supplément - Tennis, bain turc, sauna, massage à l'hôtel* ♦ *Ski: à 1 km des remontées mécaniques ; ski à Saint-Moritz 11 km - Golf de Samedan, 18 trous* ♦ *Restaurant : service de 11 h 30 à 14 h, à partir de 19 h 30 - Carte* ♦ *Renseignements pratiques sur la station p. 196.*

Construit en 1817, l'hôtel n'a cessé de s'agrandir en conservant malgré tout son atmosphère intime. Admirablement situé entre deux lacs, dans un paysage de montagne magnifique, on profite été comme hiver de cet environnement exceptionnel : promenades en forêt, escalades ou ski dans le superbe complexe de St. Moritz. Dès l'entrée, on est séduit par l'atmosphère de l'hôtel : le feu crépite dans la cheminée du salon, les éclairages sont doux, les meubles et les tableaux anciens sont bien choisis ; les chambres sont toutes charmantes et raffinées, la 49 a une vue exceptionnelle sur les prairies et sur le lac. Une merveilleuse adresse.

♦ *Itinéraire d'accès (voir carte n° 15) : à 11 km au sud de St. Moritz.*

1992

Chesa Randolina

CH - 7515 Sils-Baselgia
Tél. (082) 45224

♦ *Ouverture de Noël au 30 avril et du 1er juin au 31 octobre* ♦ *30 chambres avec tél. (15 avec douche, s.d.b et w.c)* ♦ *Prix des chambres doubles en demi-pension : de 100 à 270 FRS (par pers., 3 j. min.) - Petit déjeuner compris* ♦ *Cartes de crédit acceptées* ♦ *Petits chiens admis - Parking à l'hôtel* ♦ *Ski : à 200 m des remontées mécaniques ; ski à Saint-Moritz 11 km - Golf de Samedan, 18 trous* ♦ *Restaurant : service de 12 h 30 à 13 h 30, 19 h à 20 h 30 - Menu et carte - Spécialités ; cuisine régionale* ♦ *Renseignements pratiques sur la station p. 196.*

Adossée à la montagne, Chesa Randolina est une maison typiquement engadinoise avec sa façade rose orangé ornée de motifs de stuc blanc. La voûte qui abrite la porte d'entrée est elle aussi ornée de motifs régionaux. A l'intérieur, le pin a été utilisé de partout, sur les murs, sur le sol, pour les meubles. Les nappes, les coussins, les rideaux rouges pour la plupart créent une atmosphère très accueillante et très gaie. Dans les chambres, on a choisi des tons de jaunes et de bruns ; mais si toutes sont confortables, toutes cependant n'ont pas de salle de bains. Un hôtel simple et raffiné à la fois.

♦ *Itinéraire d'accès (voir carte n° 15) : à 11 km au sud de St-Moritz.*

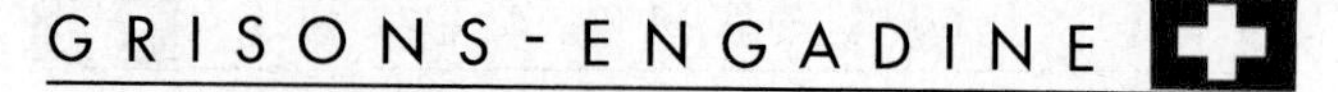

Hotel Edelweiss ★★★★

CH-7514 Sils-Maria
Tél. 082-45222 / 45551 - Télex 852 235 - Fax 082-45522
M. Brüggemann

♦ *Ouverture toute l'année sauf en mai et en novembre* ♦ *130 chambres avec tél., s.d.b. ou douche, w.c. - Prix des chambres simples et doubles : 105 à 170 FRS, 210 à 370 FRS - Prix de la demi-pension : 240 à 340 FRS, 300 à 400 FRS (2 pers.) - Petit déjeuner compris, servi de 8 h à 10 h* ♦ *Cartes de crédit acceptées - Sauna à l'hôtel* ♦ *Ski : skibus gratuit à 50 m de l'hôtel - Golf de Samedan à 20 km, 18 trous* ♦ *Restaurant : service de 12 h à 14 h, 19 h à 21 h - Carte* ♦ *Renseignements pratiques sur la station p. 196.*

Depuis 1875, l'hôtel s'est acquis une clientèle fidèle. Situé au cœur même du village, (tout à côté de la maison où Nietzsche écrivit *Ainsi parlait Zarathoustra*), l'hôtel est composé de deux corps de bâtiments : le chalet primitif et un bâtiment plus moderne. L'hôtel est réputé pour son charme, sa cuisine et un service très professionnel. Bon confort dans les chambres dont les meubles ont été faits avec le bois de la région. Le salon-bar se déploie tout autour d'un convivial feu de cheminée. La salle à manger a conservé son décor Liberty. Les téléphériques et remonte-pentes sont tout proches ainsi que le lac ou les lieux de promenades en forêt.

♦ *Itinéraire d'accès (voir carte n° 15) : à 14 km au sud de St. Moritz.*

Hotel Privata ★★

CH-7514 Sils-Maria
Tél. 082-45247
M. et Mme Giovanoli

♦ *Ouverture du 18 décembre au 22 avril et du 5 juin au 10 octobre* ♦ *24 chambres avec tél. direct, s.d.b. ou douche, w.c. - Prix des chambres en demi-pension : 105 à 125 FRS (1 pers.), 180 à 230 FRS (2 pers.) - Petit déjeuner compris* ♦ *Cartes de crédit non acceptées* ♦ *Chiens non admis* ♦ *Ski : à 500 m des remontées mécaniques - Golf de Samedan, 18 trous* ♦ *Restaurant réservé aux résidents - Service : 19 h - Menu* ♦ *Renseignements pratiques sur la station p. 196.*

Très joli petit hôtel au calme, situé sur une placette d'où partent les calèches vers des promenades en forêt. Le directeur, ancien champion de ski, vous accueillera de façon sportive. L'esthétique de la façade et de l'intérieur respecte la tradition de l'Engadine. Une halte ou un séjour pour ceux qui veulent pratiquer les sports d'hiver et d'été et séjourner dans un cadre chaleureux et simple où tout est de bon goût.

♦ *Itinéraire d'accès (voir carte n° 15) : à 14 km au sud de St. Moritz.*

1992

La Staila ★★★

CH - 7513 Silvaplana
Tél. 082 49151 - Fax 082 49151
M. et Mme Strähle - Bezzola

♦ *Ouverture de décembre à mi-avril et de juin à octobre* ♦ *17 chambres avec tél. s.d.b et w.c. Prix des chambres doubles en demi-pension : 110 à 130 FRS - Prix de la pension complète : + 15 FRS (par pers.) - Prix du petit déjeuner : 20 FRS* ♦ *Visa, Mastercard* ♦ *Chiens admis avec 5 FRS de supplément - Garage à l'hôtel (6 FRS)* ♦ *Ski : skibus jusqu'à St. Moritz, 6 km* ♦ *Restaurant : service de 12 h à 13 h 30, de 19 h 30 à 21 h - Menu et carte - Spécialités : cuisine traditionnelle* ♦ *Renseignements pratiques sur la station p. 196.*

A six km de St. Moritz, Silvaplana, au pied du Piz Coivatsch (3 303 m), est une station où l'on peut skier toute l'année. Royaume du ski de fond en hiver, l'été la région offre de superbes promenades en forêt. Le lac quant à lui est un plan d'eau idéal pour la voile. La Staila est une ferme engadinoise construite en 1710, totalement rénovée et à laquelle on a ajouté récemment un restaurant. Toutes les chambres ont des décorations différentes mais toutes sont joliment aménagées dans le style montagne. La salle à manger est particulièrement charmante, toujours fleurie de fleurs fraîches. L'accueil est chaleureux. Une adresse de charme à des prix qui sont loin de ceux pratiqués à Saint-Moritz pourtant très proche.

♦ *Itinéraire d'accès (voir carte n° 15) : à 6 km au sud de St. Moritz.*

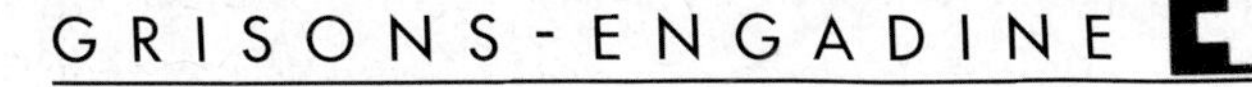

Palazzo Salis

CH - 7610 Soglio
Tél. 082 41208
Famille Cicognani

♦ *Ouverture de Pâques au 31 octobre* ♦ *15 chambres avec tél. direct, s.d.b. et w.c. - Prix des chambres doubles en pension : de 100 à 120 FRS - Petit déjeuner compris* ♦ *Cartes de crédit non acceptées* ♦ *Chiens non admis* ♦ *Ski : à 500 m des remontées mécaniques* ♦ *Restaurant : service de 12 h 30 à 13 h 30, de 19 h 30 à 21 h - Menu et carte - Spécialités : cuisine traditionnelle* ♦ *Renseignements pratiques sur la station* *p. 197.*

Soglio est un ravissant village dominant le Val Bregaglia où les fermes se mêlent aux maisons bourgeoises. Le Palazzo Salis est une ancienne maison de maître (1701) qui a été restaurée avec beaucoup de soin et de respect permettant aussi de retrouver de nombreux éléments d'architecture initiaux ; la décoration est raffinée : les meubles anciens voisinent avec les tableaux d'ancêtres, une collection d'armes et de trophées. Le jardin lui-même a conservé l'implantation de l'époque. On peut y déjeuner de façon très agréable. Les chambres sont toutes raffinées et confortables. L'accueil est attentionné.

♦ *Itinéraire d'accès (voir carte n° 15) : à 35 km au sud-ouest de St. Moritz.*

1992

La Soglina

CH - 7610 Soglio Bergell
Tél. 082 41608 - Fax 082 41594
M. Nass

♦ *Ouverture toute l'année sauf en novembre* ♦ *30 chambres avec tél. direct, s.d.b ou douche, w.c et t.v* ♦ *Prix des chambres doubles : de 55 à 65 FRS - Petit déjeuner compris, servi de 7 h à 12 h - Prix de la demi-pension : + 28 FRS* ♦ *Amex, Visa* ♦ *Chiens non admis - Sauna (10 FRS), parking et garage (3 FRS) à l'hôtel* ♦ *Ski : à 500 m des remontées mécaniques* ♦ *Restaurant : service de 11 h 30 à 14 h, de 18 h à 21 h - Menu : 35 FRS - Carte - Spécialités : risotto, picatta, pizzocheri* ♦ *Renseignements pratiques sur la station* *p. 197.*

Haut perché le joli village de Soglio occupe un site très pittoresque face au cirque rocheux qui ferme le Val Bondasca. Complètement préservé, c'est un plaisir de déambuler à travers les ruelles, d'admirer l'église et son campanile et profiter de la vue superbe sur les glaciers. Déjà propriétaire d'un restaurant, Mr. Nass, français d'origine, a récemment fait construire cet hôtel. Son architecture s'intègre parfaitement aux autres maisons du village dont le centre est à une centaine de mètres un peu en contrebas. Comme il est d'usage dans la région le granit a été utilisé. Le grand chalet abrite trente chambres claires : meubles en bois blond et murs blancs, cinq d'entre elles ont un balcon et celles du deuxième étage sont mansardées. Fonctionnelles et confortables, elles sont parfaites. Ces teintes claires que l'on retrouve un peu partout créent une atmosphère fraîche et reposante. Dans le pré qui jouxte l'hôtel, des chaises longues ont été installées sur l'herbe permettant de profiter du paysage majestueux. La Soglina est un endroit idéal pour les amateurs de calme sensibles aux charmes de la montagne.

♦ *Itinéraire d'accès (voir carte n° 15) : à 35 km au sud-ouest de St. Moritz.*

Suvretta House ★★★★★

CH-7500 St. Moritz
Tél. 082-21121 - Télex 852 191 - Fax 082-38524
M. et Mme Jacob

♦ *Ouverture de décembre à avril et de juin à septembre* ♦ *230 chambres avec tél. direct, s.d.b., w.c. et t.v. - Prix des chambres en demi-pension : 150 à 450 FRS (par pers.) - Petit déjeuner compris* ♦ *Cartes de crédit non acceptées* ♦ *Chiens admis - Piscine, tennis, sauna, solarium à l'hôtel* ♦ *Ski : départ de l'hôtel - Golf de Samedan, 18 trous* ♦ *Restaurant : service des restaurants de l'hôtel - Cartes* ♦ *Renseignements pratiques sur la station* *p. 197.*

Suvretta House est sans doute un des meilleurs hôtels d'Europe. Edifié un peu à l'écart de St. Moritz dans un très beau paysage, il jouit d'un panorama somptueux et d'une vue merveilleuse sur le lac. Les parties communes, immenses, ont beaucoup de charme et semblent hors du temps. Les chambres (les plus agréables donnent sur la façade principale) sont d'un confort inégalable. Le service lui est tout simplement parfait. L'hôtel (au pied des pistes en hiver) offre un très grand nombre de possibilités qui vont du prêt de mountain-bike à sa propre école de ski. C'est un hôtel très cher, mais qui propose (sur demande) des forfaits de séjour très intéressants.

♦ *Itinéraire d'accès (voir carte n° 15) : à 180 km au sud-est de Zürich (sur les hauteurs de St. Moritz, à 2 km).*

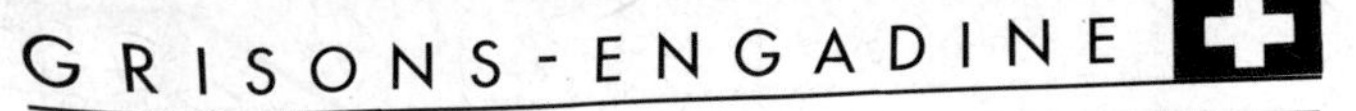

1992

Hôtel Chesa sur l'En

CH - 75000 Saint-Moritz
Tél. 082-33144 - Fax 082-36474
Famille D. Schwarzenbach

♦ *Ouverture du 15 décembre au 21 avril* ♦ *8 chambres avec tél., s.d.b. ou douche et w.c* ♦ *Prix des chambres doubles : de 60 à 135 FRS - Petit déjeuner compris - Prix de la demi-pension : de 80 à 150 FRS (par pers., 3 jours min.)* ♦ *Cartes de crédit acceptées* ♦ *Chiens admis avec 7 à 15 FRS de supplément. Parking à l'hôtel* ♦ *Ski : à 1 km des remontées mécaniques - Golf de Samedan, 18 trous* ♦ *Restaurant : service de 19 h 30 à 21 h - Menu de 40 à 50 FRS - Spécialités : cuisine traditionnelle* ♦ *Renseignements pratiques sur la station p. 197.*

Nichée dans un bois de pins et de mélèzes, au flanc d'un coteau dominant la rive de l'Inn, la Chesa sur l'En est un ravissant souvenir de la "belle époque", durant laquelle toute l'aristocratie d'Europe se retrouvait à Saint-Moritz pour y prendre les eaux et jouir de l'incomparable beauté de la haute Engadine. Le célèbre peintre engadinois Giovanni Segantini conçut et réalisa la fresque de la Madonne qui orne une loggia. La villa devint bientôt un centre de la vie élégante. En 1959, Eliane et Deiter Schwarzenbach ayant vu que la Chesa sur l'En était en vente, eurent le coup de foudre et l'achetèrent le jour même ! Entre leurs mains la Chesa est devenue un établissement unique en son genre : presque plus un "country club" qu'un hôtel. Dans leurs chambres lambrissées, les hôtes ont le sentiment de vivre dans leur propre chalet de montagne. Les nombreux habitués y reviennent, été comme hiver, pour goûter les prouesses gastronomiques du "patron" et l'hospitalité d'Eliane.

♦ *Itinéraire d'accès (voir carte n° 15) : à 180 km au sud-est de Zürich.*

Hotel Meierei ★★

CH-7500 Saint. Moritz
Tél. 082-32060 - Fax 082-38838
M. et Mme Degiacomi

♦ *Ouverture du 1er décembre au 15 avril et du 15 juin au 30 octobre* ♦ *10 chambres avec tél. direct, s.d.b. ou douche, w.c. - Prix des chambres simples et doubles : 68 à 85 FRS, 140 à 170 FRS - Petit déjeuner compris, servi de 8 h à 10 h - Prix de la demi-pension : + 28 FRS (par pers.)* ♦ *Eurochèques* ♦ *Chiens admis avec 5 FRS de supplément - Parking à l'hôtel* ♦ *Ski : départ de l'hôtel - Golf de Samedan, 18 trous* ♦ *Restaurant : service de 11 h 30 à 14 h 15, 18 h 30 à 21 h - Menu : 10 à 45 FRS - Carte - Spécialités : cuisine régionale* ♦ *Renseignements pratiques sur la station p. 197.*

Vous profiterez ici d'une des plus belles vues sur le lac, St. Moritz et ses pistes et sur la plus belle forêt alentour. L'hôtel Meierei, à deux pas de la station, peut rivaliser avec les plus grands grâce au confort de ses chambres et la qualité de sa carte. Ouvrir ses fenêtres sur le lac entouré de fleurs l'été, ou sur l'étendue gelée l'hiver, c'est le rêve assuré avec la quasi-certitude d'apercevoir des chevreuils à l'orée de la forêt de sapins gigantesques. Vous pourrez chausser vos skis de piste ou partir en randonnée à skis de fond directement de l'hôtel, aussi facilement que du centre de la station, spectateur et acteur à la fois d'un des plus beaux paysages de Suisse.

♦ *Itinéraire d'accès (voir carte n° 15) : à 180 km au sud-est de Zürich (près du lac de St. Moritz, à 2 km).*

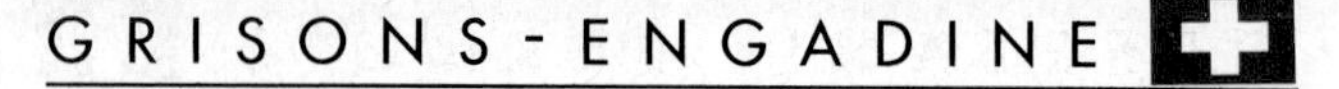

Hotel Parc Naziunal Il Fuorn

Il Fuorn
CH-7530 Zernez
Tél. 082-81226
Famille Grass

♦ *Ouverture toute l'année* ♦ *30 chambres avec douche ou lavabo - Prix des chambres doubles : 50 à 70 FRS - Petit déjeuner compris* ♦ *Cartes de crédit non acceptées* ♦ *Chiens admis* ♦ *Ski : St. Moritz à 45 km* ♦ *Restaurant : service de 12 h à 13 h 30, 19 h 30 à 20 h 30 - Menu et carte - Spécialités : cuisine régionale* ♦ *Renseignements pratiques sur la station* *p. 198.*

Sur la route des Dolomites à la Suisse, si l'on a envie d'un grand chalet isolé au cœur d'un parc national, dans un cadre naturel d'une extrême beauté, avec pour distraction de grandes randonnées à pied et la contemplation de la nature, cette adresse est parfaite. La décoration, dans le style chalet suisse, est simple mais confortable. Les trois salles à manger (dont une très chaleureuse) servent une cuisine adaptée au lieu, en particulier une bonne viande des Grisons et une *Linzertorte* très honnête. Un petit coin salon-bar en boiseries est plaisant. Les chambres les plus calmes avec la plus jolie vue sont celles qui donnent sur l'arrière de l'hôtel. Leur confort est simple. Le service et l'accueil sont naturels et montagnards, la langue locale n'est pas évidente, mais on peut se débrouiller en italien et en allemand.

♦ *Itinéraire d'accès (voir carte n° 15) : à 45 km au nord-est de St. Moritz.*

Chalet-Hotel Gletschergarten ***

CH-3818 Grindelwald
Tél. 036-531721 - Fax 036-532957
M. et Mme Breitenstein

♦ *Ouverture de Noël à Pâques et du 28 mai au 15 octobre ♦ 26 chambres avec s.d.b. ou douche, w.c. et t.v. - Prix des chambres simples et doubles : 78 à 110 FRS, 132 à 200 FRS - Prix des suites : 166 à 220 FRS - Petit déjeuner compris, servi de 7 h à 11 h ♦ Cartes de crédit non acceptées ♦ Chiens admis avec 8 FRS de supplément - Sauna, solarium à l'hôtel ♦ Ski : départ de l'hôtel - Golf d'Interlaken, 18 trous à 20 km ♦ Restaurant : 11 h 30 à 14 h, 18 h 30 à 21 h - Fermeture le lundi et mardi matin - Menu : 25 à 35 FRS ♦* *Renseignements pratiques sur la station p. 199.*

Cent cinq ans d'hôtellerie pour ce très beau petit hôtel qui ouvre ses portes devant l'imposant glacier inférieur de Grindelwald. Elsbeth et Finn Breitenstein vous accueilleront comme l'ont fait avant eux leurs parents et leurs aïeux : ils ont la passion de leur métier et ils adorent faire partager leur amour de la montagne à leurs hôtes. L'hiver, une longue descente de huit kilomètres à ski vous conduit tout droit devant l'hôtel ; l'été, vous pouvez prendre les téléphériques ou partir à pied pour découvrir une des plus belles chaînes de montagne du monde, l'Eiger Monch et l'envoûtante Jungfrau. A votre retour, heureux et fatigué, une chambre très confortable, toute en lambris avec de jolis meubles traditionnels, vous attend.

♦ *Itinéraire d'accès (voir carte n° 14) : à 70 km au sud-est de Bern par N 6 et N 8 sortie Interlaken, puis Grindelwald.*

Hotel Wetterhorn

CH-3818 Grindelwald
Tél. 036-531218
Famille Lohner-Klossner

♦ *Ouverture toute l'année sauf en novembre* ♦ *15 chambres avec lavabo, (douches à l'étage) - Prix des chambres simples et doubles : 43 FRS, 90 FRS - Petit déjeuner compris, servi de 7 h à 10 h - Prix de la demi-pension : + 22 FRS (par pers., 3 j. min.)* ♦ *Chiens non admis* ♦ *Ski : départ de l'hôtel* ♦ *Restaurant : service de 11 h 30 à 14 h, 18 h à 21 h 30 - Menu : 23 FRS - Carte - Spécialités : cuisine traditionnelle* ♦ *Renseignements pratiques sur la station p. 199.*

Le Wetterhorn est un simple chalet de haute montagne. Son charme vient de sa situation exceptionnelle face à deux glaciers : le Schreckhorn qui culmine à 4078 mètres et le Wetterhorn à 3701 mètres. L'hôtel est le point de départ d'excursions et de bivouacs. Même si elles sont très bien tenues et d'une décoration agréable, le confort des chambres est modeste avec seulement un lavabo (les douches sont à l'étage). L'hôtel dispose également de chambres dortoirs pour des groupes de huit à douze personnes. La cuisine locale de la famille Lohner-Klossner est par contre très réputée, les produits utilisés viennent de leur propre exploitation agricole. C'est une auberge typique suisse dont il reste malheureusement peu d'exemples.

♦ *Itinéraire d'accès (voir carte n° 14) : à 70 km au sud-est de Bern par N 6 et N 8 sortie Interlaken, puis Grindelwald.*

Le Grand Chalet ★★★★

Neuererstrasse
CH-3780 Gstaad
Tél. 030-83252 - Fax 030-44415
M. Rosskogler

♦ *Ouverture du 15 décembre au 1er mai et du 1er juin au 14 octobre* ♦ *20 chambres et 5 suites avec tél. direct, s.d.b., w.c., t.v. et minibar - Prix des chambres simples et doubles : 140 à 280 FRS, 180 à 380 FRS - Prix des suites: 370 à 580 FRS (2 pers.) - Petit déjeuner compris, servi de 7 h à 11 h* ♦ *Amex, Diners, Visa, Eurocard* ♦ *Chiens admis avec 25 FRS de supplément - Sauna, bain turc, remise en forme, whirlpool, parking et garage (20 FRS) à l'hôtel* ♦ *Ski : à 2 km des remontées mécaniques - Golf club Gstaad-Saanenmöser, 9 trous* ♦ *Restaurant : service de 12 h à 14 h, 19 h à 22 h - Menu : 70 à 90 FRS - Carte - Spécialités : poissons* ♦ *Renseignements pratiques sur la station p. 200.*

Récemment ouvert, Le Grand Chalet est situé à l'écart de l'agitation de Gstaad. Mais si vous tenez absolument à vous plonger dans le "tout Gstaad", une navette vous conduira sur demande dans ce village suisse où abondent les boutiques de luxe et où toutes les grandes marques sont représentées. L'hôtel est composé de deux grands chalets modernes mais construits dans le style du pays. Il est à la fois luxueux et accueillant. Les chambres sont claires et spacieuses ; elles disposent presque toutes de terrasses donnant sur la vallée ou les montagnes. Dirigé par Franz Rosskogler, l'homme qui a fait la réputation du Chèsery ces dernières années, le restaurant La Bagatelle dirigé par C. Chastellain a très vite acquis une bonne réputation et pour l'après-ski des activités relaxantes sont à la disposition des skieurs fatigués.

♦ *Itinéraire d'accès (voir carte n° 13) : à 90 km à l'est de Lausanne par N 9 et N 12 direction Bern, sortie Wuadens.*

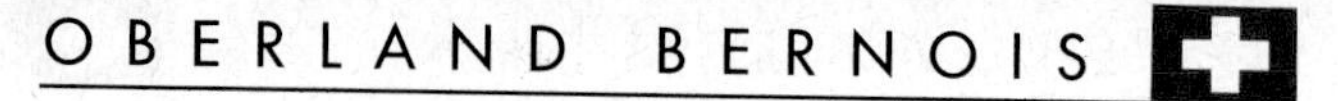

Hotel Alphorn ★★★

CH-3780 Gstaad
Tél. 030-44545 - Fax 030-41790
Famille Mœsching

♦ *Ouverture toute l'année sauf en juin* ♦ *30 chambres avec tél., s.d.b. ou douche, w.c. - Prix des chambres simples et doubles : 75 à 95 FRS, 125 à 195 FRS - Petit déjeuner compris - Prix de la demi-pension : + 30 FRS (par pers., 3 j. min.)* ♦ *Cartes de crédit acceptées* ♦ *Chiens admis avec supplément - Massages à l'hôtel* ♦ *Ski : départ de l'hôtel - Golf club de Gstaad-Saanenmöser, 9 trous* ♦ *Restaurant : service de 18 h à 22 h - Carte - Spécialités : cuisine régionale* ♦ *Renseignements pratiques sur la station p. 200.*

A dix minutes du centre du village, sur la route du col du Pillon, l'hôtel Alphorn se trouve au départ des remonte-pentes et de la télécabine Wispille. C'est là aussi que se réunit l'école de ski. L'ambiance est de ce fait très sportive et agitée, la terrasse ensoleillée étant le rendez-vous des skieurs. L'hôtel a récemment aménagé des chambres confortables mais il est indispensable de bien choisir sa situation. Mieux vaut choisir celles en étage donnant sur l'arrière. La décoration du restaurant est accueillante : le grand buffet du petit déjeuner est copieux, la cuisine soignée. Un hôtel qui conviendra surtout aux sportifs.

♦ *Itinéraire d'accès (voir carte n° 13) : à 90 km à l'est de Lausanne par N 9 et N 12 direction Bern, sortie Wuadens.*

Hotel Olden ★★★

Haupstrasse
CH-3780 Gstaad
Tél. 030-43444 - Fax 030-46164
M. Cantoni

♦ *Ouverture toute l'année sauf en mai* ♦ *15 chambres avec tél. direct, s.d.b. ou douche, w.c., t.v. et minibar - Prix des chambres simples et doubles : 70 à 155 FRS, 135 à 325 FRS - Petit déjeuner compris, servi de 7 h à 11 h* ♦ *Amex, Diners, Visa, Eurocard* ♦ *Chiens admis - Parking et garage (15 FRS) à l'hôtel* ♦ *Ski : à 5 mn des remontées mécaniques - Golf club de Gstaad-Saanenmöser, 9 trous* ♦ *Restaurant : service de 11 h 30 à 14 h, 19 h 30 à 22 h - Fermeture le mardi soir et le mercredi en b.s. - Menu : 14 à 75 FRS - Carte - Spécialités : émincés de veau à la zürichoise, fondues* ♦ *Renseignements pratiques sur la station p. 200.*

L'Olden, c'est un peu le cœur de Gstaad. En effet, cette centenaire façade peinte n'abrite qu'une petite maison de village qui a cependant une longue histoire. La Pinte est toujours le bar des gens du pays qui continuent à le fréquenter sans se préoccuper de savoir s'ils côtoient Elisabeth Taylor ou autres stars. La Cave, la rôtisserie de l'Olden, est aussi très fréquentée toute l'année : que ce soit pour une fondue ou pour le dîner d'après-concert du festival Menuhin. Les chambres sont petites mais coquettes. Les plus tranquilles donnent sur le petit jardin derrière l'hôtel. Fréquenté par une clientèle fidèle, il est indispensable de s'y prendre très tôt si l'on veut avoir une chance d'avoir de la place. Dans tous les cas, même si vous ne séjournez pas à l'hôtel, l'Olden est à Gstaad une étape incontournable.

♦ *Itinéraire d'accès (voir carte n° 13) : à 90 km à l'est de Lausanne par N 9 et N 12 direction Bern, sortie Wuadens.*

Posthotel Rössli ★★★

CH-3780 Gstaad
Tél. 030-43412 - Fax 030-46190
M. et Mme Widmer

♦ *Ouverture toute l'année sauf du 1er au 26 juin* ♦ *18 chambres avec tél., s.d.b. ou douche, w.c. et t.v. - Prix des chambres simples et doubles : 80 à 110 FRS, 140 à 210 FRS - Petit déjeuner compris (buffet), servi de 7 h à 10 h - Prix de la demi-pension : + 25 FRS (par pers.)* ♦ *Cartes de crédit acceptées* ♦ *Chiens admis avec supplément* ♦ *Ski : à 5 mn des remontées mécaniques - Golf club de Gstaad-Saanenmöser, 9 trous* ♦ *Restaurant : service de 12 h à 14 h, 18 h 30 à 21 h - Fermeture le jeudi et le vendredi jusqu'à 16 h en b.s. - Menu : 20 FRS - Carte - Spécialités : fondues, gibier, émincé de veau, foie de veau* ♦ *Renseignements pratiques sur la station p. 200.*

Le Posthotel est le plus ancien chalet de Gstaad. Sa construction remonte à 1834, quelques années après le gigantesque incendie qui détruisit tout le vieux village. Aujourd'hui, la plupart des chalets datent du début du siècle, d'abord construits en pierre (pour prévenir le feu) puis petit à petit recouverts de bois. Le Posthotel a gardé le style typique des auberges de l'Oberland bernois tout en se modernisant. Certaines chambres comme la 224, entièrement lambrissée, sont particulièrement agréables. Les chambres les plus silencieuses donnent sur un petit jardin, calme malgré sa situation au cœur du village. La cuisine de l'hôtel est réputée, sa fondue serait même une des plus appréciées du village.

♦ *Itinéraire d'accès (voir carte n° 13) : à 90 km à l'est de Lausanne par N 9 et N 12 direction Bern, sortie Wuadens.*

Hotel Bären ★★★★

Gsteig - CH-3785 Gstaad
Tél. 030-51033 - Fax 030-51937
M. et Mme Ambort-Marti

♦ *Ouverture toute l'année sauf 15 jours en avril et 3 semaines en novembre* ♦ *7 chambres avec s.d.b. ou lavabo, (1 avec w.c.) - Prix des chambres doubles : 90 à 120 FRS - Petit déjeuner compris, servi de 8 h à 11 h - Prix de la demi-pension : + 25 FRS (par pers., 4 j. min.)* ♦ *Cartes de crédit acceptées* ♦ *Chiens admis* ♦ *Ski : skibus pour Reusch à 3 km et Gstaad à 10 km - Golf club de Gstaad-Saanenmöser, 9 trous* ♦ *Restaurant : service de 11 h 30 à 14 h, 18 h 30 à 21 h - Menu : 13,50 à 52 FRS - Carte - Spécialités : émincé de veau, rôti, raclette au feu de bois, fondue* ♦ *Renseignements pratiques sur la station* *p. 200.*

A quelques kilomètres de Gstaad se trouve le pittoresque village de Gsteig. Ici, pas de luxueuses boutiques ni de restaurants gastronomiques mais un vrai village de montagne qui profite tout de même de la proximité de sa célèbre voisine. C'est près de la ravissante petite église que l'on trouve ce beau chalet du XVIIe à la façade richement sculptée classée monument historique. A l'intérieur on retrouve le même charme d'un décor authentiquement montagnard. La salle à manger et le salon sont lambrissés de bois avec d'anciens meubles rustiques. Les chambres sont très bien tenues mais simples et d'un confort sommaire (une seule a sa propre salle de bains). Pour ceux que ça ne gêne pas d'aller se baigner à l'étage, c'est une adresse de charme qui leur permettra à des prix très abordables de profiter du vaste domaine skiable du Saanenland.

♦ *Itinéraire d'accès (voir carte n° 13) : à 90 km à l'est de Lausanne par N 9 et N 12 direction Bern, sortie Wuadens ; à 10 km au sud de Gstaad direction le col du Pillon.*

Gasthaus Rössli

CH - 3784 Feutersoey
Tél. 030-51012 - Fax 030-51180
Famille Reichenbach - Rochar

♦ *Ouverture toute l'année sauf en mai et début décembre. Fermeture le jeudi hors saison ♦ 2 chambres avec s.d.b. à l'étage ♦ Prix des chambres doubles : 50 FRS - Prix du petit déjeuner : 10 FRS, servi de 9 h 30 à 12 h ♦ Amex, Visa ♦ Chiens admis - Parking à l'hôtel ♦ Ski : Domaine du Saanenland - Golf club Gstaad-Saanenmöser, 9 trous ♦ Restaurant : service de 12 h à 13 h, 19 h à 22 h - Fermeture jeudi hors saison - Menu : de 57 à 92 FRS - Carte - Spécialités : truites, veau aux morilles, tourte au kirsch ♦ Renseignements pratiques sur la station* *p. 200.*

Situé à dix minutes à peine de Gstaad sur le bord de la route qui mène à Gstaad, ce superbe chalet est d'abord un restaurant très apprécié de la région. Construit en 1780, c'était alors une simple buvette pour paysans. Aujourd'hui à l'étage on a aménagé deux chambres, mansardées, simples mais très propres ; elles ont chacune un lavabo et un bureau. Deux belles salles de restaurant se partagent le rez-de-chaussée. Dans celle plus rustique aux murs constitués de gros rondins de bois, on dîne aux chandelles. Ambiance feutrée et chaleureuse. L'autre salle se donne des allures plus distinguées ; les chandelles sont toujours de vigueur et les tables s'ordonnent autour d'une cheminée, mais les plafonds sont plus hauts et au sol des dalles bicolores ont quelque chose de plus solennel. Une aile plus moderne est consacrée aux loisirs avec un billard et un bowling. Plus apprécié pour son restaurant que pour son hébergement, le Rössli reste néanmoins une adresse à retenir, compte tenu du prix des chambres.

♦ *Itinéraire d'accès (voir carte n° 13) : à 90 km à l'est de Lausanne.*

Hotel Alpenland ★★★

Lauenen
CH-3782 Gstaad
Tél. 030-53434 - Fax 030-53464
M. et Mme Addor-Reichenbach

♦ *Ouverture toute l'année* ♦ *20 chambres avec tél. direct, s.d.b., w.c. et t.v. - Prix des chambres simples et doubles : 85 à 105 FRS, 150 à 210 FRS - Prix des suites : + 100 à 120 FRS - Petit déjeuner compris, servi de 8 h à 10 h - Prix de la demi-pension : + 25 FRS (par pers., 3 j. min.)* ♦ *Eurocard et Visa* ♦ *Chiens admis avec supplément* ♦ *Ski : Domaine du Saanenland par skibus - Golf club Gstaad-Saanenmöser, 9 trous* ♦ *Restaurant : service de 12 h à 22 h - Fermeture le jeudi - Carte : 18 à 60 FRS - Spécialités : rösti* ♦ *Renseignements pratiques sur la station p. 200.*

Séjourner à Lauenen, c'est l'assurance de retrouver un village et un site protégés de la vallée de Gelten. La nature y est très belle, la flore alpine abondante, les villageois solidement attachés à leur terre. L'Alpenland vient tout juste d'ouvrir, en pleine nature, à quelques kilomètres du village. C'est un chalet traditionnel avec peu de chambres mais proposant aussi quatre suites familiales avec kitchenette. Toutes bénéficient d'un bon confort et d'un balcon. L'hôtel s'est pourvu de deux restaurants : le Rohrbach où l'on sert une cuisine classique dans une agréable ambiance musicale, et le Tossenstübli où vous découvrirez des plats typiques du pays et d'anciennes recettes traditionnelles. Une grande terrasse ensoleillée permet de profiter, dans le calme du parc naturel de Rohr, de la très belle vue sur les Alpes et ses neiges éternelles.

♦ *Itinéraire d'accès (voir carte n° 13) : à 100 km à l'est de Lausanne par N 9 et N 12 direction Bern, sortie Wuadens ; à 10 km au sud-est de Gstaad.*

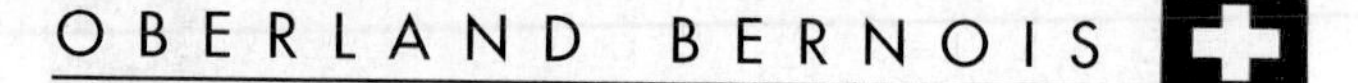

Hotel Wildhorn ★★

Lauenen
CH-3782 Gstaad
Tél. 030-53012/53905
M. Annen

♦ *Ouverture toute l'année - Fermeture le mardi en b.s.* ♦ *12 chambres avec douche ou lavabo et 2 appartements (avec tél. et s.d.b) - Prix des chambres simples et doubles : 50 à 80 FRS, 90 à 140 FRS - Petit déjeuner compris - Prix de la demi-pension et de la pension : + 25 FRS, + 40 FRS (par pers., 3 j. min.)* ♦ *Diners, Visa, Eurocard* ♦ *Chiens admis avec supplément - Parking à l'hôtel* ♦ *Ski : domaine du Saanenland par skibus - Golf club de Gstaad-Saanenmöser, 9 trous* ♦ *Restaurant : service de 12 h à 21 h - Carte - Spécialités : truites, jambon à l'os, rôti, fondue chinoise* ♦ *Renseignements pratiques sur la station p. 200.*

Le Wildhorn est tenu par la famille Annen depuis trois générations. D'une modeste auberge de village construite en 1900, il est devenu un hôtel confortable à l'ambiance familiale. Les chambres sont petites ; certaines sont mansardées, d'autres ont des balcons qui donnent sur les toits du village. Une terrasse, où l'on peut déguster des spécialités locales, s'ouvre sur toute la vallée, face au soleil, été comme hiver. Lauenen est réputé pour ses pistes de ski de fond ; pour ce qui est du ski alpin, une navette vous mènera en dix minutes au téléphérique de L'Egli à Gstaad, point d'accès à l'immense domaine skiable du Saanenland. Une des très bonnes adresses de ce guide.

♦ *Itinéraire d'accès (voir carte n° 13) : à 100 km à l'est de Lausanne par N 9 et N 12, sortie Wuadens ; à 10 km au sud-est de Gstaad.*

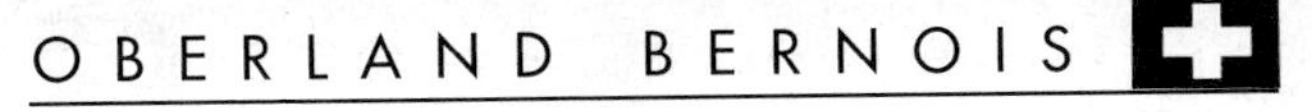

Hotel Boo ★★★

Saanen
CH-3792 Gstaad
Tél. 030-41441/41437 - Fax 030-44027
M. Boo

♦ *Ouverture toute l'année* ♦ *20 chambres avec tél. direct, s.d.b. ou douche, w.c., t.v. et minibar - Prix des chambres simples et doubles : 75 à 126 FRS, 132 à 215 FRS - Prix des suites : 211 à 297 FRS - Petit déjeuner compris, servi de 8 h à 10 h - Prix de la demi-pension : + 32 FRS (par pers.)* ♦ *Cartes de crédit acceptées* ♦ *Chiens admis avec 13 FRS de supplément* ♦ *Ski : skibus pour le domaine du Saanenland - Golf club de Gstaad-Saanenmöser, 9 trous* ♦ *Restaurant : service de 19 h à 22 h 30 - Fermeture en b.s. - Menu : 60 FRS - Spécialités : viandes grillées* ♦ *Renseignements pratiques sur la station p. 200.*

L'hôtel de M. Boo est un ravissant chalet construit à la fin du siècle dernier et progressivement agrandi, sans rien perdre de son charme. Il est situé au centre de Saanen, un des plus jolis villages de la vallée. Sa façade en bois est entièrement sculptée et peinte de motifs fleuris et d'inscriptions gothiques typiques de la région. Dans le salon pub, de gros fauteuils sont les bienvenus après une longue journée de ski. Les chambres décorées avec goût ont des lits en bois peint. Préférez les chambres sur l'arrière de l'hôtel qui donnent sur un joli jardin fleuri l'été. La salle à manger est un heureux et chaleureux mélange d'éléments décoratifs anglais et suisses. On y déguste de bons steaks grillés le soir, et un copieux petit déjeuner-buffet le matin.

♦ *Itinéraire d'accès (voir carte n° 13) : à 93 km à l'est de Lausanne par N 9 et N 12, sortie Wuadens ; à 3 km au nord de Gstaad.*

Hotel Hornberg ★★★★

Saanenmöser
CH-3777 Gstaad
Tél. 030-44440 - Fax 030-46279
M. et Mme von Siebenthal

♦ *Ouverture 5 décembre au 15 avril et du 1er juin au 30 septembre* ♦ *40 chambres avec tél., s.d.b., douche ou lavabo, (29 avec w.c.) - Prix des chambres simples et doubles : 100 à 150 FRS, 260 à 320 FRS - Prix des suites: 300 à 450 FRS - Petit déjeuner 15 FRS, servi de 8 h à 11 h - Prix de la demi-pension : 110 à 140 FRS (par pers.)* ♦ *Cartes de crédit non acceptées* ♦ *Chiens admis avec supplément - Piscine couverte, piscine ouverte, sauna, parking et garage (8 FRS) à l'hôtel* ♦ *Ski : départ de l'hôtel - Golf club de Gstaad-Saanenmöser, 9 trous* ♦ *Restaurant : service de 11 h 30 à 14 h 30, 19 h à 21 h - Menu : 20 à 75 FRS (à midi), 42 à 65 FRS (le soir) - Carte* ♦ *Renseignements pratiques sur la station p. 200.*

A dix km de Gstaad, le Hornberg est un gros chalet confortable qui accueille surtout et avec gentillesse les parents entourés de beaucoup d'enfants ; une salle de jeux est à leur disposition. Des chambres doubles, communicantes permettent de réunir la famille. La décoration est simple, d'un style moderne-montagne mais elles sont bien équipées. L'hiver, l'hôtel est directement accessible à skis. Une piscine couverte et un sauna agrémentent les soirées d'après-ski. L'été, la piscine s'ouvre sur un joli jardin fleuri qui fait face aux chaînes de montagne. Le Hornberg est avant tout une adresse pour passer des vacances en famille, été comme hiver.

♦ *Itinéraire d'accès (voir carte n° 13) : à 97 km à l'est de Lausanne par N9 et N 12, sortie Wuadens ; à 7 km au nord-est de Gstaad. direction Zweisimmen.*

Hotel Ermitage Golf ★★★★★

Schönried - CH-3778 Gstaad
Tél. 030-42727 - Télex 922 213 - Fax 030-47195
MM. Schmid et Lutz

♦ *Ouverture toute l'année sauf en novembre et en mars* ♦ *70 chambres avec tél., s.d.b. ou douche, w.c. et t.v. - Prix des chambres simples et doubles : 140 à 255 FRS (par pers.) - Prix des suites : 115 à 275 FRS (par pers.) - Petit déjeuner compris, servi de 7 h 30 à 10 h 30 - Prix de la demi-pension et de la pension : + 10 FRS, + 35 FRS (par pers., 3 j. min.)* ♦ *Cartes de crédit acceptées* ♦ *Chiens admis avec 15 FRS de supplément - Piscines, tennis (16 FRS), squash, sauna, bain turc, whirlpool, salle de gym, solarium, massage, garage à l'hôtel* ♦ *Ski : à 300 m des remontées mécaniques - Golf de Saanenmöser, 9 trous à 2 km* ♦ *Restaurant : service de 11 h à 14 h, 18 h à 22 h 30 - Cartes - Spécialités : cuisine française* ♦ *Renseignements pratiques sur la station p. 200.*

Schönried est situé sur les hauteurs de Gstaad et l'hôtel se trouve juste en face des remontées mécaniques. Il occupe trois grands chalets abondamment fleuris de géraniums rouges en été et donnant de plain-pied sur un grand jardin en pelouse où se trouve la piscine. En hiver, l'hôtel propose une grande variété d'activités (piscine, sauna, squash...). L'atmosphère est luxueuse. Les différents restaurants, salons et bars sont décorés dans le plus pur style anglo-suisse, et le service, assuré par un très nombreux personnel, est de grande qualité. Toutes les chambres offrent un grand confort. Elles sont grandes, souvent avec un coin salon ; les plus agréables disposent d'un balcon qui donne sur le parc et les Alpes.

♦ *Itinéraire d'accès (voir carte n° 13) : à 95 km à l'est de Lausanne par N 9 et N 12, sortie Wuadens ; à 5 km au nord de Gstaad.*

Hostellerie Alpenrose ★★★★

Schönried
CH-3778 Gstaad
Tél. 030-41238 - Fax 030-46712
Mme von Siebenthal

♦ *Ouverture toute l'année* ♦ *19 chambres avec tél., s.d.b., w.c., t.v. et minibar - Prix des chambres simples et doubles : 90 à 170 FRS, 230 à 380 FRS - Prix des suites : 250 à 400 FRS - Petit déjeuner compris - Prix de la demi-pension : + 40 FRS (par pers.)* ♦ *Cartes de crédit acceptées sauf Amex* ♦ *Chiens admis avec 10 FRS de supplément - Parking et garage à l'hôtel* ♦ *Ski : à 300 m des remontées mécaniques - Golf club de Gstaad, 9 trous* ♦ *Restaurant : service de 12 h à 14 h, 19 h à 21 h - Menu : 100 à 130 FRS - Carte* ♦ *Renseignements pratiques sur la station p. 200.*

A l'entrée du village de Schönried, l'hostellerie Alpenrose fait face au Wildhorn et au massif des Diablerets. Construit en 1907 et propriété de la famille von Siebenthal depuis quarante ans, le chalet a été progressivement agrandi sans perdre pour autant son cadre rustique. Dans l'aile la plus ancienne, les chambres lambrissées dégagent une bonne odeur de bois ; les salles de bains, petites, sont décorées de carreaux colorés. Dans le nouveau chalet, les chambres sont plus spacieuses et certaines ont des mezzanines. Il est recommandé de demander une chambre sur la vallée ; elles ont des terrasses qui s'ouvrent sur la montagne. Toutes sont meublées et décorées avec confort et beaucoup de goût. Les salons et le bar sont élégants, sans jamais se laisser aller à un luxe tape à l'œil. La cuisine française est de tradition dans la maison. L'accueil et le charme de Monika font aussi partie du succès de l'Alpenrose.

♦ *Itinéraire d'accès (voir carte n° 13) : à 95 km à l'est de Lausanne par N 9 et N 12, sortie Wuadens ; à 5 km au nord de Gstaad.*

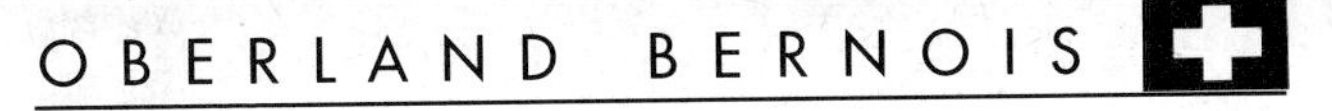

Gasthaus Gifferhorn Turbach

Turbach
CH-3781 Gstaad
Tél. 030-42025 - Fax 030-45927
M. et Mme Kruit

♦ *Ouverture du 20 décembre au 15 avril et du 1er juin au 15 octobre* ♦ *9 chambres avec douche à l'étage - Prix des chambres simples et doubles : 38 FRS, 76 FRS - Petit déjeuner : 10 FRS - Prix de la demi-pension : 46 à 50 FRS (par pers., 3 j. min.)* ♦ *Cartes de crédit non acceptées* ♦ *Chiens non admis - Parking à l'hôtel* ♦ *Ski : à 5 km des remontées mécaniques (skibus) - Golf club de Gstaad-Saanenmöser, 9 trous* ♦ *Restaurant : service de 12 h à 14 h, 18 h 30 à 20 h 30 - Fermeture le mardi - Menu - Spécialités : fondue* ♦ *Renseignements pratiques sur la station p. 200.*

"Notre maison n'est qu'une modeste auberge" affirme la propriétaire de l'hôtel Gifferhorn. C'est vrai, mais cette petite auberge est idéalement située. A quelques kilomètres de l'agitation de Gstaad, une petite route qui traverse la forêt mène à Turbach, un joli village de montagne où sont rassemblés quelques chalets brunis par le soleil. L'hôtel est situé à l'entrée du village, caché en contrebas de la route. Les chambres sont petites, les douches à l'étage, la cuisine familiale et l'accueil chaleureux. Les prix sont très modestes et l'on peut profiter d'un extraordinaire domaine skiable sans se ruiner (un bus vous emmènera à Gstaad en quelques minutes).

♦ *Itinéraire d'accès (voir carte n° 13) : à 100 km à l'est de Lausanne par N 9 et N 12, sortie Wuadens ; à 10 km à l'est de Gstaad.*

Waldhotel Doldenhorn ★★★★

CH-3718 Kandersteg
Tél. 033-751818 - Télex 922 110 - Fax 033-751828
M. Maeder

♦ Ouverture du 15 décembre au 15 avril et du 1er mai au 30 octobre ♦ 30 chambres avec tél. direct, s.d.b. ou douche, w.c. et t.v. - Prix des chambres simples et doubles : 65 à 100 FRS, 130 à 180 FRS - Prix des suites : 200 à 240 FRS - Petit déjeuner compris (buffet), servi de 8 h à 10 h - Prix de la demi-pension et de la pension : + 25 FRS, + 40 FRS (par pers., 3 j. min.) ♦ Cartes de crédit acceptées ♦ Chiens admis - Sauna à l'hôtel ♦ Ski : à 400 m des remontées mécaniques ♦ Restaurant : service de 11 h à 22 h - Fermeture le mardi - Menu : 18 à 80 FRS - Carte - Spécialités : entrecôte d'agneau en croûte de sel, menu gastronomique ♦ Renseignements pratiques sur la station p. 202.

Au fond d'un grand parc, à quelques centaines de mètres du centre de la station, le Waldhotel Doldenhorn bénéficie d'une situation qui lui garantit une grande tranquillité. La vue de sa terrasse et de ses chambres est absolument magnifique. A l'intérieur, rien n'a été laissé au hasard : meubles, décoration, tout a été pensé pour rendre le séjour des hôtes agréable et serein. Une cuisine raffinée est servie selon vos goûts ou vos exigences dans deux restaurants : Au Gourmet qui, comme son nom l'indique, sert des plats élaborés et gastronomiques ou au Barestube, pour des repas plus simples. Ne manquez pas de découvrir ce charmant endroit lors d'une étape ou d'un séjour à Kandersteg.

♦ Itinéraire d'accès (voir carte n° 13) : à 65 km au sud de Bern par N 6 sortie Spiez, puis Kandersteg.

Chalet-Hotel Adler ★★★

CH-3718 Kandersteg
Tél. 033-751122 - Fax 033-751961
M. et Mme Fetzer

♦ *Ouverture toute l'année sauf en mai et en décembre* ♦ *24 chambres avec tél., s.d.b. ou douche, w.c. et t.v. - Prix des chambres simples et doubles : 90 à 95 FRS, 155 à 175 FRS - Prix des suites : 175 à 185 FRS - Petit déjeuner compris, servi de 7 h 30 à 10 h 30 - Prix de la demi-pension : 25 FRS (par pers., 2 j. min.)* ♦ *Cartes de crédit acceptées* ♦ *Chiens non admis* ♦ *Ski : à 400 m des remontées mécaniques* ♦ *Restaurant : service de 12 h à 18 h, 19 h à 21 h - Menu et carte - Spécialités : cuisine familiale végétarienne* ♦ *Renseignements pratiques sur la station p. 202.*

L'Adler est un très joli chalet ancien. L'intérieur a cependant été refait, mais avec beaucoup de soin selon la tradition suisse. Les chambres qui donnent sur les montagnes sont particulièrement agréables avec leurs grands balcons en bois. L'ameublement est confortable, certaines possèdent de grands canapés et fauteuils en cuir ainsi qu'une cheminée. Les salles de bains avec leur grande baignoire ronde sont inattendues dans un chalet. Une salle de billard et un sauna sont à la disposition des clients. Ambiance gaie et conviviale au bar, le rendez-vous le plus apprécié de l'après-ski. Kandersteg est une station surtout réputée pour le ski de fond en hiver et les randonnées en été sur les sentiers balisés qui vous conduiront jusqu'au lac Bleu et aux cascades.

♦ *Itinéraire d'accès (voir carte n° 13) : à 65 km au sud de Bern par N 6 sortie Spiez, puis Kandersteg.*

1992

Ruedihus

CH - 3718 Kandersteg
Tél. 033-751580 - Fax 033-751828
Famille Maeder

♦ *Ouverture toute l'année sauf 3 semaines en automne* ♦ *8 chambres avec tél. direct, s.d.b., w.c. et radio - Prix des chambres doubles : 60 à 75 FRS (par pers.) - Petit déjeuner compris, servi de 7 h 30 à 11 h - Prix de la demi-pension : + 25 FRS (par pers., 3 jours min.)* ♦ *Amex, Visa* ♦ *Chiens admis* ♦ *Sauna et parking à l'hôtel* ♦ *Ski* ♦ *Restaurant : service de 11 h à 14 h, de 18 h à 21 h 30.- Fermeture le mardi et mercredi - Menu pour les résidents - Carte - Spécialités : cuisine suisse* ♦ *Renseignements pratiques sur la station p. 202.*

Ce superbe chalet du XVIIIe siècle est maintenant la propriété de W. Maeder qui tient aussi le Doldenhorn à Kandersteg. Après la restauration de ce véritable joyau, on a ouvert maintenant 8 chambres à l'ambiance rustique ainsi qu'une discrète nouvelle aile. Au premier étage, la 601 a un beau lit à baldaquins. Au deuxième, la 608 a beaucoup de caractère : toute en bois avec de petites fenêtres à vitraux. La salle de bain la plus agréable est celle de la 606, moderne et claire, elle est la seule à posséder une baignoire (douche pour les autres chambres). Joliment disposés, on trouve dans les couloirs de charmantes gravures, de beaux coffres où d'anciens jouets d'enfants comme un cheval à bascule. Pour varier les plaisirs des échanges de repas sont parfois organisés avec le Waldhotel. Le calme, la beauté des paysages et les superbes lacs environnants (lac Bleu, lac d'Oeschinen) ne pourront que vous séduire.

♦ *Itinéraire d'accès (voir carte n° 13) : à 26 km de Spiez.*

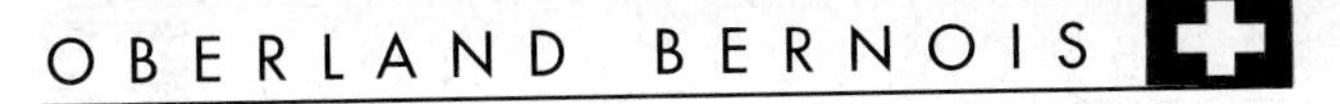

Hotel Alpenruh ★★★

CH-3825 Mürren
Tél. 036-551055 - Télex 923 298 - Fax 036-553436
M. Schüler

♦ *Ouverture toute l'année* ♦ *20 chambres avec tél., s.d.b. ou douche, w.c. et t.v. - Prix des chambres doubles : 110 FRS (par pers.) - Prix de la demi-pension : 135 FRS (par pers.) - Petit déjeuner compris, servi de 7 h 30 à 10 h* ♦ *Cartes de crédit acceptées* ♦ *Chiens admis - Sauna et parking à l'hôtel* ♦ *Ski : départ de l'hôtel* ♦ *Restaurant : service toute la journée - Fermeture en novembre - Menu : 30 FRS - Spécialités : cuisine suisse et française* ♦ *Renseignements pratiques sur la station p. 202.*

Mürren est un village isolé, accessible uniquement par téléphérique ou funiculaire à partir de Lauterbrunnen. Il est le point de départ d'excursions à pied ou à skis en haute montagne. De Mürren, un téléphérique monte en effet jusqu'au glacier. L'hôtel Alpenruh est un joli chalet perché dans un petit village accroché au glacier du Shilthorn, entouré de vallons qui s'ouvrent sur toute la vallée. L'hôtel est chaleureux ; il est particulièrement apprécié pour sa situation. Les chambres sont spacieuses et claires, le décor est à la fois rustique et moderne. L'été, on peut déguster un bon *rösti* sur la terrasse fleurie de géraniums qui donne sur la montagne. L'hiver, on le dégustera plutôt dans la salle à manger toute en bois, égayée d'une cheminée.

♦ *Itinéraire d'accès (voir carte n° 14) : à 65 km au sud de Bern par N 6 et N 8 sortie Interlaken, puis Lauterbrunnen ; accès par téléphérique depuis Lauterbrunnen.*

Hostellerie de Bon Accueil ★★★

CH-1837 Château-d'Œx
Tél. 029-46320 / 45126 - Fax 029-45126
M. Borgeaud

♦ *Ouverture du 20 décembre au 30 octobre* ♦ *14 chambres et 3 suites avec tél. direct, s.d.b. ou douche, w.c., (t.v. l'annexe) - Prix des chambres simples et doubles : 100 FRS, 180 FRS - Prix des suites : 240 à 480 FRS (4/6 pers.) - Petit déjeuner compris, servi de 7 h 30 à 10 h - Prix de la demi-pension : + 30 FRS (par pers.)* ♦ *Cartes de crédit acceptées* ♦ *Petits chiens admis - Parking à l'hôtel* ♦ *Ski : à 500 m des remontées mécaniques - Golf club de Gstaad-Saanenmöser, 9 trous* ♦ *Restaurant : service de 12 h à 14 h, 19 h à 22 h - Fermeture le mardi h.s. - Menu : à partir de 16 FRS - Carte - Spécialités : cuisine traditionnelle du marché* ♦ *Renseignements pratiques sur la station p. 203.*

C'est un très joli chalet du XVIIe qui surplombe toute la vallée du Pays-d'Enhaut. Situé un peu à l'écart de Château-d'Œx, il est très calme. Dans un de ses récits, Georges Perec se souvient d'Anglais qui y jouaient au ping-pong... Les pièces sont petites, les plafonds bas et l'atmosphère est chaleureuse, surtout le salon avec ses meubles anciens, ses tapis colorés, son buffet de famille et sa cheminée. Les chambres du bâtiment principal ont plus de charme ; la 3 a une mezzanine où on peut ajouter un lit d'enfant. Celles situées dans le nouveau chalet sentent un peu le neuf. En été, le petit déjeuner peut être pris sur la terrasse face à la vallée. On peut y élaborer à son aise le programme des excursions. En hiver, une navette vous mènera en cinq minutes au téléphérique de La Braye : les pistes sont maintenant reliées au domaine skiable de Gstaad et de la vallée du Saanenland.

♦ *Itinéraire d'accès (voir carte n° 13) : à 77 km à l'est de Lausanne par N 9 et N 12 direction Bern, sortie Wuadens.*

Hôtel du Golf et Marie-Louise ***

CH-1884 Villars-sur-Ollon
Tél. 025 352477 - Télex 456 212 - Fax 025-353978
Famille Angelini

♦ Ouverture du 1er décembre au 30 avril et du 15 mai au 15 octobre ♦ 60 chambres avec tél. direct, s.d.b., douche ou lavabo, w.c., t.v. et minibar - Prix des chambres doubles : 140 à 230 FRS - Petit déjeuner : 12 FRS, servi de 7 h 30 à 10 h - Prix de la demi-pension et de la pension : 85 à 130 FRS, 100 à 145 FRS (par pers., 3 j. min.) ♦ Cartes de crédit acceptées ♦ Chiens admis avec supplément - Tennis, putting-green à l'hôtel ♦ Ski : à 50 m des remontées mécaniques - Golf de Villars, 18 trous à 6 km ♦ Restaurant : service de 12 h à 15 h, 19 h à 22 h - Fermeture le mardi en b.s. - Menu : 35 à 50 FRS - Carte - Spécialités : grillades , cuisine italienne et française ♦ *Renseignements pratiques sur la station p. 204.*

Situé sur les hauteurs de Villars, l'hôtel bénéficie d'une vue imprenable sur les montagnes et sur la vallée de l'Aigle. Presque toutes les chambres, orientées au sud, bénéficient depuis leur balcon de ce très beau panorama. Toutes sont confortables avec de grandes salles de bains. La décoration y est raffinée, le bois blond des meubles et des murs se mariant bien au blanc des édredons et des rideaux. Plusieurs restaurants servent selon votre choix, des grillades au feu de bois, des spécialités italiennes ou la traditionnelle raclette. Malgré son nom, l'hôtel n'est pas situé sur un golf, mais vous pourrez profiter d'un putting-green au fond du parc. Un bon terrain de tennis en terre battue est également à la disposition des résidents. Une hôtel tranquille et confortable pour passer de bonnes vacances à la montagne, en toutes saisons.

♦ Itinéraire d'accès (voir carte n° 13) : à 55 km au sud-est de Lausanne par N 9, sortie Aigle.

Les Hauts de Crans ★★★★

CH-3962 Crans-Montana
Tél. 027-415553 - Télex 473 553 - Fax 027-415547
Mme Vocat

♦ *Ouverture du 7 décembre au 20 avril et de juin à septembre* ♦ *36 chambres avec tél. direct, s.d.b. ou douche, w.c., (certaines avec t.v.) - Prix des chambres simples et doubles : 100 à 187 FRS, 84 à 195 FRS - Petit déjeuner compris - Prix de la demi-pension et de la pension : + 42 FRS, + 70 FRS (par pers., 2 j. min.)* ♦ *Cartes de crédit acceptées* ♦ *Chiens admis avec 15 FRS de supplément - Piscine chauffée, tennis, sauna, parking et garage à l'hôtel* ♦ *Ski : départ de l'hôtel - Golf club de Crans, 18 trous* ♦ *Restaurant : service de 12 h à 14 h, 19 h 30 à 22 h - Menu : 25 à 84 FRS - Carte - Spécialités : aumônière de foie gras de canard au vinaigre de poire* ♦ *Renseignements pratiques sur la station p. 205.*

Des Hauts de Crans on apprécie mieux la montagne, la forêt, la nature. Bâti dans une clairière entourée d'une forêt de sapins, l'hôtel jouit d'un panorama imprenable sur les Alpes valaisannes. Au croisement des pistes, au carrefour des promenades et très près de deux golfs, le chalet est très bien situé. Toutes les chambres sont d'un luxe raffiné et accueillant (une vingtaine sont orientées plein sud avec terrasse privée). L'hôtel est bien équipé pour toutes saisons. Eté comme hiver, les hôtes apprécieront son tennis, sa piscine couverte chauffée s'ouvrant largement sur la pelouse, et le sauna. Avant d'aller dîner, un verre au piano-bar est très agréable. Au Chamois d'Or, le restaurant de l'hôtel, on vous servira une cuisine dite gourmande et inventive. Des forfaits golf, tennis ou ski sont proposés par l'hôtel à des prix intéressants (1 150 à 1 255 Francs suisses la semaine).

♦ *Itinéraire d'accès (voir carte n° 13) : à 30 km au nord-est de Sion.*

1992

Hôtel de Moiry ★★

CH - 3961 Grimentz
Tél. 027-651144 - Famille Salamin-Walker

♦ Ouverture du 22 décembre au 23 avril et du 26 mai au 5 novembre ♦ 79 chambres (19 avec s.d.b. ou douche et w.c) - Prix des chambres doubles : de 43 à 51 FRS - Petit déjeuner compris, sevi de 8 h à 10 h - Prix de la demi-pension : + 19 FRS (par pers., 3 jours min.) ♦ Amex, Visa ♦ Chiens admis ♦ Ski : à 2 km des remontées mécaniques ♦ Restaurant : service de 12 h à 14 h 30, 18 h à 21 h 30 - Menu : 15 FRS - Carte - Spécialités : raclette au feu de bois ♦ Renseignements pratiques sur la station p. 205.

Grimentz est un village à découvrir absolument. Avec ses vieux chalets brunis par le soleil et patinés par le temps, aux balcons fleuris de géraniums éblouissants. Il a, voici quelques années, reçu le titre du plus beau village fleuri de Suisse. Situé au coeur du village, l'hôtel de Moiry gagne tout de suite la sympathie. Les dix-neuf chambres refaites l'année dernière sont simples mais modernes et confortables. Au troisième étage, elles sont légèrement mansardées avec poutres apparentes. En face, dans une petite dépendance se trouvent quatre chambres un peu moins modernes. Enfin, dans un mazot voisin, deux chambres se partagent une même salle de bains et ne sont louées qu'à des familles qui en apprécient l'indépendance. Une description ne serait pas complète sans évoquer la gentillesse et le charme du propriétaire M. Salamin. Guide et moniteur de ski, si son emploi du temps le permet, il vous emmènera sur les pistes ou en randonnée. Les prix pratiqués à l'hôtel sont plutôt uniques, avec par exemple un bon menu à 15 Francs suisses. Cadre naturel superbe et ambiance familiale, voici une excellente adresse.

♦ Itinéraire d'accès (voir carte n° 13) : à 32 km au sud-est de Sion.

Hotel Riederhof ★★★

CH-3987 Riederalp
Tél. 028-272277
Mme Kummer

♦ *Ouverture du 15 décembre au 20 avril et du 8 juin au 30 octobre* ♦ *13 chambres avec tél., (12 avec s.d.b.) et w.c. - Prix des chambres doubles : 65 à 80 FRS - Petit déjeuner compris - Prix de la demi-pension et de la pension : 90 à 121 FRS, 115 à 170 FRS (par pers.)* ♦ *Eurocard et Visa* ♦ *Chiens admis avec 5 FRS de supplément* ♦ *Ski : au départ de l'hôtel - Golf club de Riederalp, 9 trous à 100 m* ♦ *Restaurant : service à midi et le soir - Menu : 40 FRS - Carte* ♦ *Renseignements pratiques sur la station p. 206.*

Riederalp n'est pas un village mais une station d'altitude accessible uniquement par téléphérique. Quelques chalets et quelques hôtels sont là, dominant le plus grand glacier d'Europe. Tout cela est superbe et inattendu. Bien sûr, dans un tel environnement on ne peut rêver que de veillées devant le feu de cheminée et de grandes balades. L'été cependant vous serez tout près du golf et des tennis grâce aux remontées mécaniques qui fonctionnent toute l'année. Pour un hôtel d'altitude, l'hôtel est confortable, les chambres sont grandes, feutrées avec, pour la plupart, de grands balcons. Ambiance agréable au restaurant. Un excellent dépaysement.

♦ *Itinéraire d'accès (voir carte n° 14) : à 61 km à l'est de Sion jusqu'à Morel d'où part le funiculaire.*

1992

Waldhotel Fletschhorn

CH - 3906 Saas Fee
Tél. (028) 572131 - Fax (028) 572187
M. et Mme Dütsch

♦ Ouverture du 15 décembre au 30 avril et du 15 juin au 15 octobre ♦ 10 chambres avec tél. direct, s.d.b ou douche, w.c et t.v - Prix des chambres doubles en demi-pension : 210 FRS (1 pers.), 350 FRS (2 pers.) - Petit déjeuner compris, servi de 8 h à 10 h ♦ Amex, Visa ♦ Chiens admis avec 13 FRS de supplément ♦ Ski : départ de l'hôtel en hiver ; ski d'été ♦ Restaurant : service de 12 h à 14 h 30, de 18 h 30 à 21 h - Menu : de 100 à 130 FRS - Spécialités : salade tiède, poissons au safran de Mund, agneau du pays, mousse au chocolat aux deux couleurs ♦ Renseignements pratiques sur la station p. 206.

Saas Fee profite d'un cadre somptueux au pied de l'immense glacier du Fee. Il y règne un ambiance sportive et pour préserver le calme, les véhicules à moteur y sont interdits. C'est donc une petite voiture électrique aux armes de l'hôtel qui vient à votre rencontre et vous dépose dans une petite prairie à flanc de montagne, après avoir traversé la forêt. Ancienne maison de douanier dont les origines remontent au XVIIIe siècle, le Fletschorn est maintenant une des meilleures tables de Suisse et d'Europe, tenu par Irma Dütsch dont l'apport à la cuisine contemporaine est indéniable. Dans la salle-à-manger, il est agréable de trouver une ambiance traditionnelle et chaleureuse. Ici, la haute gastronomie ne nuit pas au bien être et n'impose aucun cadre rigide. La terrasse est un lieu de rendez-vous des marcheurs qui y échangent leurs impressions. La vue y est superbe. Toutes les chambres, de taille différente, ont un accès direct sur l'extérieur et profitent d'un balcon. La table, le calme et la beauté du site sont les atouts du Waldhotel Fletschhorn.

♦ Itinéraire d'accès (voir carte n° 14) : à 56 km au sud-est de Sion.

Seiler Hotel Mont Cervin *****

CH-3920 Zermatt
Tél. 028- 661122 - Télex 472 129 - Fax 028-672878
M. Keller

♦ Ouverture du 30 novembre au 15 avril et du 15 juin au 15 octobre ♦ 132 chambres avec tél, s.d.b. ou douche, w.c., t.v. et minibar - Prix des chambres simples et doubles : 160 à 290 FRS, 350 à 400 FRS - Prix des suites : 540 à 780 FRS - Petit déjeuner compris, servi de 7 h à 10 h 30 - Prix de la pension : + 35 FRS (par pers.) ♦ Cartes de crédit acceptées ♦ Chiens admis avec 8 à 18 FRS de supplément - Piscine couverte, sauna, massage à l'hôtel ♦ Ski : navette privée de l'hôtel jusqu'aux remontées mécaniques ♦ Restaurant : service de 12 h à 14 h, 19 h à 21 h 30 - Menu : 48 à 65 FRS - Carte - Spécialités : buffet de poisson ou de gala, viande et poisson grillés , cuisine du marché ♦ Renseignements pratiques sur la station p. 207.

La famille Seiler fait partie de l'histoire et de la création de Zermatt ; la statue offerte à la mémoire d'Alexander et Katherine Seiler par les guides de montagne en témoigne. L'histoire remonte au début du siècle dernier, lorsque Alexander ouvrit son premier hôtel, le Monte Rosa. Le Seiler Mont Cervin est l'hôtel le plus élégant de la station. Dès l'arrivée, vous ne pouvez manquer le superbe attelage qui attend les voyageurs pour les conduire jusqu'à l'hôtel ; tout à l'intérieur est d'un luxe patiné, meublé de belles antiquités avec un service de grande classe. L'hôtel s'est néanmoins pourvu ces dernières années d'installations modernes : une piscine, un sauna et un jardin d'enfants qui fonctionne en hiver.

♦ Itinéraire d'accès (voir carte n° 13) : à 77 km au sud-est de Sion direction Visp. Zermatt est interdite aux voitures : accès par taxi spécial ou train depuis Täsch à 3 km.

Hotel Julen ***

CH-3920 Zermatt
Tél. 028-672481 - Télex 472 111 - Fax 028-671481
M. Julen

♦ *Ouverture toute l'année* ♦ *34 chambres avec tél., s.d.b. ou douche, w.c., t.v. et minibar - Prix des chambres en demi-pension : 180 à 320 FRS - Petit déjeuner compris* ♦ *Cartes de crédit acceptées* ♦ *Chiens admis dans les chambres - Sauna, solarium à l'hôtel* ♦ *Ski : skibus jusqu'aux remontées mécaniques* ♦ *Restaurant : service de 12 h à 13 h 30, 18 h à 21 h 30 - Menu : 33 FRS - Carte - Spécialités : agneau* ♦ *Renseignements pratiques sur la station p. 207.*

Le Julen est sans doute le plus apprécié des nouveaux hôtels de Zermatt dans sa catégorie. Face au Cervin, il jouit d'une des plus belles vues de la station. La décoration récente a cependant conservé le style rustique et traditionnel valaisan. Feu de bois, grands canapés confortables, ambiance feutrée créent une atmosphère très détendue. Les chambres sont décorées simplement, mais pourvues de tout le confort. Celles du dernier étage donnant sur l'arrière ont, depuis leurs balcons, une vue superbe sur le Matterhorn. Le restaurant de l'hôtel est très apprécié et le *Stube* très fréquenté le soir à l'heure du vin blanc.

♦ *Itinéraire d'accès (voir carte n° 13) : à 77 km au sud-est de Sion direction Visp. Zermatt est interdite aux voitures : accès par taxi spécial ou train depuis Täsch à 3 km.*

Hotel Romantica ★★★

CH-3920 Zermatt
Tél. 028-671505 - Fax 028-675815
Mme Cremonini

♦ *Ouverture toute l'année sauf en novembre* ♦ *14 chambres avec tél. direct, s.d.b. ou douche, (8 avec w.c., 4 avec t.v.) - Prix des chambres simples et doubles : 54 à 95 FRS, 60 à 97 FRS - Petit déjeuner compris, servi de 7 h à 10 h* ♦ *Amex, MasterCard et Visa* ♦ *Chiens admis avec supplément* ♦ *Ski : Täsch à 3 km, skibus* ♦ *Pas de restaurant à l'hôtel* ♦ *Renseignements pratiques sur la station p. 207.*

Un des plus jolis coins de Zermatt est ce petit chemin qui part du centre du village, bordé de mazots anciens sur pilotis où les paysans engrangeaient autrefois leur foin. C'est là que se dresse l'hôtel Romantica, fidèle à la décoration de montagne : meubles rustiques, velours de Gênes et lourdes tentures aux petits points. Jolies chambres mansardées, confortables et tranquilles. Une agréable façon de revivre le Zermatt du début du siècle.

♦ *Itinéraire d'accès (voir carte n° 13) : à 77 km au sud-est de Sion direction Visp. Zermatt est interdite aux voitures : accès par taxi spécial ou train depuis Täsch à 3 km.*

1992

Rote Rose Regensberg

CH - 8158 Regensberg
Tél. 01-8530080 - Mme Schäfer-Günthart

♦ *Ouverture du 1er mars au 31 décembre* ♦ *2 chambres et trois suites avec s.d.b ou douche, w.c et t.v - Prix des chambres : 250 FRS - Prix des suites : 300 FRS. Petit déjeuner compris, servi de 9 h à 10 h* ♦ *Cartes de crédit non acceptées* ♦ *Chiens admis - Parking à l'hôtel, Golf de Baden - Golf de Zürich, 18 trous* ♦ *Restaurant : Krone Regensberg - Spécialités : Carré d'agneau* ♦ *Renseignements pratiques sur la station p. 208.*

Le Rote Rose est tout ce dont on rêve en imaginant une auberge de charme. Il est situé à Regensberg, petit village médiéval de vignerons situé sur une colline où les maisons à colombage entourent l'unique petite place et sa fontaine. La vue s'étend sur les vignobles et la campagne. Cette maison abrite les aquarelles de Lotte Günthart, mondialement célèbre, qui a peint toute sa vie (elle continue) des roses. Sa fille a aménagé cinq chambres dont trois suites entre la maison principale et une dépendance juste en face de la place. Avec leurs noms de roses, les chambres sont toutes très soignées et différentes. Celles de la partie ancienne plaisent pour leur intimité et leur chaleur. Dans chacune, une corbeille de fruits et une bouteille du vin régional vous attendent et certaines bénéficient même d'un petit coin cuisine. Dans l'annexe, les chambres sont de plain-pied et donnent sur le superbe petit jardin entièrement dédié aux roses bien entendu. A une dizaine de mètres, le restaurant Krone Regensberg, dont la réputation n'est plus à faire, animera vos repas si vous le désirez. Tenu par la même famille, il propose une cuisine délicieuse, une belle carte de vins et une superbe terrasse fleurie avec vue panoramique. Réservation impérative.

♦ *Itinéraire d'accès (voir carte n° 14) : à 17 km de Zürich.*

Le ski en Autriche est une seconde nature, souvent utilisé comme moyen de locomotion. La notion de station (mis à part Innsbruck et Kitzbühel) n'existe pas. Les stations sont toujours des villages très traditionnels qui ne vivent pas du ski. La neige est abondante en Autriche, même si l'altitude n'est pas très élevée. Les hôtels sélectionnés se trouvent dans les provinces de la Haute-Autriche, de Salzbourg, du Tyrol, de Carinthie et du Vorarlberg.

OFFICE NATIONAL DU TOURISME AUTRICHIEN
47, avenue de l'Opéra ; 75002 Paris - tél. (1) 47 42 78 57
AUSTRIAN AIRLINES
47, avenue de l'Opéra ; 75002 Paris - tél. (1) 47 42 55 05

HAUTE-AUTRICHE

Peu fréquentée par les touristes, la Haute-Autriche est pourtant l'une des plus belles régions. Paysages très variés de montagnes, de vallées et d'innombrables lacs, elle conviendra aux amoureux de la nature. Lienz est la capitale de la région.

Grünau im Almtal 528 m

Village très bien situé dans la vallée de l'Alm, à l'entrée d'une très grande forêt de hêtres et de conifères. C'est surtout une station d'été, mais on peut skier à 10 km environ.

Renseignements pratiques

OFFICE DU TOURISME – tél. (076 16) 268

ACCES (VOIR CARTE N°19) – A 95 km à l'Est de Salzbourg – AEROPORT : Salzbourg à 495 km.

HIVER – Ski à Schindlbach, 7km (télésiège et téléski), à Kasbergalm, 9 km (4 téléskis).

ETE – Piscine, parc de jeux pour enfants Kinderland à Schindlbach (7 km) – Excursions : Château de **Scharnstein** à 6 km. L'église de **Grünau**. **Wildpark** des **Herzogs von Cumberland**, tél. (07 616) 8205, réserve où l'on peut observer des ours, des castors... C'est ici que se trouve le centre de recherche où Konrad Lorenz étudia le comportement de certains animaux, en particulier, celui des oies ; restaurant dans le parc. Les lacs **Ödseen** et le lac **Almsee** au pied du **Totes Gebirge**, 10 km environ.

HOTEL – Pension Göschlseben, p. 277

RESTAURANTS – *Restaurant Almtalhof*, tél. (07 616) 8204, Schnitzels, spécialités régionales servies dans un élégant décor - *Restaurant Seehaus*, tél. (07 616) 8366, sur les hauteurs du village, cuisine traditionnelle copieusement servie.

Hallstatt 508 m

Hallstatt est connu pour être un des plus beaux villages d'Autriche sur la rive occidentale du lac d'Hallstatt ; curieusement accolé à la montagne, le site remonte à la préhistoire. Aujourd'hui, jolie station d'été.

Renseignements pratiques

OFFICE DU TOURISME – tél. (06 134) 208

ACCES (VOIR CARTE N°19) – A 96 km au Sud-Est de Salzbourg – AEROPORT : Salzbourg à 496 km.

HIVER-ETE – Musée préhistorique – Excursions : "La Montagne de Sel" à **Salzberg** accessible par funiculaire ; visite du 1er avril au 31 octobre, durée 3 h, vêtements chauds recommandés ; restaurant, snack.
Plusieurs randonnées partent de là : le cimetière de l'âge de fer (1 h 30). Les cascades de **Waldbachstrub**. Escalades au **Tiergartenhütte** (au sommet petite auberge) et au **Wiesberghaus**. Les plus courageux iront jusqu'au **Simony-Hütte** où il y a encore une petite auberge au pied du glacier. Les passionnés d'escalade s'attaqueront eux au **Hoher Dachstein**. Toutes ces randonnées et escalades peuvent s'organiser aussi avec l'Office du tourisme. Les **Grottes de Dachstein** (35 km environ), un des sites les plus spectaculaires de la Haute-Autriche ; départ d'Obertraun, en téléphérique, visite payante et guidée ; se munir de vêtements chauds et de bonnes chaussures.
Piscine, tennis, randonnées, excursions.

HOTEL – Gasthof Zauner, p. 278

RESTAURANTS – Vous trouverez de nombreuses petites auberges d'altitude. Citons la *Schönnberghaus*, au départ du téléphérique vers les grottes de Dachstein, terrasse ensoleillée.

Saint-Wolfgang am See 549 m

Saint-Wolfgang se trouve à côté de Bad Ischl, très connu pour avoir été la résidence d'été de l'empereur François-Joseph. Le village s'étend sur les bords d'un des lacs les plus romantiques d'Autriche, connu surtout par la célèbre opérette de Ralph Benatzki et Robert Stolz, "l'Auberge du Cheval Blanc".

Renseignements pratiques

OFFICE DU TOURISME – (06 38) 239

ACCES (VOIR CARTE N°19) – A 51 km à l'Est de Salzbourg – AEROPORT : Salzbourg à 51 km.

HIVER – Curling, patinoire.

ETE – Piscine, tennis, golf à Bad Ischl et à Hof (10 km), équitation, sports nautiques sur le lac – Excursion : **Schafberg** (1 783 m) – Semaine de l'opérette (juillet-septembre) à Bad Ischl.

HOTEL – Hôtel Tyrol, p. 279

RESTAURANTS – *Weisses Rössl*, la fameuse auberge du "Cheval Blanc" dans la même famille depuis le début du siècle, tél. (06 138) 23060, excellente cuisine dans un cadre romantique – *Weinhaus Attwenger*, 12 Leharkai,à Bad Ischl, 10 km, tél. (06 132) 3327, taverne rustique fréquentée jadis par Bruckner et Lehar, délicieuses pâtisseries mais aussi cuisine régionale – *Konditorei Café Zauner*, 32 Pfarrgasse, tél. (06 132) 3310, la plus vieille pâtisserie d'Autriche avec *Demel* à Vienne, très appréciée déjà par Bismarck, Metternich, Brahms et autres célébrités ; fermée le mardi.

CARINTHIE

Située à l'extrême sud de l'Autriche, on compare souvent la Carinthie à un grand amphithéâtre traversé par la Drau. La douceur du climat, chaud et ensoleillé, les nombreux lacs où l'on peut se baigner et pratiquer tous les sports nautiques l'ont souvent fait appeler la Riviera autrichienne. (Wörther See, le lac Ossiacher, le lac Millstatt, le Weissensee sont les 4 grands lacs). La meilleure saison pour visiter cette région est entre le mois de mai et la fin septembre. En hiver, on y skie à des prix plus intéressants qu'au Tyrol ou dans le Salzburgland.

Heiligenblut 1288 m

Si on entre dans la vallée de la Möll, en venant de Zell am See, par la superbe route alpine du Grossglockner, Heiligenblut est le premier village important que vous rencontrerez. Cette route, qui à elle seule mériterait un voyage, est la plus haute d'Autriche. Tracée suivant l'emplacement d'une piste romaine, elle offre tout au long du parcours une série de points de vue grandioses. Heiligenblut, centre d'alpinisme, est un joli petit village, au milieu des prairies.

Renseignements pratiques

OFFICE DU TOURISME – tél. (0 48 24) 2002.

ACCES (VOIR CARTE N°18) – A 38 km au Nord de Lienz – AEROPORT : Salzbourg à 138 km.

HIVER – 2 télésièges montent au Rossbach (1 750 m) puis au Schareck (2 550 m). Télésièges du Falbichi (2 220 m).

ETE – Baignade, piscine, équitation, alpinisme – Orpaillage sur les anciennes mines d'or et d'argent exploitées du XVe au XVIIIe siècle.

HOTEL – Hôtel Haus Senger, p. 280

Millstatt Am See / Obermillstatt 500 m

Le lac de Millstatt s'appuie contre les contreforts boisés du Seerücken au sud et du Nockberg au nord. Millstatt am See est la principale station balnéaire des bords du lac, très fréquentée en été. Au-dessus de la station, sur les pentes de la Millstätter Alpe, se dispersent les maisons de vacances et les hôtels de Obermillstatt à 2 km.

Renseignements pratiques

OFFICE DU TOURISME – Kurverwaltung, tél. (04 766) 2022

ACCES (VOIR CARTE N°19) – A 44 km au Nord-Ouest de Villach – AEROPORT : Salzbourg à 136 km.

ETE – Obermillstatt : baignades – Millstatt : plage, piscine, équitation – Semaines internationales de musique d'orgue de juillet à septembre.

HOTEL – A Obermillstatt : Bio-Hôtel Alpenrose, p. 281

Weissensee 930 m

Le lac, long de 11 kilomètres, est bordé de petites stations dotées de plages. Plusieurs localités forment la commune de Weissensee ; il s'agit de Techendorf, Oberdorf, Gatschach, Neusach et Naggl.

Renseignements pratiques

OFFICE DU TOURISME
Techendorf, tél. (04 713) 2220

ACCES (VOIR CARTE N°19) – A 53 km au Sud-Est de Lienz – AEROPORT : Salzbourg à 196 km.

HIVER – Possibilités de ski dans les environs.

ETE – Baignade, plage, piscine, école de voile, surf.

HOTEL – Sporthotel Alpenhof, p. 282

SALZBURG LAND

Le nom de Salzbourg est immédiatement associé à Mozart et à son célèbre festival. Mais le Salzburgland c'est aussi une province où alternent montagnes et plaines, parsemée de lacs avec quelques sites grandioses comme la vallée de Gastein, le lac de Zell am See ou encore les fameuses cascades de Krimml.

Badgastein 1013 m

Badgastein est depuis le xixe la station thermale la plus célèbre d'Autriche. Dix-huit sources thermales sont captées au pied du Graukogel (2 492 m), dont la température varie entre 30 et 40°. Accrochée aux pentes boisées du Tauern avec des cacades de plus de 140 mètres surgissant en pleine ville, la ville s'est orientée aussi vers les sports de neige. Station traditionnelle et mondaine.

Renseignements pratiques

OFFICE DU TOURISME – tél. (06 434) 25310

ACCES (VOIR CARTE N°18) – A 89 km au Sud de Salzbourg – AEROPORT : Salzbourg à 89 km.

HIVER – Pistes de ski alpin : 100 km – Pistes de ski de fond : 66 km. Domaine skiable : Gasteiner, liaison par navette avec Bad-Hofgastein, Skizentrum, Angertak, soit 250 km de ski de piste et 110 km de ski de fond – Patinoire, piscine, tennis, piste de luge, ski-bob, curling, promenades en traîneau, manège couvert, squash, bowling, casino.

ETE – Alpinisme, tennis, équitation, piscine, golf, casino.

HOTEL – Hoteldorf Grüner Baum, p. 283

RESTAURANTS – *Jörg Wörther's Vinotek*, tél. (06 434) 3828, décor rustique, cuisine raffinée, réservation indispensable – *Restaurant Gastein*, Kongresshaus, café très fréquenté à toute heure de la journée.

Goldegg im Pongau 825 m

Au cœur du Salzburgland, au-delà de Lend, la vallée de la Salzach prend le nom de Pongau. Dominé par un château du XVIe siècle, Goldegg s'étale sur les rives d'un petit lac bordé d'une agréable promenade. Quelques téléskis dans la station et dans la vallée permettent de pratiquer le ski en hiver.

Renseignements pratiques

OFFICE DU TOURISME – tél. (06 415) 8131

ACCES (VOIR CARTE N°18) – A 65 km au Sud de Salzbourg – AEROPORT : Salzbourg à 65 km.

HIVER – 7 téléskis à Goldegg – Possibilités de ski dans toute la vallée, déplacement en voiture ou en car postal.

ETE – Piscine, baignade – Excursions dans la vallée de la Salzach : **Eisriesenwelt** depuis Werfen, “le monde des géants de la glace”, accès par téléphérique, 10 000 m² de galeries de glace – **Liechtensteinklamm** accessible en car postal ou en voiture depuis St-Johann im Pongau, gorges et cascades spectaculaires.

HOTEL – Hôtel Zur Post, p. 284

Lofer 626 m

Lofer est une charmante station de montagne, avec de jolies maisons rustiques qui se regroupent autour des clochers à bulbe de son église et de son Bauerntheater (théâtre paysan). Station climatique en été, station de sports d'hiver, idéale pour connaître le charme rural d'un village autrichien.

Renseignements pratiques

OFFICE DU TOURISME – tél. (06 588) 322

ACCES (VOIR CARTE N°18) – A 50 km au Sud-Ouest de Salzbourg – AEROPORT : Salzbourg à 50 km.

HIVER – Télésiège pour Sonnegg, Loderbühel (1 000 m) et Loferer Alm (1 370 m), 10 téléskis.

ETE – Piscine, tennis.

HOTEL – Hôtel Braü, p. 285

RESTAURANTS – *Haus Gertraud in der Sonne*, à Loferer Alm, hôtel et restaurant d'altitude avec une agréable terrasse ensoleillée.

Salzburg-Parsch 420 m

Parsch est un des jolis faubourgs de Salzbourg, à l'est sur la rive droite de la Salzach, sur les pentes du Gaisberg (1 287 m), excursion très appréciée des Salzbourgeois. L'accès se fait de Parsch par télésiège ou de Salzbourg en voiture par la Schallmoser Hottstrasse, route qui monte près du petit village de Guggental. Très beau panorama sur les lacs et les Alpes. En hiver, le Gaisberg est très fréquenté par les skieurs.

Renseignements pratiques

OFFICE DU TOURISME – Auerspergstrasse 7, tél. (0662) 71511 / 74620 / 73866 – Landesverkehrsamt (Office de tourisme du pays de Salzbourg) 5, Mozartplatz, tél. (0662) 43264 / 41561

ACCES (VOIR CARTE N°18) – A 2,5 km à l'Est de Salzbourg – AEROPORT : Salzbourg à 2,5 km.

HIVER – Ski sur le Gaisberg – Patinoire artificielle au Volksgarten – Alpinisme – Equitation – Golf (9 trous) – Excursions : Salzburg-Wals, château de Klessheim – Festival Mozart en janvier, concerts – Théâtre de marionnettes, de réputation mondiale, sauf novembre et février.

ETE – Festival de Salzbourg, de la fin juillet à fin août, renseignements sur la programmation et les réservations à l'Office National du tourisme autrichien à Paris, tél. (1)47 42 78 57 – Théâtre de marionnettes, de réputation mondiale, sauf novembre et février – Patinoire artificielle au Volksgarten – Alpinisme – Golf (9 trous) – Equitation – Salzburg-Wals, château de Klessheim.

HOTEL – Hôtel Fondachhof, p. 286

RESTAURANTS – *Goldener Hirsch restaurant*, 37 Getreidegasse, tél. (0662) 848511, superbe truite à la moutarde et autres spécialités dans le plus élégant hôtel de la ville, cher – *G'Wurzmühl*,

9 Rainbergstrasse, tél. (0622) 846356, spécialités locales – *Stiftskeller St Peter*, St Peter Bezirk, tél. (0662) 841268, fermé le lundi du 1er novembre à Pâques, la légende veut que ce soit dans cette taverne que Méphisto rencontra Faust, un des plus beau restaurants d'Autriche – *Purzelbaum*, 7 Zugallistrasse, tél. (0662) 848846, très fréquenté au moment du festival – Cafés : *Café Tomaselli*, 9 Alter Markt, ouvert depuis 1703, institution salzbourgeoise – *Schatz-Konditorei*, 3 Getreidegasse, pâtisseries dont la fameuse spécialité, les Mozart-Kugeln – *Café-Restaurant Glockenspiel*, Mozartplatz, tél.(0662) 841403, sur une des places les plus pittoresques de la ville, c'est un des cafés les plus fréquentés, restauration au premier étage – *Café Bazar*, 3 Schwarzstrasse, le rendez-vous de l'élite intellectuelle, petite restauration.

Hof bei Salzburg 670 m

Hof bei Salzburg se situe dans cette admirable région de montagnes et de lacs, le Salzkammergut, située à une trentaine de kilomètres à l'est de Salzbourg, et qui est rattachée pour les trois-quarts au Land de la Haute-Autriche. Hof bei Salzburg, à seulement une quinzaine de kilomètres de Salzbourg, est une petite station, jadis réserve privée de chasse et de pêche pour l'aristocratie salzbourgeoise. A deux kilomètres, la route surplombe le Fuschlsee dominé par le Schober (1 329 m). C'est de là qu'on accède au château de Fuschl. Tout près de Salzbourg, Hof est un excellent lieu de séjour pour visiter la ville de Mozart, le Wolfgangsee et le Mondsee. Si vous ne venez pas pour le festival, évitez le mois d'août, période où il est très difficile de se loger à Salzbourg et dans les proches environs.

Renseignements pratiques

OFFICE DU TOURISME – tél. (06 229) 249

ACCES (VOIR CARTE N°19) – A 16 km à l'Est de Salzbourg – AEROPORT : Salzbourg à 16 km.

HIVER – Ski : 4 téléskis dans la station dont un à Hinterschrottenau – Domaine skiable : à St-Gilgen-Zwöferhorn (16 km).

ETE – Excursions : **Fuschl am See** (musée de chasse) – **Jagdhof-St-Gilgen** au pied du Zwölferhorn (1 522 m).

HOTEL – Hôtel Schloss Fuschl, p. 287

Wald im Pinzgau 884 m

Station d'été et d'hiver, Wald occupe un des plus jolis sites du Haut-Pinzgau, belle région traversée par la Salzach couverte de sapins et de prairies. Très fréquentée en été par les randonneurs et les alpinistes, on y chasse, on y pêche en été, on y skie en hiver.

Renseignements pratiques

OFFICE DU TOURISME – tél. (06 565) 8243

ACCES (VOIR CARTE N°18) – A 90 km au Nord-Ouest de Lienz – AEROPORT : Innsbruck à 7 km.

HIVER – Ski à Königsleiten (2 170 m) – 5 téléskis et télésiège du Sonnwendkopf (1 950 m).

ETE – Alpinisme, piscine – Excursion aux chutes de Krimml (10 km).

HOTEL – Jagdschloss Graf Recke, p. 288

RESTAURANTS – *Jagdschloss Graf Recke*, tél. (06 565) 6417, si vous n'êtes pas à l'hôtel, le restaurant vaut d'y aller dîner, ambiance élégante, spécialités de poisson – *Walderwirt und Märzenhof*, tél. (06 565) 8216, le restaurant est dans l'ancien bâtiment XVIIIe siècle de cet hôtel, cuisine généreuse, bon choix de fromages locaux.

STYRIE

Très peu touristique, on appelle pourtant la Styrie le cœur vert de l'Autriche. Graz, seconde ville d'Autriche, capitale de la Styrie, rivalise avec Vienne pour ses activités intellectuelles et artistiques. La montagne y est douce et accueillante et propice à des séjours de grande détente.

Altaussee 717 m

A la frontière de la Haute-Autriche et du Salzburgland, de Tauplitz à Altaussee, vous parcourez une des plus belles régions de Styrie. De nombreuses stations de vacances s'y sont développées.
Voisine de Bad Aussee, plus touristique, Altaussee est plus tranquille.

Renseignements pratiques

OFFICE DU TOURISME – Altaussee / Bad Aussee, tél. (06 152) 2323

ACCES (VOIR CARTE N°19) – A 97 km au Sud-Est de Salzbourg – AEROPORT : Salzbourg à 97 km.

HIVER – Ski à Altaussee (10 téléskis).

ETE – Baignades, canotage et sports nautiques sur les lacs, piscine à Altaussee, golf – Fête des narcisses, fin mai, carnaval traditionnel – Excursion à la mine de sel (2,5 km) où furent cachées pendant la dernière guerre de célèbres œuvres d'art – Promenade le long des lacs d'Altaussee, de Grundl et de Hallstatt (60 km).

HOTEL – Hubertushof, p. 289

Irdning

Irdning se trouve dans la vallée du Donnersbach qui monte dans les Tauern, au pied du Glattjoch (1 988 m).

Renseignements pratiques

OFFICE DU TOURISME – tél. (03 682) 3243

ACCES (VOIR CARTE N°19) – A 120 km au Sud-Est de Salzbourg – AEROPORT : Salzbourg à 120 km.

HIVER – Ski à Planneralpe (1 600 m), 8 km, 5 téleskis ; à Donnersbachwald (976 m), à 17 km, 7 téleskis, très beau site au milieu de la chaîne des Wölzer Tauern, télésiège de la Riesner Alm (1 600 m), téléski.

ETE – Tennis, golf, piscine, équitation à l'hôtel.

HOTEL – Hôtel Schloss Pichlarn, p. 290

TYROL

Pays de hautes montagnes avec comme capitale Innsbruck, situé au centre du Land, le Tyrol organise toute sa vie autour de l'Inn. Les nombreuses fêtes folkloriques, les célèbres maisons tyroliennes, l'art populaire témoignent de l'attachement de ce pays à ses coutumes et à son histoire. Très conservatrice, elle eut un moment des désirs d'indépendance, surtout lorsqu'on l'amputa en 1919 du Tyrol du Sud. Le tourisme de sports d'hiver et de villégiature d'été est l'industrie la plus florissante du Tyrol.

Alpbach 974 m

Un adorable petit village traditionnel entouré de prairies, de bois et de rivières. Plus connu récemment depuis qu'il reçoit chaque été les Semaines Universitaires du Forum Européen. Des installations sportives nouvelles en font aussi une station d'hiver appréciée.

Renseignements pratiques

OFFICE DU TOURISME – tél. (05 336) 5211

ACCES (VOIR CARTE N°18) – A 47 km au Nord-Est d'Innsbruck – AEROPORT : Innsbruck à 47 km.

HIVER – 1 télésiège monte au Hornboden (1 810 m) ; 1 télésiège en hiver dessert, à 1 850 m, 14 téléskis – Piscine couverte.

ETE – Piscine, tennis. Cours d'allemand organisés par le Tyrol Institut à la Maison des Congrès – A voir l'église du village et la très belle croix en fer forgé du cimetière où repose le physicien prix Nobel Erwin Schrödinger.

HOTEL – Hôtel Böglerhof, p. 291

Igls 870 m

Igls, centre olympique avec Innsbruck en 1964 et 1976, situé à 6 km de la capitale voisine, est une charmante station entourée de forêts et de prairies. De nombreux bus et un tramway relient les deux stations toute la journée. Igls est très ensoleillée, calme, très bien équipée en matière de ski ; beaucoup sont ceux qui viennent y séjourner. Parmi les pistes célèbres, celle du Patscherkofel où eut lieu l'épreuve de descente masculine.

Renseignements pratiques

OFFICE DU TOURISME – Burggraben 3, tél. (05 222) 25715

ACCES (VOIR CARTE N°17) – A 5 km au Sud d'Innsbruck – AEROPORT : Innsbruck à 5 km.

HIVER – Station reliée à Innsbruck – Piste olympique de bobsleigh, luge et skeleton-curling, patinage, alpinisme, piscine, hockey.

ETE – Piscine couverte, canotage et baignades aux lacs **Lansersee** et **Mühlsee** – Tennis, équitation – Golf (9 trous) à Lans 2 km, (18 trous) à Rinn 10 km.

HOTEL – Schlosshotel, p. 292

RESTAURANT – *Restaurant Batzenhäusl*, Hotel Batzenhäusl, tél. (05 222) 77104, salle à manger très chaleureuse, service amical, spécialité de steak flambé à votre table, bonnes spécialités régionales, service dans le jardin en été.

Patsch 1 101 m

Petit village au pied du Patscherkofel d'où l'on a une vue panoramique sur la vallée de Stubai.

Renseignements pratiques

OFFICE DU TOURISME – tél.(05 222) 7332

ACCES (VOIR CARTE N°17) – A 6 km au Sud d'Innsbruck – AEROPORT : Innsbruck à 6 km.

HIVER – Ski de fond, ski alpin à 2 km d'Igls.

ETE – Golf, tennis, ski d'été sur le glacier Stubai.

HOTEL – Hôtel Grünwalderhof, p.293

Innsbruck 574 / 2 443 m

Capitale du Tyrol, Innsbruck, la ville du "Pont sur l'Inn", est une des grandes villes alpines. La consécration comme grande station de sports d'hiver vient de l'organisation des Jeux Olympiques d'hiver en 1964 et 1976. La ville, avec ses façades peintes de maisons d'opérette et ses remontées mécaniques qui partent presque du centre ville, a beaucoup de charme et de gaieté. Station familiale.

Renseignements pratiques

OFFICE DU TOURISME – 3 Burggraben, tél.(05 522) 25715 – Tyrol information, Bözner Platz 6, tél.(05 522) 20777

ACCES (VOIR CARTE N°17) – A 16 km au Sud-Ouest de Salzbourg – AEROPORT : Innsbruck.

HIVER – Pistes de ski alpin : 80 km – Pistes de ski de fond : 120 km – La navette "skibus" dessert tous les jours les pistes de ski, de ski de fond et de chemins de randonnées – Domaine skiable : liaison avec les pistes de Igls, d'Hungerburg, Tulfers et Mutters – Patinoire, curling, hockey, tremplin et stade olympique de saut, piste olympique de bobsleigh, luge et skeleton à Igls, piscine, tennis, équitation, squash, bowling, survol des Alpes – Cinémas, casino.

ETE – Ski sur glacier – Alpinisme [Club Alpin, Bozner Platz 7 et Wilhelm Greil-Strasse 5, tél. (05 522) 24106] – Tennis, équitation – Ecole de pilotage en montagne : Aircraft Innsbruck tél. (05 522) 21930 / 25101 – Golf du Sperberegg à Lans, 2 km (9 trous) ; golf du Championnat de Rinn (18 trous) à 8 km d'Igls – Cinémas, casino.

HOTEL – Hôtel Schwarzer Adler, p. 294

RESTAURANTS

Restaurant Philippine Welser, Hotel Europa Tyrol, 2 Südtiroler Platz, tél. (05 522) 35571, considéré comme la meilleure adresse d'Innsbruck, spécialités tyroliennes dans un restaurant très chic – *Stiftskeller*, 31 Burggraben, tél. (05 522) 35571, cuisine simple dans un joli palace baroque, qui peut être servie selon la saison dans le jardin – *Restaurant Kaffee Ottoburg*, 1 Herzog Friedrich-Strasse, tél. (05 522) 34652, bar au rez-de-chaussée, salle de restaurant dans les étages avec beaucoup d'atmosphère – *Hirschstuben*, 5 Kiebachgasse, tél. (05 522) 22979, beau vieux décor tyrolien, cuisine régionale et italienne – *Altstadtstüberl*, 13 Riesengasse, bonnes et généreuses spécialités autrichiennes et tyroliennes dans le vieux quartier d'Innsbruck – *Restaurant Kapeller*, Hotel Kappeller, 96 Philippine-Welser-Strasse, tél. (05 522) 43106, à Amras (1,5 km). Très beau décor de pierre, de stuc et de bois, cuisine régionale et internationale, ambiance chic, réservation indispensable – *Gasthof Wilder Mann*, tél. (05 522) 77387 à Lans, cuisine traditionnelle et accueil sympathique – *Café Munding*, 16 Keibachstrasse, tél. (055 22) 24118, dans la vieille ville, pâtisserie, chocolat, petite restauration – *Stadtcafé*, 2 Rennweg, tél. (05 522) 26 869, snack, pâtisserie.

Mayrhofen 630 m

Chef-lieu du Zillertal, vallée connue pour être un haut lieu du folklore tyrolien. Le village est aussi connu pour ses belles maisons anciennes. Station bien équipée pour les sports d'hiver.

Renseignements pratiques

OFFICE DU TOURISME
tél. (05 285) 2277 / 2305

ACCES (VOIR CARTE N°18) – A 67 km au Sud-Est d'Innsbruck – AEROPORT : Innsbruck à 67 km.

HIVER – Ski alpin : téléphérique du Penken (1 787 m), télésièges jusqu'au Penkenjoch (2 005 m) ; téléphérique du Flizboden (1 995 m) ; 14 téléskis.

ETE – Tennis, randonnées, ski d'été au Gefrorenwand – Excursions : route du **Tuxer Tal** ; village de **Lanersbach** et **Hintertux**.

HOTEL – Hotel Prem, p. 295

Kitzbühel 800 / 1 998 m

Dans cette pittoresque vallée des Kitzbüheler Alpen, où les pentes douces et vertes sont dominées par les parois déchiquetées du Wilder Kaiser, Kitzbühel est une station mondaine et sportive à la fois. Chaque année y a lieu la célèbre descente du Hahnenkamm. Très fréquentée en été par les randonneurs et les alpinistes.

Renseignements pratiques

OFFICE DU TOURISME – tél. (05 356) 2155

ACCES (VOIR CARTE N°18) – A 100 km au Sud de Salzbourg – AEROPORT : Salzbourg à 100 km.

HIVER – Pistes de ski alpin : 61 km – Pistes de ski de fond : 30 km. Domaine skiable : liaison avec le domaine skiable de Kirchberg – Patinoire, piscine, tennis, piste de luge, ski-bob, curling, hockey, école de pilotage, deltaplane – Cinéma, casino.

ETE – Alpinisme, tennis, équitation, patinoire, piscines, baignades au Schwarzsee, canotage, ski nautique – Golf : "Golf Club", "Red Bull Club" (9 trous) – Cinéma, casino – Ne pas manquer le **Tiroler Volkskunstmuseum** et le **Tiroler Landesmuseum Ferdinandeum**.

HOTELS – Hôtel Tennerhof, p. 296 - Hôtel Zur Tenne, p. 297

RESTAURANTS – *Wirtshaus Unterberger-Stuben*, tél. (05 356) 2101, restaurant de la gentry qui fréquente Kitzbühel, cuisine raffinée dans une ambiance et un cadre authentiquement tyroliens – *Florianastube*, Gasthof Eggerwirt, tél. (05 356) 2437, cuisine variée servie en été dans un jardin – *Praxmair*, Vorderstadt, connue dans toute l'Autriche pour ses florentins, chocolat, café, pâtisseries, snack.

Ischgl 1 377 m

En bordure de la Suisse, Ischgl est la plus importante ville de la vallée tyrolienne de la Trisanna ou Paznauntal. Station très bien équipée pour les sports d'hiver.

Renseignements pratiques

OFFICE DU TOURISME – tél. (05 444) 5266

ACCES (VOIR CARTE N°17) – A 10 km au Sud-Est d'Innsbruck – AEROPORT : Innsbruck à 10 km.

HIVER – Ski alpin : 30 remontées mécaniques – Domaine skiable : station reliée par skibus avec Samnaum.

ETE – Piscine, équitation, tennis, randonnées.

HOTEL – Gasthof Goldener Adler, p.298

Imst 828 m

Imst est une très ancienne ville qui compte encore de beaux éléments d'architecture : maisons anciennes, église d'origine gothique remaniée en baroque : la Pfarrkirche Mariä Himmelfafrt. Imst est surtout connu pour le Schemenlaufen, manifestation folklorique la plus célèbre du Tyrol.

Renseignements pratiques

OFFICE DU TOURISME – tél. (05 412) 2419

ACCES (VOIR CARTE N°17) – A 60 km à l'Est d'Innsbruck – AEROPORT : Innsbruck à 60 km.

HIVER – Ski alpin sur l'Untermarkteralm (1 510 m) et l'Alpjoch (2 100 m).

ETE – Piscine, équitation, randonnées.

HOTEL – Hotel Post, p.299

Ötz 820 m

Ötz est le chef-lieu de l'Ötztal, une des plus agréables vallées de l'Inn. Une très belle route, ouverte en été seulement, rejoint par le Brenner l'Italie et le Tyrol du Sud, superbe circuit de 120 km. Ötz est un village traditionnel qui a conservé d'anciennes maisons décorées de fresques et d'oriels fleuris. La douceur de son climat, les cascades, la proximité du Piburgersee, petit lac de montagne, en font une agréable station d'été pour les amateurs de promenades et de pique-niques en forêt.

Renseignements pratiques

OFFICE DU TOURISME – tél. (05 252) 6280

ACCES(VOIR CARTE N°17) – A 51 km d'Innsbruck – AEROPORT : Innsbruck à 51 km.

ETE – Piscine couverte, tennis – Excursions au **Piburgersee** (915 m), **Umhausen** (1 036 m) à 9 km, village le plus ancien de la vallée. On accède par une belle promenade de 30 mn à travers une forêt de mélèzes à la cascade **Stuibenfall**, une des plus spectaculaires du Tyrol.

HOTEL – Gasthof zum Stern p. 300

Lermoos 994 m

Situé dans un bassin très verdoyant, Lermoos accueille de nombreux visiteurs été comme hiver. Sa jonction avec Ehrwald à 4 km et Biberwier à 2 km a énormément agrandi son domaine skiable (liaison par skibus toutes les demi-heures).

Renseignements pratiques

OFFICE DU TOURISME – Hauptplatz, tél.(05 673) 2401

ACCES (VOIR CARTE N°17) – A 71 km au Nord-Ouest d'Innsbruck – AEROPORT : Innsbruck à 71 km.

HIVER – Ski alpin : télésiège du Grubidstein (2 118 m) et de la Brettalm (1 350 m) – Domaine skiable : liaison avec Ehrwald, téléphérique Ehrwalder Alm – Piscine, squash, curling.

ETE – Piscine, kayak, randonnées – Excursion : à **Ehrwald**, le téléphérique d'**Obermoos** monte au sommet ouest de la **Zugspitze** (2 950 m), le plus haut sommet d'Allemagne.

HOTEL – Hotel Drei Mohren p. 300

Umhausen 1 036 m

C'est le plus ancien village de l'Ötzal. Station d'été qui propose de merveilleuses promenades dans les forêts de mélèzes.

Renseignements pratiques

OFFICE DU TOURISME – tél. (05 255) 209

ACCES (VOIR CARTE N°17) – A 59 km au Sud-Ouest d'Innsbruck – AEROPORT : Innsbruck à 59 km.

ETE – Excursions à la cascade du **Stuibenfall**, une des plus belles du Tyrol.

HOTEL – Gasthof Krone, p. 302

RESTAURANT – *Chez Johanna*, décor rustique, bonne cuisine.

Lienz 673 m / 2 000 m

Lienz, capitale de l'Est Tyrol, est située à la jonction de trois vallées : l'Isel au nord-ouest, le Puster à l'ouest et la Drave à l'est. Toute la vie de la ville se concentre sur la Hauptplatz. C'est là que sont tous les cafés et le Lieburg, palais du XVIe siècle, siège du conseil de la province. Lienz est un centre de sports d'hiver avec deux domaines skiables à 2 000 m.

Renseignements pratiques

OFFICE DU TOURISME – Hauptplatz, tél.(04 852) 4747

ACCES (VOIR CARTE N°18) – A 112 km à l'Ouest de Villach – AEROPORT : Salzbourg à 220 km.

HIVER – Domaines skiables accessibles par téléphérique, le Zettenfeld (1 820 m) et le Hochstein (2 023 m) – Piscine couverte.

ETE – Piscine, tennis, alpinisme dans les Dolomites autrichiennes (5 km) – Excursions : Château de Bruck (1,5 km), champ de fouilles d'Aguntum (5 km), des télésièges relient Schlossberg à Venedigerwarte jusqu'à la Hanserwiese (1 514 m).

HOTEL – Hôtel Traube, p. 303

VORARLBERG

Le Vorarlberg possède un relief contrasté et varié allant de la haute montagne à la plaine, entre Feldkirch et Bregenz. La percée du grand tunnel de l'Arlberg a ouvert cette région, très repliée sur elle-même, au tourisme.

Feldkirch 458 m

Feldkirch, capitale du district du Vorarlberg, est une ancienne ville médiévale. Les vieilles maisons à arcades et tourelles, décorées d'oriels et de fresques de la Marktgasse, donnent beaucoup de charme à cette vieille ville. Feldkirch est une excellente introduction à une visite du Vorarlberg Oberland, situé entre la vallée du Rhin et les contreforts des Alpes. Paysages très divers allant de la plaine couverte de vergers jusqu'à la moyenne et haute montagne.

Renseignements pratiques

OFFICE DU TOURISME – tél. (05 522) 23467

ACCES (VOIR CARTE N°16) – A 25 km au Sud de Dornbirn – AEROPORT : Zürich à 143 km.

ETE – Piscine couverte, tennis, équitation, patinoire – Excursions : visite de la vieille ville, **Katzenturm** (la Tour aux Chats), Churertor (Porte de Coire), la **Domkirche St. Nikolaus** (1 478), **Schattenburg**, château fort du XIIe et du XVIe siècle qui abrite le musée et un restaurant.

HOTEL – Hôtel Alpenrose, p. 304

RESTAURANT – *Restaurant Lingg*, 10 Kreuzgasse, tél. (05 522) 22062, très fréquenté au déjeuner, on dîne au sous-sol ; cuisine bien préparée, quelques spécialités locales.

Lech am Arlberg 1 444 / 1 800 m

Importante station d'hiver et d'été, la préférée des familles royales de Belgique, de Hollande et de Suède. Les constructions, même modernes, sont inspirées des anciens chalets. Un complexe hôtelier relié par téléphérique a été construit 300 m plus haut à Oberlech. Station traditionnelle et moderne.

Renseignements pratiques

OFFICE DU TOURISME – tél. (05 583) 2161

ACCES (VOIR CARTE N°16) – A 81 km au Sud-Est de Dornbirn – AEROPORT : Innsbruck à 113 km.

HIVER – Pistes de ski alpin : 80 km – Pistes de ski de fond : 15 km – Domaine skiable : liaison à ski avec Zürs, par navette avec Stubens et San Anton – Patinoire, piscine, tennis, bowling, curling, squash, promenades en traîneau.

ETE – Alpinisme, tennis, piscine, pêche, squash, bowling – Excursions : nombreuses randonnées, accès par les téléphériques du **Rüfikopf** (2 350 m) d'**Oberlech** ; par le télésiège du **Schlegelkof** (1 811 m) et celui qui monte du **Zugertobel** au **Zuger-Hochlicht** (2 300 m).

HOTEL – Hôtel Gasthof Post p. 305

Schruns / Tschagguns 700 / 2 085 m

Entre le Vorarlberg et la Suisse, la vallée du Montafon est jalonnée de petites stations bien enneigées. Schruns et Tschagguns, sœurs jumelles qui se partagent les rives de l'Ill, sont les plus fréquentées. Station familiale.

Renseignements pratiques

OFFICE DU TOURISME – tél. (05 556) 2166

ACCES (VOIR CARTE N°16)– A 55 km au Sud-Est de Dornbirn – AEROPORT : Innsbruck à 141 km.

HIVER – Pistes de ski alpin : 25 km à Schruns, 26 km à Tschagguns – Pistes de ski de fond : 20 km à Schruns, 18 à Tschagguns – Domaine skiable : liaison par navette au Montafoner, (Skipass : 68 km d'itinéraires de ski de fond, 150 km de ski de pistes) – Patinoire, piscine, tennis, piste de luge, curling, promenades en traîneau, équitation, cinéma.

ETE – Tennis, équitation, piscine, deltaplane – Concerts.

HOTEL – Hôtel Krone, p. 306

Schwarzenberg im Bregenzerwald 696 m

A 12 km de Dornbirn, située au cœur du Vorarlberg, Schwarzenberg est une petite station sur la rive gauche de la Bregenzer Ache.

Renseignements pratiques

OFFICE DU TOURISME – tél. (05 512) 2948

ACCES (VOIR CARTE N°16) – A 14 km à l'Est de Dornbirn – AEROPORT : Zürich à 134 km.

HIVER – Ski, l'hôtel Hirschen a sa propre école de ski – Piscine couverte.

ETE – Tennis – Excursions : **Maison d'Angelica Kauffmann** (1741-1807). A Dornbirn, **Rotes Haus** (la Maison rouge, XVIIe siècle), Marktplatz. **Vorarlberg Naturschau** (musée d'Histoire naturelle de la province). En haut du téléphérique du **Karren**, panorama sur le lac de Constance et les Alpes suisses.

HOTEL – Hôtel Gasthof Hirschen, p. 307

RESTAURANT – *Rotes Haus*, tél. (06 850) 62306, cette maison historique a été transformée en restaurant ; cuisine traditionnelle internationale avec un menu qui change selon les saisons ; réservation souhaitable.

Pension Göschlseben ★★★

A-4645 Grünau im Almtal (Haute-Autriche)
Tél. 07616-8280
M. Kastner

♦ *Ouverture toute l'année sauf du 15 octobre au 15 novembre* ♦ *16 chambres avec tél., s.d.b. ou douche, w.c., (t.v. sur demande) - Prix des chambres simples et doubles : 400 à 460 SA, 380 à 460 SA (par pers.) - Prix des suites : 460 à 520 SA (par pers.) - Petit déjeuner : 90 SA, servi de 7 h 30 à 11 h - Prix de la demi-pension : 480 SA (par pers., 3 j. min.)* ♦ *Cartes de crédit non acceptées* ♦ *Chiens admis avec 20 SA de supplément* ♦ *Ski : à Schindlbach (7 km) et à Kasbergalm (9 km)* ♦ *Restaurant : service de 12 h à 13 h, 19 h à 20 h - Menu : 185 à 260 SA - Spécialités : cuisine régionale, truite, gibier* ♦ *Renseignements pratiques sur la station p. 258.*

La vallée de l'Alm en Haute-Autriche fait partie de ces quelques endroits encore privilégiés et inconnus du tourisme de masse. Le village de Grünau se trouve à l'orée d'une immense forêt et d'un magnifique parc naturel, le Cumberland. La Pension Göschlseben, située à l'écart du village, est un endroit charmant, entouré d'arbres et de pelouses. Il y règne une atmosphère tout à fait familiale, due au nombre restreint de chambres qui permet un accueil personnalisé et à la gentillesse de la famille Kastner qui tient cette pension depuis de nombreuses années. La plupart des chambres ont des balcons et elles ont toutes été aménagées avec le souci d'être confortables et toutes différentes. Pas de meubles d'époque, mais plutôt de solides lits et tables en bois. C'est un spectacle merveilleux et courant de voir, tôt le matin, des animaux de la forêt s'aventurer sur les pelouses devant la maison et profiter du calme et de la beauté de la lumière.

♦ *Itinéraire d'accès (voir carte n° 19) : à 95 km à l'est de Salzbourg par A 1, sortie Regau-Gmunden.*

Gasthof Zauner ★★★

A-4830 Hallstatt (Haute-Autriche)
Tél. 06134-246
M. Sepp-Zauner

♦ *Ouverture toute l'année sauf du 1er novembre au 23 décembre* ♦ *12 chambres avec tél., douche et w.c., (t.v. sur demande) - Prix des chambres simples et doubles : 460 SA, 780 SA - Petit déjeuner : 90 SA, servi de 8 h à 11 h - Prix de la demi-pension : 520 SA (par pers., 3 j. min.)* ♦ *Eurocard* ♦ *Chiens admis avec supplément* ♦ *Ski : à 5 km (skibus gratuit) - Golf de Bad Ischl, à 20 km*♦ *Restaurant : service de 12 h à 14 h 30, 17 h à 22 h - Menu : 130 à 220 SA - Carte - Spécialités : poissons du lac, gibier, recettes celtiques* ♦ *Renseignements pratiques sur la station p. 259.*

Collé à la montagne et sur les bords d'un lac, Hallstatt est un village charmant, interdit à la circulation. Le Gasthof Zauner, entièrement recouvert de lierre, se trouve un peu en retrait sur la petite place principale, une des plus jolies du genre, avec ses maisons colorées. M. Zauner, l'aimable propriétaire, qui est aussi moniteur de ski pendant l'hiver, vous accueille lui-même ; son père était un cuisinier réputé et les repas servis ici sont excellents. Un petit escalier conduit aux deux salles du restaurant situées au premier étage où le lierre a commencé aussi à s'installer. Plus haut se trouvent les chambres, pas très grandes et décorées simplement mais néanmoins confortables. Celles qui donnent sur le village ont une jolie vue de la place. Les formules demi-pension et pension en font un endroit aux prix très modérés, avec l'assurance de goûter à une bonne cuisine.

♦ *Itinéraire d'accès (voir carte n° 19) : à 96 km au sud-est de Salzbourg direction Bad Ischl ; (dans la zone piétonne avec possibilité d'accès, parking à 100 m).*

Hotel Tyrol ★★★

Robert Stolz 111
A-5360 Saint-Wolfgang am See (Haute-Autriche)
Tél. 06138-23250 - Fax 06138-25099
Famille Christoforetti

♦ *Ouverture d'avril à fin octobre et du 22 décembre à fin mars* ♦ *16 chambres avec tél. s.d.b. ou douche, w.c. - Prix des chambres simples et doubles : 520 à 650 SA, 840 à 1 100 SA - Petit déjeuner compris, servi de 7 h 30 à 10 h - Prix de la demi-pension : + 150 SA (par pers.)* ♦ *Visa et Traveller Chèques* ♦ *Chiens admis avec 50 SA de supplément - Plage privée avec 50 SA de supplément sur le lac à l'hôtel et parking à l'hôtel* ♦ *Ski : ski alpin et ski de fond à 30 mn par navette de l'hôtel - Golf de Salzkammergut, 18 trous* ♦ *Restaurant : service de 11 h 30 à 14 h, 18 h 30 à 21 h - Fermeture le lundi - Menu : 150 à 180 SA - Carte - Spécialités : poissons du lac, tarte aux myrtilles* ♦ *Renseignements pratiques sur la station p. 260.*

Le Saint-Wolfgangsee est considéré comme le lac le plus romantique d'Autriche, cadre de la célèbre opérette *L'Auberge du Cheval Blanc*. Saint-Wolfgang, situé sur la rive nord-est, est une jolie station de vacances blottie entre les pentes verdoyantes du mont Shafberg et le lac. L'hôtel Tyrol est un vieux chalet couvert de fleurs, typiquement tyrolien. Les chambres lambrissées ont de jolies têtes de lits en bois sculpté, des meubles rustiques et beaucoup d'atmosphère ; toutes ont un balcon. Les repas sont servis en été sur la terrasse. La salle à manger couverte de boiseries peintes est accueillante. Le bar quant à lui mérite qu'on s'y attarde à l'heure du vin blanc. Accueil très sympathique.

♦ *Itinéraire d'accès (voir carte n° 19) : à 51 km à l'est de Salzbourg direction Bad Ischl jusqu'à Strobl, puis Saint-Wolfgang.*

Hotel Haus Senger ★★★★

A-9844 Heiligenblut (Carinthie)
Tél. 04824-2215 - Fax 04824-22159
Mme Senger

♦ *Ouverture toute l'année sauf du 20 avril au 15 juin et du 15 octobre au 15 décembre* ♦ *6 chambres et 9 suites avec tél. direct, s.d.b. ou douche, w.c., (t.v. et kitchenette dans les suites) - Prix des suites : 900 à 2 900 SA - Petit déjeuner : 120 SA, servi de 8 h à 10 h - Prix de la demi-pension : 550 à 930 SA (par pers.)* ♦ *Cartes de crédit acceptées* ♦ *Chiens admis avec 50 SA de supplément - Sauna, bains de vapeur, tennis de table à l'hôtel* ♦ *Ski : départ de l'hôtel* ♦ *Restaurant : service de 12 h à 14 h, 18 h à 21 h - Menu : 160 à 210 SA - Carte - Spécialités : cuisine régionale, fondues* ♦ *Renseignements pratiques* *sur la station p. 261.*

Heiligenblut est situé au sud du fameux Grossglockner, le plus haut sommet d'Autriche, que l'on voit des terrasses du Haus Senger. A l'écart du village et sur une colline, l'hôtel est de construction récente mais son architecture traditionnelle et la teinte foncée du bois lui donnent une allure ancienne. Au rez-de-chaussée, le plafond bas, l'omniprésence du bois et la grande cheminée dans la salle à manger créent une atmosphère très chaleureuse. La plupart des chambres sont des petits appartements très pratiques pour les familles et le mobilier dépend du type de chambre ; les plus belles ont des meubles en bois peint. Les propriétaires sont très aimables et leur cuisine est renommée. C'est un grand plaisir de s'asseoir au balcon de sa chambre en regardant les neiges éternelles avec l'impression d'être au pied de géants.

♦ *Itinéraire d'accès (voir carte n° 18) : à 38 km au nord de Lienz.*

Bio-Hotel Alpenrose ****

A-9872 Obermillstatt (Carinthie)
Tél. 04766-2500 - Fax 04766-3425
Famille Obweger

♦ *Ouverture toute l'année sauf du 27 novembre au 15 décembre - Fermeture le mardi sauf en hiver* ♦ *30 chambres avec tél., s.d.b. ou douche, w.c. - Prix des chambres en demi-pension : 800 SA (par pers.) - Petit déjeuner compris, servi de 7 h 30 à 10 h* ♦ *Cartes de crédit non acceptées* ♦ *Chiens admis avec 70 SA de supplément - Piscine, sauna, massage ; "bio programme" à l'hôtel* ♦ *Ski : départ de l'hôtel pour ski de fond, à 7 km des remontées mécaniques* ♦ *Restaurant : service de 12 h à 13 h 30, 18 h 30 à 20 h 30 - Menu : 130 à 250 SA - Carte - Spécialités : menus végétariens ou avec des produits naturels* ♦ *Renseignements pratiques sur la station p. 261.*

L'Alpenrose, situé en hauteur et en retrait du lac Millstattensee, jouit d'un beau panorama. Sur un des murs, vous lirez Bio-Hotel ; le préfixe souligne la spécificité de l'endroit où tout est mis en œuvre pour offrir un cadre de vie sain et reposant. Ainsi les produits employés dans la cuisine sont tous naturels ; le pain est fait maison et de nombreuses scéances de yoga ou relaxation sont proposées dans les prairies alentour, remplies de fleurs sauvages. L'hôtel est de construction récente en bois clair mais tous les efforts ont été faits pour créer une ambiance traditionnelle et le salon comme les salles à manger débordent de fleurs séchées, tableaux et autres objets rustiques parmi des meubles en bois qui se déploient autour d'une grande cheminée. Les chambres, très claires et confortables, ont pour la plupart une terrasse. L'Alpenrose est un hôtel paisible, proche de la nature et doté de tout le confort moderne.

♦ *Itinéraire d'accès (voir carte n° 19) : à 44 km au nord-ouest de Villach par A 10, sortie Seeboden.*

Sporthotel Alpenhof ★★★★

A-9762 Weissensee (Carinthie)
Tél. 04713-21070 - Télex 48 267
Famille Zöhrer

♦ *Ouverture du 15 décembre à Pâques et du 1er mai à fin octobre* ♦ *30 chambres avec terrasse, tél., s.d.b., w.c., t.v. et minibar - Prix des chambres en demi-pension - Prix des chambres doubles : 500 à 1 200 SA - Prix des suites : 700 à 1 000 SA - Petit déjeuner compris* ♦ *Cartes de crédit acceptées* ♦ *Chiens admis avec 40 à 70 SA de supplément - Plage privée sur le lac, tir à l'arc, ferme, centre de beauté, fitness à l'hôtel* ♦ *Restaurant : service de 12 h 30 à 13 h 30, 18 h à 20 h - Spécialités : produits naturels de la ferme* ♦ *Renseignements pratiques sur la station p. 262.*

L'hôtel est situé sur une prairie qui descend lentement vers le Weissensee, superbe lac dont les rives ont été laissées à l'état naturel, très apprécié des baigneurs car sa température peut atteindre 25 °. L'Alpenhof comprend une propriété de 75 hectares où vous croiserez moutons, chèvres, chiens et chats. La ferme fournit d'excellents produits naturels. Un seul détail peut résumer l'atmosphère unique qui règne ici ; dès l'arrivée, on vous remet une clé ouvrant un petit poulailler individuel ; ainsi, chacun arrive au buffet du petit déjeuner avec ses propres œufs frais pondus par sa poule attitrée ! Les chambres diffèrent beaucoup mais les suites familiales et les chambres, meublées de façon individuelles avec du bois peint, ont comme point commun un très grand confort. L'hôtel est un havre de paix qui convient parfaitement aux amoureux de la nature, aux sportifs et aux familles.

♦ *Itinéraire d'accès (voir carte n° 19) : à 74 km au sud-est de Lienz jusqu'à Greifenburg, puis 87.*

Hoteldorf Grüner Baum ****

A-5640 Badgastein (Salzbourg Land)
Tél. 06434-25160 - Télex 67 516 - Fax 06434-251625
M. et Mme Blumschein

♦ *Ouverture du 14 mai au 18 octobre et du 20 décembre au 23 mars* ♦ *90 chambres avec tél. direct, s.d.b., douche ou lavabo, w.c. et t.v. - Prix des chambres simples et doubles : 700 à 1 500 SA, 1 200 à 3 100 SA - Prix des suites : 1 760 à 3 600 SA - Petit déjeuner compris, servi de 7 h 30 à 10 h - Prix de la demi-pension et de la pension : 780 à 1 800 SA, 880 à 1 900 SA (par pers., 3 j. min.)* ♦ *Cartes de crédit acceptées* ♦ *Chiens admis avec supplément - Tennis, piscine thermale, sauna, solarium, salle de gym, curling, parking, garage (70 à 100 SA) à l'hôtel* ♦ *Ski : départ de l'hôtel - Golf de Badbruck, 9 trous* ♦ *Restaurant : service de 12 h à 14 h, 18 h à 23 h - Menu : 180 à 580 SA - Carte - Spécialités : truite, gibier* ♦ *Renseignements pratiques sur la station p. 262.*

Trois kilomètres après avoir quitté Badgastein, on découvre avec émerveillement un paradis caché. Cet ensemble de cinq bâtiments construits dans le style salzbourgeois auxquels s'ajoutent une petite chapelle et des installations de loisirs, constitue le Grüner Baum qui a vu le jour en 1831 comme chalet de chasse et a accueilli à travers les années de nombreuses célébrités. L'hôtel propose un nombre d'agréments assez unique, du petit remonte-pente privé aux promenades en calèche. Vous pourrez aussi choisir entre différents types de chambres, studios ou appartements ; les plus simples, tout à fait confortables, sont d'un prix très abordable pour la qualité de l'endroit. Le restaurant est excellent ; vous pourrez y déguster votre pêche de la journée après avoir savouré un apéritif autour de la célèbre fontaine de l'Ours.

♦ *Itinéraire d'accès (voir carte n° 18) : à 89 km au sud de Salzbourg par A 10 direction Villach, sortie Bishofshofen, puis direction Zell.*

Hotel Zur Post ★★★★

A-5622 Goldegg im Pongau (Salzbourg Land)
Tél. 06415-81030 - Fax 06415-810359
M. et Mme Gesinger

♦ *Ouverture du 1er novembre au 30 avril* ♦ *40 chambres avec tél., s.d.b. ou douche, w.c., (t.v. sur demande) - Prix des chambres doubles : 495 à 815 SA (par pers.) - Prix des suites : 715 à 895 SA - Petit déjeuner compris - Prix de la demi-pension et de la pension : 575 à 895 SA, 655 à 975 SA (par pers.)* ♦ *Cartes de crédit acceptées* ♦ *Chiens admis avec 100 SA de supplément - Plage privée sur le lac, minigolf, sauna (120 SA), massage, parking, garage (80 SA) à l'hôtel* ♦ *Ski : à 500 m des remontées mécaniques - Golf de Goldeggh, 9 trous* ♦ *Restaurant : service de 12 h à 14 h, 18 h à 21 h - Menu : 150 à 190 SA - Carte - Spécialités : navarin de chevreuil et cerf, poissons du lac* ♦ *Renseignements pratiques sur la station p. 263.*

A Goldegg, dans la vallée de la Salzach, ne vous attendez pas à un paysage fait de hautes montagnes aux profils découpés, ce sont plutôt des collines arrondies, de vertes prairies riches en fleurs sauvages et un charmant petit lac où il fait bon se baigner. L'hôtel se trouve tout près de l'eau. Il règne une atmosphère particulièrement calme et familiale, M. et Mme Gesinger reçoivent personnellement les hôtes et le service est très aimable. Au rez-de-chaussée se trouve la traditionnelle *Stube* en bois où sont servis les repas ; dans une autre pièce, de confortables canapés entourent une grande cheminée. Les chambres ont toutes un balcon et leur mobilier est en bois comme tout chalet qui se respecte. L'hôtel est à 50 mètres des remontées mécaniques et le lac gelé attire les patineurs, offrant ainsi la possibilité de rencontrer les gens du pays.

♦ *Itinéraire d'accès (voir carte n° 18) : à 65 km au sud de Salzbourg par A 10 direction Villach sortie Bischofshofen, puis Zell, (au bord du lac).*

Hotel Bräu

A-5090 Lofer (Salzbourg Land)
Tél. 06588-2070 - Télex 66 535
Mme Moldan

♦ *Ouverture du 15 décembre au 15 avril et du 20 mai au 30 septembre* ♦ *28 chambres avec tél. direct, s.d.b., w.c. et t.v. - Prix des chambres : 500 SA (par pers.) - Prix des suites : 900 SA - Petit déjeuner 70 SA, servi de 8 h à 10 h 30 - Prix de la demi-pension et de la pension : + 120 SA (par pers., 3 j. min.)* ♦ *Amex, Diners, MasterCard et Visa* ♦ *Chiens admis - Sauna à l'hôtel* ♦ *Ski : à 200 m des remontées mécaniques* ♦ *Restaurant : service de 11 h 30 à 14 h, 18 h à 21 h - Menu : 90 à 130 SA - Carte* ♦ *Renseignements pratiques sur la station p. 263.*

Lofer est un joli village avec ses maisons paysannes aux balcons en bois ouvragés et fleuris. La façade de l'hôtel Braü, situé dans la rue principale interdite à la circulation, est très attrayante avec ses contrastes de jaune et de bleu et sa belle enseigne en fer forgé. Cette maison vieille de plus de trois cents ans a toujours été un hôtel et présente de nos jours un intéressant mélange de moderne et de typique. A l'entrée, un bar très high-tech peut surprendre mais les deux salles à manger semblent avoir concentré tout ce qu'il y a de plus traditionnel et ressemblent à de véritables musées. Au cœur de ces pièces se trouvent deux *Kachelofen*, un récent et un ancien, ces étonnants fours qui servent à chauffer les plats aussi bien qu'ils tiennent lieu de radiateur. Dans l'hôtel, les murs sont blancs, les moquettes rouges et les portes vertes. Les chambres sont grandes, confortables, avec de surprenantes salles de bains. Les chambres du 4e étage sont très agréables car elles dominent le village. Une bonne adresse.

♦ *Itinéraire d'accès (voir carte n° 18) : à 50 km au sud-ouest de Salzbourg par St. Johann.*

Hotel Fondachhof *****

Gaisbergstrasse 46
A-5020 Salzburg-Parsch (Salzbourg Land)
Tél. 0662-641331 - Télex 632 519 - Fax 0662-641576
Mme Lumpi

♦ *Ouverture du 8 avril au 31 octobre* ♦ *28 chambres avec tél. direct, s.d.b. ou douche, w.c. et minibar, (20 avec t.v.) - Prix des chambres simples et doubles : 1 200 à 1 800 SA, 2 350 à 3 600 SA - Prix des suites : 3 200 à 5 500 SA - Petit déjeuner compris, servi de 7 h à 12 h* ♦ *Cartes de crédit acceptées* ♦ *Chiens admis avec 100 SA de supplément - Piscine ouverte, sauna, salle de gym, parking et garage (100 SA) à l'hôtel* ♦ *Ski : navette de l'hôtel jusqu'aux remontées mécaniques -Golf Salzburg-Wals, château de Klessheim, 9 trous* ♦ *Restaurant : service réservé aux résidents de 12 h à 14 h, 18 h à 20 h - Fermeture le lundi* ♦ *Renseignements pratiques sur la station p. 264.*

A dix minutes en voiture du vieux Salzbourg, l'hôtel Fondachhof est une grande bâtisse couleur moutarde entourée d'un joli parc. L'ensemble dégage une impression de sévérité due à l'architecture de la maison, qu'atténuent heureusement les massifs fleuris et toute la verdure environnante. Les chambres, situées dans la maison principale, sont aménagées avec des meubles d'époque ; elles sont préférables à celles de l'annexe, dépourvues de caractère. Il règne une atmosphère cossue et très classique mais qui ne nuit pas à l'accueil qui est très souriant. Au milieu du parc, où se trouve une belle piscine chauffée, on peut prendre un verre dans un joli pavillon et jouir du calme. A proximité, la ville si célèbre et si visitée qu'est Salzbourg.

♦ *Itinéraire d'accès (voir carte n° 18) : à 2,5 km à l'est du centre ville au pied du mont Gaisberg.*

Hotel Schloss Fuschl *****

A-5322 Hof bei Salzburg (Salzbourg Land)
Tél. 06229-2253 - Fax 06229-2253531 - M. Lauda

♦ *Ouverture toute l'année* ♦ *84 chambres avec tél. direct, s.d.b., w.c. et t.v. - Prix des chambres simples et doubles : 1 400 à 2 100 SA, 1 800 à 3 400 SA - Prix des suites : 3 500 à 5 800 SA - Petit déjeuner compris - Prix de la demi-pension et de la pension : + 440 SA, + 860 SA (par pers.)* ♦ *Cartes de crédit acceptées* ♦ *Chiens admis dans les chambres - Piscine couverte, tennis, plage privée, sauna, jacuzzi à l'hôtel* ♦ *Ski : à 15 km des remontées mécaniques - Golf club Schloss Fusch, 9 trous* ♦ *Restaurant : service de 12 h à 14 h, 19 h à 21 h - Menu : 400 à 1 150 SA* ♦ *Renseignements pratiques sur la station p. 265.*

Construit en 1450 par les archevêques de Salzbourg, c'est une superbe construction située sur la presqu'île du petit lac de Fuschl aux rives boisées, vierges de toute habitation. Le domaine tout entier est propriété de l'hôtel. Les chambres sont réparties entre des annexes plus récentes situées en retrait, des bungalows parfaits pour les familles au bord même du lac, et la maison mère où vous trouverez les plus belles chambres. Les deux suites donnant sur le lac sont exceptionnelles. Trois restaurants proposent des menus variés et les salles sont toutes aménagées avec soin, que ce soit le salon rose ou la terrasse abritée, avec vue sur les montagnes et l'eau. Un centre de beauté fait également partie de l'ensemble ainsi qu'une piscine installée au sous-sol dans une superbe cave voûtée. Le bar est particulièrement invitant avec ses belles tapisseries et sa grande cheminée. Comme les princes séculiers, vous trouverez au Schloss Fuschl le calme dans un cadre enchanteur.

♦ *Itinéraire d'accès (voir carte n° 19) : à 16 km à l'est de Salzbourg direction Bad Ischl ; au bord du Fuschlsee.*

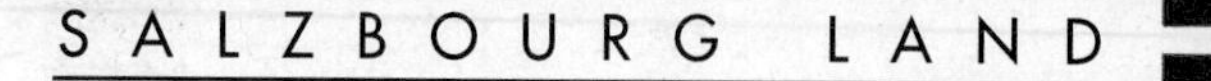

Jagdschloss Graf Recke ★★★★

A-5742 Wald im Pinzgau (Salzbourg Land)
Tél. 06565-6417 - Télex 66 659 - Fax 06565-6920
Graf von der Recke

♦ *Ouverture du 23 mai au 4 octobre, du 19 décembre au 22 mars ♦ 23 chambres avec tél. direct, s.d.b. ou douche et w.c. (12 avec t.v.) - Prix des chambres doubles : 980 à 1 300 SA - Prix des suites : 1 300 à 1 1 600 SA - Petit déjeuner compris, servi de 8 h à 10 h - Prix de la demi-pension et de la pension : 680 à 865 SA, 850 à 1 050 SA (par pers., 3 j. min.) ♦ Diners et Visa ♦ Chiens admis avec 40 à 60 SA de supplément - Piscine, tennis (130 SA), parking et garage (40 à 60 SA) à l'hôtel ♦ Ski : à 3 km des remontées mécaniques - Golf 18 trous, à 40 km ♦ Restaurant : service de 12 h à 14 h, 19 h à 20 h 30 - Menu : 190 à 420 SA - Carte - Spécialités : gibier, poissons, écrevisses ♦ Renseignements pratiques sur la station p. 265.*

L'hôtel fut bâti en 1926 pour être le relais de chasse des comtes von der Recke, propriétaires des droits de chasse de ce qui est aujourd'hui le parc national du Hohe Tauern. Le site est magnifique et la meilleure saison est sans doute l'été, quand un épais tapis de fleurs sauvages couvre les prés environnants. Dirigé par les descendants de cette famille, un grand esprit d'hospitalité et de distinction règne dans l'hôtel. La salle à manger a conservé de nombreux trophées de chasse et un poêle en faïence. Le salon est très intime. Les chambres quant à elles sont plus modernes, grandes et très confortablement installées. C'est un lieu idéal pour la chasse, la pêche à la truite et les randonnées.

♦ *Itinéraire d'accès (voir carte n° 18) : à 90 km au nord-ouest de Lienz par la 108 jusqu'à Mittersill, puis direction Gerlospass.*

Hubertushof ★★★

Puchen 86
A-8992 Altaussee (Styrie)
Tél. 06152-71280
Mme Strasoldo

♦ *Ouverture du 20 mai au 1er octobre, du 27 décembre au 10 janvier et du 1er février au 1er mars* ♦ *9 chambres avec s.d.b. ou douche, w.c., (4 avec t.v.) - Prix des chambres simples et doubles : 440 à 480 SA, 420 à 580 SA - Prix des suites : 580 à 750 SA - Petit déjeuner compris* ♦ *Diners, MasterCard et Visa* ♦ *Chiens admis* ♦ *Ski : à 3 km* ♦ *Pas de restaurant à l'hôtel* ♦ *Renseignements pratiques sur la station* *p. 266.*

L'Hubertushof est une grande maison construite à la fin du siècle dernier où l'on est reçu par une femme très chaleureuse et sympathique, la comtesse de Strasoldo. C'est sa mère, passionnée de chasse et dont les innombrables trophées recouvrent les murs, qui a fait bâtir cette belle demeure située sur une petite hauteur à l'écart du village. Il faut absolument dormir dans une des suites avec balcon ; leur taille est celle d'un véritable appartement, leur décoration très classique avec des teintes claires et leurs prix, plus que raisonnables, défient toute concurrence. Ce qui fait le charme de l'Hubertushof c'est de vivre dans une maison habitée et d'être l'hôte d'une famille qui prend plaisir à vous recevoir. Pour préserver cette intimité, on n'a d'ailleurs pas installé de restaurant.

♦ *Itinéraire d'accès (voir carte n° 19) : à 97 km au sud-est de Salzbourg, direction Bad Ischl, Bad Aussee, puis Altaussee.*

Hotel Schloss Pichlarn ★★★★★

A-8952 Irdning (Styrie)
Tél. 03682-228410 - Télex 38 190 - Fax 03682-228416
M. Zeilerbauer

♦ *Ouverture toute l'année* ♦ *128 chambres avec tél. direct, s.d.b. ou douche, w.c. et t.v. - Prix des chambres simples et doubles en demi-pension: 1 600 à 1850 SA, 1 500 à 1 700 SA (par pers.) - Prix des suites : 2 600 à 3 000 SA - Petit déjeuner compris, servi de 7 h à 10 h - Prix de la pension : + 350 SA (par pers.)* ♦ *Cartes de crédit acceptées* ♦ *Chiens admis - Piscines, tennis, équitation, sauna, centre de remise en forme à l'hôtel* ♦ *Ski : à 20 km ; golf country club Picklarn à l'hôtel, 18 trous* ♦ *Restaurant : service de 12 h à 14 h 30, 19 h à 21 h 30 - Menu : 250 SA - Carte - Spécialités : gibier, poissons* ♦ *Renseignements pratiques sur la station p. 267.*

Ce château, dont les origines remontent à 1074, s'est agrandi au fil des ans de nouvelles ailes et annexes ; c'est maintenant un hôtel de luxe autour duquel a été aménagé un beau parcours de golf de 18 trous. Il est réputé et chaque année sont organisés plusieurs tournois. Des professeurs sont à votre disposition. Les amateurs d'équitation seront eux aussi comblés par un parcours d'obstacles et des écuries pouvant accueillir les chevaux des invités. L'hôtel n'est pas décoré de façon très originale mais toutes les chambres sont claires et confortables. La piscine aux deux-tiers couverte est particulièrement grande et permet vraiment de nager ; à côté se trouve un salon de massage, des saunas et un salon de beauté. C'est un endroit parfait pour les amateurs de vie en plein air qui aiment, après l'exercice, retrouver un cadre confortable et les services d'un hôtel de luxe.

♦ *Itinéraire d'accès (voir carte n° 19) : à 120 km au sud-est de Salzbourg par A 10, direction Villach (en dehors du village).*

Hotel Böglerhof ★★★★

A-6236 Alpbach (Tyrol)
Tél. 05336-5227/5228 - Télex 51 160 - Fax 05336-5227402
Mme Duftner

♦ *Ouverture du 20 décembre à Pâques et du 20 mai au 15 octobre* ♦ *47 chambres avec tél. direct, s.d.b. ou douche, w.c. et t.v. (sauf 1) - Prix des chambres doubles : 600 à 1 100 SA - Petit déjeuner compris - Prix de la demi-pension et de la pension : + 180 SA (par pers., 3 j. min.), + 360 SA (par pers., 6 j. min.)* ♦ *Eurocard et Visa* ♦ *Chiens admis avec supplément - Piscines, tennis, sauna à l'hôtel* ♦ *Ski : ski alpin et ski de fond* ♦ *Restaurant : service de 12 h à 14 h, 19 h à 21 h - Menu : 250 SA - Carte* ♦ *Renseignements pratiques sur la station* *p. 267.*

Alpbach est un des plus jolis villages du Tyrol avec ses maisons en bois traditionnelles, ses balcons fleuris et ses toits chargés de blocs de pierre. Situé légèrement en hauteur et surplombant le village, le Böglerhof est un hôtel merveilleux où le luxe ambiant ne nuit jamais au caractère rustique et à la beauté de l'endroit. Derrière lui ce ne sont que prairies et montagnes. La maison principale fut édifiée en 1470 et à peine rentré, à droite, vous découvrirez une superbe *Stube*. Un grand choix de chambres est proposé ; toutes sont très soignées et beaucoup sont parfaites pour des familles, certaines ayant plus de 60 m^2. Quelques-unes ont de beaux lits à baldaquin. L'hôtel possède deux piscines, une intérieure aux murs décorés de fresques tropicales et une grande en plein air. Les enfants peuvent à loisir se promener aux alentours et de nombreuses occupations leur sont proposées. L'accueil souriant fait de cet hôtel un endroit rare où se marient parfaitement luxe et authenticité d'une maison tyrolienne.

♦ *Itinéraire d'accès (voir carte n° 18) : à 47 km au nord-est d'Innsbruck.*

Schlosshotel ★★★★★

A-6080 Igls (Tyrol)
Tél. 0512-77217 - Télex 533 314 - Fax 0512-78679
Famille Beck

♦ *Ouverture du 21 décembre au 4 avril et du 9 mai au 20 octobre* ♦ *18 chambres avec tél. direct, s.d.b., (2 avec lavabo), w.c. et t.v. satellite - Prix des chambres simples et doubles en demi-pension : 1 820 à 2 070 SA, 1 700 à 1950 SA (par pers.) - Prix des suites en demi-pension: 1 900 à 2 200 SA (par pers.) - Petit déjeuner compris - Prix de la demi-pension et de la pension : + 100 SA, + 250 SA (par pers., 3 j. min.)* ♦ *Cartes de crédit acceptées* ♦ *Chiens admis avec 90 SA de supplément - Piscine couverte, sauna, bain de vapeur, jacuzzi à l'hôtel* ♦ *Ski : à 300 m des remontées mécaniques - Golf de Lans, 9 trous à 2 km* ♦ *Restaurant : service de 12 h à 14 h, 19 h à 21 h 30 - Menu : 400 à 700 SA - Carte* ♦ *Renseignements pratiques sur la station p. 268.*

Construit à la fin du XIXe siècle, ce petit château blanc évoque les contes de fées avec ses décrochements, ses petites terrasses et ses deux tourelles. C'est maintenant un hôtel très luxueux à la décoration soignée ; le mobilier est récent et confortable et les couleurs agréables à l'œil. Il abrite un nombre réduit de chambres qui sont toutes de petites suites avec antichambre. Deux d'entre elles occupent une des tourelles ; ce sont les plus attrayantes. Dans l'une, c'est un bureau qui occupe la pièce circulaire ; dans l'autre, c'est la chambre, vraiment charmante avec toutes ses petites fenêtres et la charpente sous laquelle on s'endort (ici, l'expression "lit douillet" n'est pas usurpée). Dans une nouvelle aile se trouve une piscine entourée d'une verrière qui s'éclipse électriquement lorsque le temps le permet. Un joli jardin entoure l'hôtel et partout autour, les montagnes s'offrent à la vue.

♦ *Itinéraire d'accès (voir carte n° 17) : à 5 km au sud d'Innsbruck.*

1992

Grünwalderhof ★★★

A - 6082 Patsch
Tél. 0512-77304 - Fax 0512-78078 - Mme J. Wanner

♦ *Ouverture du 1er mai au 20 octobre et du 1er décembre au 17 mars* ♦ *26 chambres avec tél. direct, s.d.b., ou douche et w.c - Prix des chambres doubles : de 450 à 710 SA (par pers.) - Petit déjeuner compris - Prix de la demi-pension et pension : 200 SA, 350 SA (par pers.)* ♦ *Eurochèques* ♦ *Chiens admis avec 50 SA de supplément - Piscine couverte et de plein air, tennis, sauna, parking à l'hôtel* ♦ *Ski : Innsbruck à 6 km* ♦ *Restaurant : service de 12 h à 15 h, 18 h à 22 h - Fermeture le lundi hors saison - Menu : de 220 à 450 SA - Carte - Spécialités : Tafflespitz, Rostlraten* ♦ *Renseignements pratiques sur la station p. 268.*

Quelle belle vue ! De magnifiques prairies au vert éclatant descendent lentement vers la vallée tandis qu'au loin les silhouettes des hauts sommets forment un contraste saisissant. Situé à la sortie du village de Patsch sur l'ancienne route romaine, l'hôtel était jadis la résidence de chasse des comtes Thurn et Taxis ; c'est désormais un hôtel agréable à la terrasse panoramique très appréciée. Les chambres varient beaucoup : la n° 4 par exemple plutôt moderne, partage une terrasse avec la n° 3. Au deuxième étage, certaines sont mansardées. N'attendez pas du grand luxe mais elles sont toutes confortables et agréables. Les meubles ou antiquités joliment disposés à travers la maison, proviennent tous de la famille. Au rez-de-chaussée un beau *Stube* voisine avec la salle de restaurant. Très appréciée en hiver, une petite piscine intérieure ainsi qu'un sauna sont à votre dispoisition. La directrice, Jacqueline Wanner, s'occupe de tout avec efficacité et bonne humeur. Seule réticence : l'hôtel accueille régulièrement des mariages.

♦ *Itinéraire d'accès (voir carte n° 17) : à 6 km au sud d'Innsbruck.*

Hotel Schwarzer Adler ★★★★

Kaiserjägerstrasse 2
A-6020 Innsbruck (Tyrol)
Tél. 0512-587109 - Fax 0512-561697
Famille Ultsch

♦ *Ouverture toute l'année* ♦ *26 chambres avec tél. direct, s.d.b. ou douche, w.c., t.v. et minibar - Prix des chambres simples et doubles : 750 à 1 050 SA, 1 300 à 1 800 SA - Prix des suites : 2 000 à 2 800 SA - Petit déjeuner compris, servi de 7 h à 10 h - Prix de la demi-pension et de la pension : + 240 SA, + 440 SA (par pers., 3 j. min.)* ♦ *Cartes de crédit acceptées* ♦ *Chiens admis avec 100 SA de supplément* ♦ *Ski : à 5 mn des remontées mécaniques - Golf de Rinn-Igls, 18 trous* ♦ *Restaurant : service de 11 h 30 à 14 h, 18 h à 23 h - Fermeture le dimanche - Menu : 150 à 250 SA - Carte - Spécialités : Sellrainer Pfandl, Tafelspitz* ♦ *Renseignements pratiques sur la station* *p. 269.*

Il n'est pas facile de se loger à Innsbruck où la plupart des hôtels sont tout à fait sinistres. Heureusement, il y a le Schwarzer Adler, très bien situé (le fameux toit d'or est à moins de 5 minutes à pied). Ses origines remontent au XVe siècle et une belle salle voûtée qui est maintenant un restaurant en témoigne. Les chambres se répartissent sur trois étages, les plus agréables sont celles qui ne donnent pas sur la rue ; plusieurs ont une terrasse et profitent de la vue sur les sommets qui entourent la ville. Le charme de l'hôtel, c'est aussi le petit patio intérieur où l'on peut prendre un verre loin des bruits de la ville. Bien qu'il soit au cœur d'une cité, les dimensions intérieures de l'hôtel rappellent l'ambiance d'un chalet ; partout, petits couloirs, plafonds bas et différents recoins créent une atmosphère intime. Les vendredi et samedi, un pianiste accompagne les dîners dans cette belle salle de restaurant décorée d'objets qui rappellent l'époque où l'Autriche était un empire.

♦ *Itinéraire d'accès (voir carte n° 17) : à 100 km au sud de Salzbourg.*

1992

Hôtel Prem ***

Am Marienbrunnen 342
A - 6290 Mayrhofen
Tél. 05285-2218 - Fax 05285-3741
Mme Prem

♦ *Ouverture de mi-décembre à fin octobre* ♦ *20 chambres avec douche ou s.d.b. - Prix des chambres simples et doubles : 400 SA, 760 SA. - Petit déjeuner compris* ♦ *Cartes de crédit non acceptées* ♦ *Chiens non acceptés - Parking à l'hôtel* ♦ *Ski : à 800 m des remontées mécaniques* ♦ *Pas de restaurant à l'hôtel* ♦ *Renseignements pratiques sur la station p. 270.*

Au fond de la vallée du Zillertal, Mayrhofen apparaît comme une petite capitale touristique de la région. Pas très éloigné de l'église, l'hôtel Prem a retenu notre attention grâce à sa situation un peu à l'écart de la rue principale bordée de nombreux hôtels. Ce grand chalet aux fenêtres fleuries de géraniums bénéficie d'un petit jardin devant et derrière la maison. Les chambres sont modernes et lumineuses, certaines profitent d'un balcon. Les petits déjeuners sont servis dans le *Stube* mais l'hôtel n'a pas de restaurant. Calme, l'accueil est agréable, voici les principaux atouts du Prem. Grâce à un forfait valable pour tout le Zillertal, les skieurs apprécieront un grand domaine avec même du ski d'été au Gefrorene Wand.

♦ *Itinéraire d'accès (voir carte n° 18) : à 67 km au sud-est d'Innsbruck.*

Hotel Tennerhof *****

A-6370 Kitzbühel (Tyrol)
Tél. 05356-3181 - Fax 05356-318170 - M. von Pasquali

♦ *Ouverture du 1er janvier au 30 avril et du 22 mai au 11 octobre* ♦ *44 chambres avec tél., s.d.b. ou douche, w.c. et t.v. - Prix des chambres simples et doubles : 870 à 1 930 SA, 1 340 à 3 320 SA - Prix des suites : 2 580 à 6 670 SA - Petit déjeuner compris - Prix de la demi-pension : + 210 SA (par pers.)* ♦ *Diners, Eurocard et Visa* ♦ *Chiens admis avec supplément - Piscines (couverte et ouverte), sauna, solarium, centre de remise en forme, parking et garage (80 SA) à l'hôtel* ♦ *Ski : minibus privé de l'hôtel - Golf club Schwarzee, 18 trous ; Schloss Kats, 9 trous ; Rasmushof, 9 trous* ♦ *Restaurant : service de 12 h à 14 h, 19 h à 21 h 30 - Fermeture le mardi - Menu : 480 à 720 SA - Carte* ♦ *Renseignements pratiques sur la station* *p. 270.*

Dès qu'on l'aperçoit, on est immédiatement séduit par ce superbe chalet du XVIIe dont les harmonies de couleur du bois, des poutres rehaussées de vert et des balcons fleuris dégagent un charme unique. L'hôtel est situé dans Kitzbühel au pied des montagnes mais suffisamment à l'écart pour s'y sentir à la campagne et surtout, à proximité du téléphérique qui mène au célèbre Kitzbühel Horn. Les plus belles chambres sont situées dans la maison principale, certaines sont vraiment exceptionnelles comme celle dont les murs et le plafond sont recouverts de panneaux en bois ancien. Mais toutes ont été aménagées avec attention et recherche de la perfection dans les plus petits détails. Au rez-de-chaussée se trouve un salon confortable où l'on se réunit autour de la cheminée. La cuisine est une des meilleures d'Autriche. Un des secrets de son charme est la famille Pasquali, qui en est propriétaire depuis cent cinquante ans.

♦ *Itinéraire d'accès (voir carte n° 18) : à 100 km au sud-ouest de Salzbourg jusqu'à St. Johann et Kitzbühel.*

Hotel Zur Tenne ****

A-6370 Kitzbühel (Tyrol)
Tél. 05356-4444 - Télex 51 761 - Fax 05356-480356
M. Brandt

♦ *Ouverture toute l'année* ♦ *51 chambres avec terrasse, tél. direct, s.d.b., w.c. , t.v. - Prix des chambres doubles : 850 à 1 350 SA - Prix des suites : 1 500 à 3 600 SA - Petit déjeuner compris, servi de 7 h à 10 h - Prix de la demi-pension : + 250 à 380 SA (par pers.)* ♦ *Chiens non admis - Sauna, solarium, whirlpools, jacuzzi à l'hôtel* ♦ *Ski : à 10 mn des remontées mécaniques - Golf club Schwarzee, 18 trous ; Schloss Kaps, 9 trous ; Rasmushof, 9 trous* ♦ *Restaurant : service de 12 h à 14 h, 18 h à 22 h - Menu : 150 à 220 SA - Carte - Spécialités : cuisine régionale* ♦ *Renseignements pratiques sur la station* *p. 270.*

Dans la rue principale de Kitzbühel, entouré de cafés et de pimpants petits magasins de souvenirs, le Zur Tenne occupe trois maisons aux couleurs différentes. C'est un hôtel luxueux et très confortable où il fait bon rentrer après une rude journée de ski. Toutes les chambres sont agréables mais si vous pouvez vous le permettre, demandez une des suites, elles sont spécialement attirantes. Vastes avec de belles salles de bains au carrelage coquet, elles ont chacune une cheminée et certaines, des lits à baldaquin. Partout bois et pierre se marient harmonieusement ainsi que les moquettes aux couleurs vives dont le dessin reprend le thème classique des deux oiseaux autour du cœur. Bien que l'hôtel soit au cœur de la ville, les remontées mécaniques ne sont pas très éloignées et les sentiers de randonnée à un quart d'heure de marche.

♦ *Itinéraire d'accès (voir carte n° 18) : à 100 km au sud-ouest de Salzbourg jusqu'à St. Johann et Kitzbühel.*

1992

Goldener Adler ★★★★

A 6561 - Ischgl
Tél. 05444-5217 - Télex 58229 - Fax 05444-5571
Famille Kurz

♦ *Ouvert du 15 décembre à fin avril et du 1er juin au 30 septembre* ♦ *29 chambres avec tél. direct, s.d.b. ou douche, w.c et minibar* ♦ *Prix des chambres en demi-pension : 770 à 1 1400 SA - Petit déjeuner compris, servi de 8 h à 10 h* ♦ *Cartes de crédit non acceptées* ♦ *Chiens admis avec supplément - Parking à l'hôtel* ♦ *Ski : à 100 m des remontées mécaniques, Innsbruck à 10 km* ♦ *Restaurant : service de 12 h à 14 h (en été seulement) et de 18 h à 21 h - Carte - Spécialités : cuisine régionale* ♦ *Renseignements pratiques sur la station p. 271.*

Comme aime le répéter la famille Kurz qui tient l'hôtel depuis 1967 : "Ici, vous n'êtes pas considéré comme un hôte ordinaire mais comme un ami de la maison". Maison riche en tradition dont l'existence remonte à 1640 d'après certains documents. Rénovée ou agrandie au fil des ans, les parties les plus intéressantes ont été conservées. Dans toutes les pièces, vielles horloges, luges anciennes, buffets ou tableaux créent une atmosphère traditionnelle et chaleureuse. Les chambres sont modernes avec des meubles en bois et offrent un bon confort. Dans le beau *Gastube*, tout de bois recouvert, on sert une cuisine régionale excellente. Pleine d'entrain, la famille Kurz organise selon les goûts et les humeurs des hôtes de nombreuses activités telles que : cours de cuisine, herbogravure, gravure sur verre, musique, ainsi que des randonnées à vertus pédagogiques (découverte des plantes médicinales) ou simplement pour le plaisir. Très apprécié des skieurs pour la qualité de la neige, Ischgl est au coeur de la région de la Silvretta où les pistes culminent à 3 000 mètres.

♦ *Itinéraire d'accès (voir carte n° 17) : à 10 km au sud-est d'Innsbruck.*

1992

Hôtel Post ★★★★

A - 6460 Imst
Tél. 05412-2554 - Fax 05412-251955
Famille Pfeifer

♦ *Ouverture de mi-décembre à fin octobre* ♦ *37 chambres avec tél. direct, douche et s.d.b., w.c et t.v* ♦ *Prix des chambres doubles : de 350 à 600 SA (par pers.) - Petit déjeuner compris, servi de 7 h à 10 h - Prix de la demi-pension et pension complète : de 530 à 650 SA, DE 630 à 750 SA (par pers., 3 jours min.)* ♦ *Amex, Diners, Visa, MasterCard* ♦ *Chiens admis - Piscine, parking à l'hôtel* ♦ *Ski : à 2 km de Hoch Imst* ♦ *Restaurant : service de 12 h à 14 h et de 18 h 30 à 21 h - Carte - Spécialités : "Postplatte"* ♦ *Renseignements pratiques sur la station p. 271.*

L'hôtel Post dont l'aile la plus ancienne date du XVe siècle vous séduira par son côté luxueux que l'on ne retrouve pas dans ses prix. Les chambres se divisent en deux catégories : les "romantiques" avec leur mobilier de style Biedermeier et d'autres aussi confortables mais moins typées. Quatre pièces en enfilade font office de salle à manger. Dans les deux *Stuben* aux panneaux en bois, l'ambiance est intime et l'on y sent battre le coeur de la maison. Les repas peuvent aussi être servis dans une magnifique véranda en bois recouverte de lierre et entourée de géraniums qui donne sur le parc de l'hôtel. Très apprécié avec sa grande pelouse plantée de beaux arbres. Aux beaux jours la piscine ouvre ses grandes verrières pour faire profiter pleinement de la verdure et du spectacle des montagnes dont les sommets scintillent aux alentours.

♦ *Itinéraire d'accès (voir carte n° 17) : à 60 km à l'est d'Innsbruck.*

Gasthof zum Stern

A-6433 Oetz (Tyrol)
Tél. 05252-6323
M. Grieser

♦ *Ouverture de décembre à avril et de mai à octobre* ♦ *12 chambres avec douche (1 avec s.d.b.) et w.c. - Prix des chambres doubles en demi-pension : 350 SA (par pers.) - Petit déjeuner compris, servi de 7 h 30 à 12 h* ♦ *Eurochèques* ♦ *Chiens admis* ♦ *Ski : télésiège à 200 m de l'hôtel* ♦ *Restaurant : service à 12 h 30 et à 19 h - Menu : 125 SA - Spécialités : cuisine régionale* ♦ *Renseignements pratiques sur la station p. 272.*

Avec toutes ses fresques murales représentant des scènes bibliques, son ravissant autel fleuri au-dessus de l'entrée principale et ses fenêtres peintes, c'est sans doute une des plus jolies auberges d'Autriche. Sa situation, parmi d'autres maisons du même type et à côté d'une belle église du XIVe, ne fait qu'ajouter au charme de cette maison vieille de trois cent cinquante ans à la façade couleur ocre patinée par les années. Une fois qu'on est entré, l'intérieur tranche par sa simplicité si ce n'est sa sobriété, mais l'une des trois salles à manger offre tout ce qu'on peut attendre d'un tel endroit ; murs et plafonds en bois, chaises sculptées et vaisselle ancienne en étain au mur. La nourriture est bonne et copieuse. Au deuxième étage se trouvent les chambres, plutôt grandes et très propres, mais la décoration est réduite à l'essentiel et les salles de bains sont composées d'une pièce en plastique moulé. Les prix sont très raisonnables.

♦ *Itinéraire d'accès (voir carte n° 17) : à 51 km à l'ouest d'Innsbruck.*

1992

Hotel Drei Mohren ★★★★

A - 6631 Lermoos
Tél. 05673-2362 - Fax. 05673-3538
Famille Kunstner

♦ *Ouverture du 15 décembre au 1er avril et du 1er mai au 31 octobre* ♦ *50 chambres avec tél. direct, douche ou s.d.b et w.c* ♦ *Prix des chambres doubles en demi-pension : 470 à 650 SA - Petit déjeuner compris, servi de 7 h 30 à 10 h 30* ♦ *Amex, Visa, Eurocard, MasterCard* ♦ *Chiens admis avec 30 à 50 SA de supplément - Parking et garage à l'hôtel* ♦ *Ski : à 100 m des remontées mécaniques, départ de l'hôtel pour ski de fond - Golf 18 trous, à Garmisch* ♦ *Restaurant : de 12 h à 13 h 30, de 19 h à 20 h 30 - Menu et carte - Spécialités : truites* ♦ *Renseignements pratiques sur la station p. 272.*

Le village de Lermoos jouit d'un site exceptionnel, face à différents sommets. On y trouve le Zugspik (2 964 mètres) plus haute montagne allemande (la frontière est toute proche). Le Drei Mohren attire tout de suite la sympathie. Sans aucune prétention, il offre un bon confort et un accueil très sympathique (Mme Kunstner parle français). Si les lustres de la salle à manger ou les coloris des chambres ne relèvent pas toujours d'un goût très sûr, on s'y sent néanmoins bien. On préfèrera les chambres avec balcon donnant sur les montagnes bien que celles sur la route ne soient pas très bruyantes puisqu'un tunnel dévie la circulation hors du village. La renommée de l'hôtel vient du fait qu'il possède les droits de pêche dans les eaux internationalement connues de la rivière Loisach (12 km de pêche à la mouche) et des lacs du Fernpass. Ainsi, chaque année, de nombreux fervents se retrouvent ici. Le restaurant propose des spécialités de poissons et offre la possibilité de faire cuire vos propres prises.

♦ *Itinéraire d'accès (voir carte n° 17) : à 71 km au nord-est d'Innsbrück.*

1992

Gasthof Krone

A - 6446 Umhausen N° 6
Tél. 05255-5212
Mme H. Marberger

♦ *Ouverture de mai à octobre* ♦ *9 chambres avec douches et w.c* ♦ *Prix des chambres : de 200 à 240 SA (par pers.) - Petit déjeuner compris, servi de 8 h à 10 h* ♦ *Cartes de crédit non acceptées* ♦ *Chiens non admis* ♦ *Pas de restaurant à l'hôtel* ♦ *Renseignements pratiques sur la station p. 273.*

Dans la vallée de l'Otzal, affluent de l'Inn, beaucoup de traditions du vieux Tyrol vivent encore et les villages ont gardé tout leur cachet. Ainsi à Umhausen, à côté d'une jolie église, le Gasthof Krone a tout pour plaire : une façade aux fenêtres peintes, des oriels décorés et l'atmosphère d'une auberge authentique. A l'intérieur, grande sobriété, couloirs voûtés et murs blancs. Les différentes salles à manger sont de petits bijoux avec leurs panneaux et mobiliers en bois. Aménagées simplement, les neuf chambres offrent un bon confort et on appréciera leur taille. Enfin, des prix imbattables et l'amabilité de Madame Marberger qui vous recevra dans un français parfait font de cet endroit une très bonne adresse.

♦ *Itinéraire d'accès (voir carte n° 17) : à 59 km au sud-ouest d'Innsbruck.*

Hotel Traube ★★★★

A-9900 Lienz (Tyrol)
Tél. 04852-64444 - Télex 46 515 - Fax 04852-64184
M. Wimmer

♦ *Ouverture du 20 décembre au 4 novembre* ♦ *54 chambres avec tél. direct, s.d.b. ou douche, w.c., (14 avec t.v.) - Prix des chambres simples et doubles : 650 à 980 SA, 1 160 à 1 800 SA - Petit déjeuner compris - Prix de la demi-pension et de la pension : + 280 SA, + 430 SA (par pers., 3 j. min.)* ♦ *Cartes de crédit acceptées* ♦ *Chiens admis avec 100 SA de supplément - Pêche à l'hôtel* ♦ *Ski : à 2 km des remontées mécaniques* ♦ *Restaurant : service de 12 h à 14 h, de 18 h à 21 h 30 - Menu : 180 SA - Carte - Spécialités : cuisine autrichienne* ♦ *Renseignements pratiques sur la station p. 273.*

L'hôtel se trouve sur la place principale de Lienz qui dès le printemps exhibe avec fierté quelques palmiers, preuve de la douceur du climat dont bénéficie le Tyrol oriental. Le Traube est symbole de tradition et de confort et ses origines remontent à 1586. Son nom qui veut dire "raisins" s'explique par le commerce de vin qu'a développé la famille du propriétaire depuis plus de cent ans. Vous goûterez d'excellentes bouteilles dans la belle salle voûtée qui abrite le restaurant tandis qu'un restaurant italien sert de bonnes pâtes fraîches. L'hôtel propose différents types de chambres : les *Romantik*, grandes et meublées dans le style Biedermeier et les *Traube*, petites suites avec de belles salles de bains qui offrent plus d'agrément, les autres n'étant pas très originales et un peu tristes. Au dernier étage, une piscine, inattendue dans cette maison ancienne, bénéficie d'une jolie vue sur la ville et le Zettersfeld enneigé, paradis des skieurs, grâce à une grande verrière.

♦ *Itinéraire d'accès (voir carte n° 18) : à 112 km à l'ouest de Villach par l'autoroute direction Spittal, puis Lienz.*

Hotel Alpenrose ★★★★

Rosengasse 6
A-6800 Feldkirch (Voralberg)
Tél. 05522-22175 - Fax 05522-221755
Famille Gutwinski

♦ *Ouverture toute l'année* ♦ *24 chambres avec tél. direct, s.d.b. ou douche, w.c. - Prix des chambres simples et doubles : 570 à 710 SA, 990 à 1 200 SA - Petit déjeuner compris (buffet), servi de 7 h à 10 h 30* ♦ *Cartes de crédit acceptées* ♦ *Chiens admis* ♦ *Restaurant : service de 17 h à 22 h* ♦ *Renseignements pratiques sur la station p. 274.*

Cette jolie maison à la façade ocre dont la construction remonte au XVe siècle est située au cœur de la vieille ville de Feldkirch dans la zone piétonne. L'hôtel dégage un charme très particulier dû à son emplacement, au calme ambiant et à l'aménagement intérieur très soigné. Presque toutes les chambres sont meublées dans le style Biedermeier du début du XIXe où s'harmonisent beauté et utilité. Mme Gutwinski s'est attachée à conserver les meubles familiaux et à en trouver d'autres de la même époque. Chaque chambre est aussi différente et l'ensemble vous donne l'impression d'être dans une maison privée à l'atmosphère feutrée et cossue. Il n'y a pas de restaurant mais seulement une salle pour le petit déjeuner et un charmant salon.

♦ *Itinéraire d'accès (voir carte n° 16) : à 25 km au sud de Dornbirn.*

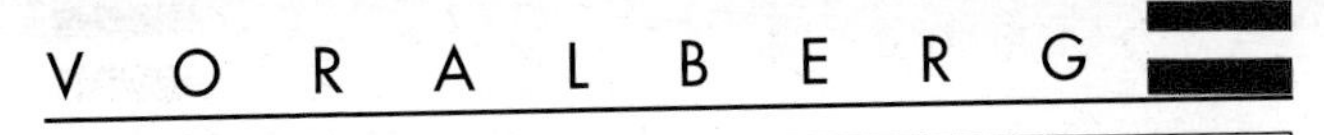

Hotel Gasthof Post ★★★★★

A-6764 Lech am Arlberg (Voralberg)
Tél. 05583-22060 - Fax 05583-220623
Famille Moosbrugger

♦ *Ouverture du 29 juin au 23 septembre et du 1er décembre au 20 avril* ♦ *40 chambres avec tél. direct, s.d.b. ou douche, w.c., t.v. et minibar - Prix des chambres doubles : 790 à 2 950 SA - Prix des suites : 1 680 à 3 780 SA - Petit déjeuner compris - Prix de la demi-pension : + 330 à 430 SA (par pers.)* ♦ *Cartes de crédit non acceptées (sauf au restaurant : Amex et Visa) ; Eurochèques, chèques de voyage* ♦ *Petits chiens admis sur demande - Piscine couverte, sauna, massage, solarium, gym à l'hôtel* ♦ *Ski : à 150 m des remontées mécaniques* ♦ *Restaurant : service de 12 h à 14 h, 19 h à 21 h - Menu : 330 à 590 SA - Carte - Spécialités : cuisine autrichienne* ♦ *Renseignements pratiques sur la station p. 274.*

La renommée de Lech comme station de sports d'hiver est mondiale. Dans la rue principale s'élève cette grande maison à la façade peinte et aux volets verts, c'est un hôtel de haut niveau, où l'on a conservé l'ambiance traditionnelle et l'atmosphère rustique. La gamme de chambres proposées est variée mais partout un soin particulier a été consacré à la décoration, et l'on retrouve de beaux meubles peints à l'ancienne et parfois de superbes lits à baldaquin. Les salles de restaurant sont aménagées dans le même style que les autres pièces avec du mobilier rustique, des plafonds à caissons et autres sculptures en bois. En été, même si l'attrait du ski a disparu, les prix sont très avantageux et vous pourrez profiter de la piscine, aller pêcher ou encore partir en randonnée avec le guide de l'hôtel.

♦ *Itinéraire d'accès (voir carte n° 16) : à 81 km au sud-est de Dornbirn par A 14, puis 516.*

Hotel Krone ★★★

A-6780 Schruns (Voralberg)
Tél. 05556-2255 - Fax 05556-4879
M. Mayer

♦ *Ouverture du 15 mai au 30 octobre et du 20 décembre à Pâques* ♦ *9 chambres avec tél. direct, s.d.b. ou douche, w.c., t.v. et minibar - Prix des chambres simples et doubles : 360 à 480 SA, 310 à 420 SA (par pers.) - Petit déjeuner compris, servi de 7 h à 10 h - Prix de la demi-pension et de la pension : + 130 SA, + 230 SA (par pers., 3 j. min.)* ♦ *Diners* ♦ *Chiens admis avec 30 SA de supplément* ♦ *Ski : à 350 m des remontées mécaniques - Golf de Bad Ragaz, 18 trous à 50 km* ♦ *Restaurant : service de 11 h 30 à 14 h, 17 h 45 à 21 h 15 - Menu : 140 à 350 SA - Carte* ♦ *Renseignements pratiques sur la station p. 275.*

Schruns est le chef-lieu du Montafon, une des régions les plus originales d'Autriche dont les mœurs, les costumes et le parler rhéto-roman ont survécu. L'hôtel Krone se trouve juste après le petit pont qui enjambe le torrent traversant la ville, une splendide enseigne dorée le signale aux passants. Après avoir franchi la lourde porte marquée de l'aigle napoléonien, souvenir du temps où cette partie de l'Autriche était française, vous découvrez une très belle salle à manger. Cette salle est une pièce unique, typique du pays : que ce soit les panneaux des murs, le plafond, les tables ou les chaises sculptées, elle est entièrement en bois. L'hôtel Krone est d'abord un excellent restaurant et M. Mayer, dont la famille tient l'endroit depuis 1847, a travaillé autrefois à Paris. L'hôtel ne dispose que de neuf chambres, simples mais confortables, aux prix attrayants. Il fait bon séjourner au Krone, plus proche d'une auberge confortable que d'un hôtel classique.

♦ *Itinéraire d'accès (voir carte n° 16) : à 55 km au sud-est de Dornbirn par A 14.*

Hotel Gasthof Hirschen ★★★

A-6867 Schwarzenberg (Voralberg)
Tél. 05512-29440 - Fax 05512-294420
Famille Fetz

♦ *Ouverture toute l'année sauf de novembre à Noël - Fermeture le mercredi et le jeudi jusqu'à 17 h* ♦ *22 chambres avec tél. direct, s.d.b. ou douche, w.c. et t.v. - Prix des chambres simples et doubles : 750 SA, 700 SA (par pers.) - Petit déjeuner : 125 SA, servi de 8 h à 10 h - Prix de la demi-pension : + 280 SA (par pers., 3 j. min.)* ♦ *Cartes de crédit acceptées* ♦ *Chiens admis avec 50 SA de supplément - Parking et garage (80 SA) à l'hôtel* ♦ *Ski : départ de l'hôtel* ♦ *Restaurant : service de 12 h à 14 h, 18 h à 21 h - Fermeture le mercredi et le jeudi midi h.s.- Menu : à partir de 295 SA - Carte - Spécialités : Käsknäpfle, poisson* ♦ *Renseignements pratiques sur la station p. 275.*

L'hôtel Hirschen est une superbe grande maison construite en 1757 dans le style du Bregenzerwald, entièrement recouverte de petites tuiles en bois. D'autres bâtisses de la même époque donnent au village un attrait particulier. Les salles de restaurant qui sont sûrement parmi les plus jolies d'Autriche ont gardé l'ameublement original datant de 1812, l'ensemble se mariant parfaitement avec le bleu des nappes et les couleurs vives des fleurs sur les tables. La cuisine proposée est particulièrement savoureuse. Si les chambres de la nouvelle partie sont très confortables, celles de la maison principale, un peu plus petites, sont très raffinées et meublées à l'ancienne. En outre, leurs fenêtres donnent sur la petite place et la jolie église. Même si les sommets environnants ne culminent qu'à 1500 mètres, vous trouverez à proximité une des pistes de descente de la coupe du monde.

♦ *Itinéraire d'accès (voir carte n° 16) : à 14 km à l'est de Dornbirn (à 4 km du village).*

I N D E X

FRANCE

A

B

C

D

E

ITALIE

M

N

P

S

T

V

SUISSE

A

AUTRICHE

LES GUIDES DE CHARME RIVAGES

FRANCE
auberges et hôtels

ITALIE
auberges et hôtels

MONTAGNE
France - Italie
Suisse - Autriche
auberges et hôtels

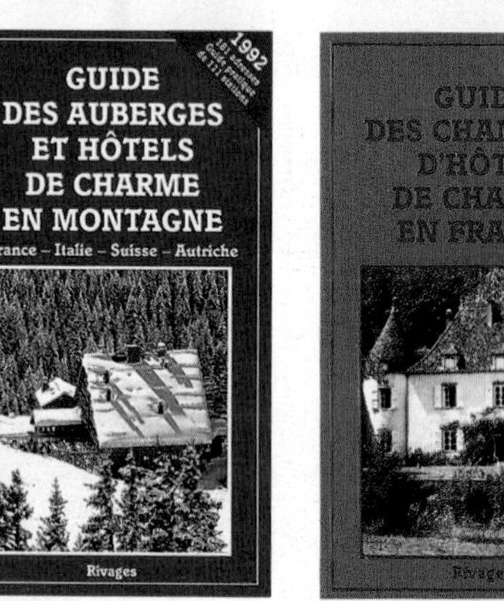

FRANCE
chambres d'hôtes